女たちのベラルーシ

革命、勇気、自由の希求

Die Frauen von Belarus:
Von Revolution,
Mut und dem Drang nach Freiheit

アリス・ボータ
Alice Bota

岩井智子／岩井方男 訳　越野 剛 監修・解説

春秋社

はしがき——本書の短い取扱説明

ジャーナリストとして、私アリス・ボータはいろいろなドラマチックな場面に立ち会いました。二〇〇八年はジョージアで、当時の大統領に対するデモが、私の目の前を過ぎていきました。二〇一一年にテルアビブで住宅不足に抗議するために、何千人もの陽気な人びとがテントを張ったとき、私はそこにいました。二〇一四年にウクライナで行なわれた〈マイダン抗議運動〉では、最初の犠牲者の棺の後をついていきました。二〇一八年のアルメニアの〈ビロード革命〉が平和的な政権交代をもたらし、通りが踊り回る人でいっぱいになったのを、信じられない思いで見ました。しかし一年後、政治活動家アレクセイ・ナワリヌイ〔一九七六～　〕もその呼びかけ人であったモスクワの抗議運動では、人びとはあまり陽気ではありませんでした。これらのすべてを見て知っている私には、抗議運動はけっして珍しくありません。ジャーナリストとして、むしろ私の日常茶飯事です。ところがそこで起こったのが、〈ベラルーシ２０２０〉でした。

この抗議運動は、文字どおり私から安眠を奪いました。ほとんどの週末にデモがあり、ベッド脇に携帯を置いて、たえず更新される逮捕者数をチェックし続けたものです。メッセージ・アプリを通してベラルーシの取材協力者にメッセージを送りました。「そちらは大丈夫ですか？」あるいは「奥さまが釈放される日が分かりましたか？」あるいは「まだ話せますか？　おけがはありませんか？」ときには夜明けまで返事を待ったものです。返事がない場合、彼または彼女の身に何が起きたのか分かっていました。逮捕されたのです。

二〇二〇年八月の不正選挙後から数か月間、夜中にときどき目が覚めました。政治的テーマや人びとの運命や社会参加に心を揺さぶられ、いろいろ思ったのです。これがドイツのすぐ近くで起きたのが、私には信じられませんでした。失うものが限りなくあるにもかかわらず、恐れを克服し、勝ち目がないのに相手に立ち向かう人々には、どこか崇高さがあります。多くの暴力を振るわれたけれども、非暴力をつらぬいた人々も同様です。私がこの〈はしがき〉を書いているときも抗議運動は続き、ほぼ三〇〇日となりました。

抗議運動は小さくなり、その存在感はしだいに薄くなってきましたが、まだ消えてはいません。過去百二〇年間の社会的抗議に関するデータを調べた、ウクライナの哲学者ミハイル・ミナコフへのインタビューを思い出します。彼によると、今回のベラルーシでの抗議運動ほど、長期間にわたり抗議者側が非暴力をつらぬいた運動は見つからない、とのことです。

私にはほとんど理解できないのですが、抗議運動のイメージがドイツに浸透して最終的に共感と連帯を生み出すまでに長い時間がかかり、そしてそれらが消え失せるのがいかに早かったことか。

まるでベラルーシが、ドイツから遠く離れているかのようではありませんか。この抗議運動では、ベラルーシという国自身よりはるかに大きなことがら――〈基本的権利を求める戦い〉〈自由を求める戦い〉〈自決を求める戦い〉すなわちヨーロッパの歴史の最も深い部分――が問題となっているのに。

この本は二国の橋渡しの助けになることを目指しています。ドイツから離れていて異質であると思われているベラルーシ社会を、もっと身近にしたいと考えています。ベラルーシについては何も知らなかったけれども、抗議運動が始まった二〇二〇年の夏からは耳にしたことがある人にも、この本をとおしてお話ししたいと思います。そして、ベラルーシや政権交代の話題に興味がない人であっても、ひょっとしたらその背後にある女性のエンパワーメント〔政治経済分野への進出・意思決定関与〕の物語に、心をひかれるかもしれません。とりわけ三人の女たちが独裁者アレクサンドル・ルカシェンコ〔一九五四年生、現職一九九四年～〕に戦いを挑み、広がった抗議運動の中で大きな存在感を示した物語――抗議者側が非暴力をつらぬいたこの抗議運動に、彼女たちが大きく貢献した物語。これらにも、興味を持たれるでしょう。

ですからこの本で語られるのは、二種類の物語になります。一つは、抗議運動の主役として決定的な役割を果たした三人の女、教員で主婦のスヴェトラーナ・チハノフスカヤ、音楽家のマリア・コレスニコヴァ、ＩＴ企業幹部のヴェロニカ・ツェプカロを紹介する物語です。もう一つは、多くの無名の女たちの物語です。医師、プログラマー、母親、教員、企業の広報部長、主婦、フェミニストなどの女性たち。彼女たちはベラルーシ国内にとどまるか、亡命していますが、二〇二〇年夏の選挙と抗議運動により、自分をどんどん変化させていきました。そのようすを紹介します。

もちろん、これだけの広範囲な大衆運動が、女たちだけで支えられたなどというウソをつくつもりはありません。支えたのは、すべての人びとです——保守もリベラルも、老いも若きも、女たちも男たちも。しかし例外的にベラルーシの場合は、男たちは主役でなかったと言われています。関わったのは女たち。彼女たちの自己克服とエンパワーメントの物語でした。ドイツより東で、こんなことはまだ一度も起きたことがありません——それにもかかわらず、これはすべての人びとに関わるテーマですし、ドイツでもよく取り上げられるテーマです。

○

本を書くときには、どちらにするかを決めなければならないことがあります。そのいくつかはやむをえない妥協によって解決しなくてはなりませんでした。たとえば、ジェンダーに公正なことばづかいの問題です。もちろん言語は変化しますし、その変化がいかに急速に起こりうるのか。これについても、まさにこの本が物語っています。現代のドイツ語では職業や国籍を表す名詞において、女性が単なる添え物ではなく重要な構成要素であることを示すために、いくつかの表記上の工夫があります。このような工夫は当然ですし、とりわけ本書のような、女たちのエンパワーメントに関わる本におけることばづかいにぴったりです。

それにもかかわらずこの本ではそのような表記法を採用しない、と私は決めました。それはベラルーシ人の取材相手のことばを長く引用するからです。彼女たちがロシア語で自分自身や女性仲間について話すときには、女性形を使いません。ロシア語では、女性の政治家、医師、芸術家、作家などに対し、女性形を用いることはまだまれです。いずれにせよ、私のモスクワのロシア語教師（因習にとらわれないとても自立的な女性）は、ロシア語では女性形を使わないように忠告してくださいました。彼女によると、ロシア語の女性形にはどこか見下すニュアンスがあるとのことです。そうであっても、私は「女性特派員」と自己紹介しました――しかし私は取材相手に自分の気持ちを押しつけることはできませんし、そのつもりもありません。特に言語がアイデンティティーを反映する場合、ドイツ語のルールを一方的に当てはめるのは安直すぎると思われました。

そこで私の妥協その一です。本書の一般的な箇所では、女性の職業や国籍などを表すときには、ほとんどの場合、女性形を用います。男性形のまま使うこともありますが、いくつかの場合では女性形になおしました。たとえばマリア・コレスニコヴァが国際女性デーのスピーチで、自分が女性であるにもかかわらず、男性形を用いて「フェミニスト」と自己紹介したときなど、そのままドイツ語にすると変に聞こえるので、私は手を加えて女性形「フェミニスティン（フェミニストの女性形）」としました。〔訳者注：原文のドイツ語では女性形が用いられていても、日本語の特性に照らし、本書では女性性が問題になるときにのみ、「女性～」、「～女性」としました。〕

妥協その二は、いまだ抑圧されている言語であるベラルーシ語の取り扱いです。その前にまず国名ですが、何十年もの間「白ロシア」として通ってきたのに、「ベラルーシ」を用いるべきでしょうか。この問題では単純に、ドイツ・ベラルーシ歴史家委員会の勧告に従って「ベラルーシ」を採用します。「白ロシア」ではロシア西部の州の一つのように聞こえてしまいますから。

　そして今回の抗議運動に決定的役割を果たす、女たち三人の名前の表わしかたの問題です。ベラルーシ語ですと、彼女たちは、マルィヤ・カレスニカヴァ、ヴェラニカ・ツァプカラ、スヴャトラーナ・ツィハノウスカヤとなります。けれども、この本ではロシア語の形を使ったらどうでしょうか。ロシア語はベラルーシで二番目の公用語であり、圧倒的に多くのベラルーシ人が使っています。ウクライナとロシアの関係とは異なり、言語をめぐる争いはこの抗議運動のときには問題になりませんでした。三人組のうち二人はベラルーシ語よりもロシア語がじょうずなのは明らかで、ほとんどの場合、名前のロシア語形を使用しています。そこで私は、取材対象者がベラルーシ語のつづりにこだわらなければ、ロシア語の形を用いました。そこでこの本では、『ツァイト』紙における私の記事と同じように、三人の女性の名前は〈マリア・コレスニコヴァ〉、〈ヴェロニカ・ツェプカロ〉、〈スヴェトラーナ・チハノフスカヤ〉にします。もちろん理想的な妥協ではありませんが、これがドイツ人読者と、ベラルーシの取材対象者が折り合える妥協点であることを望みます。

　最もつらかったのは、取材にかかわる妥協です。ベラルーシ人との面談はベラルーシ国内ではなくて、国外で行ないました。現地での情報や情報源を収集するために、私はオンライン取材やビデオ通話に頼らざるをえませんでした。過去数か月間で約百回のインタビューを実施しましたが、いつも私のインタビューの終わりの文句は同じで、「安全性の観点から名前の変更が必要ですか」または「個人情報を加工すべきですか」という質問でした。そういうわけで、この本で個人情報の詳細を探すのはほとんどムダです――三人の有名な女性は例外ですが。取材対象者の中にはフルネームを載せることに反対しない人もいましたが、人によっては数週間後には判断を変えました。他の人の場合はファーストネームさえ隠す必要がありました。匿名にしたときは、それを本文中に示しています。姓を記すのはやめました。たとえ取材対象者が公表を許可しても、ベラルーシの政治の動きは予測がむずかしく危険すぎて、リスクは避けるべきと思えたからです。昨日は無事であっても、今日は罰せられます。明日にはどうなるか、誰にも分かりません。

　現地での調査を私は強く望んでいました。そのために何回も外交官たちやベラルーシ外務省に連絡しましたが、ムダでした。ですから私がこの本でお話しするベラルーシの印象は、以前の旅行のものです。現時点では、私はまだ入国を許可されていません。二〇二〇年秋、政権はすべての外国人特派員の認定を取り消しました。

　そのときから私は、ビザの更新や報道機関の新認定を受けていない人々のグループに属しています。「来週は何とかなります」となぐさめられているうちに、「来月は何とかなります」と延期されてしまうのです。何人かの私の同僚は必要な書類をすでに受け取っていたので、私の延期にはある仕組みが働いていることにようやく気付きました。ベラルーシの首都ミンスク駐在の外交官が何人か、裏で私のために手を回してくれたことは知っています。彼らに感謝します。さて、ルカシェンコ政権は、私に入国許可証を出さなかった理由をちゃんと見つけてくれました。新型コロナウィルスによる感染症被害をほとんど無視したくせに、なんと〈新型コロナウイルスによる感染症予防のゆえ〉なのだそうです。

ベルリンにて、二〇二一年六月

（上）スヴェトラーナ・チハノフスカヤ（中央）、ヴェロニカ・ツェプカロ（左）、マリア・コレスニコヴァ（右）（写真：AP／アフロ）
（下）チハノフスカヤの選挙集会に集まった支持者たち（写真：AP／アフロ）

МИНСК ГОРОД-ГЕРОЙ

（右上）2020年８月16日、選挙結果に抗議してミンスクで行なわれた大規模な集会では反ルカシェンコの象徴として白赤白の旧国旗がはためいた（写真：ロイター／アフロ）
（左）拘束された家族や知人の安否を案じ、拘置所の前に集まった人びと（写真：ロイター／アフロ）
（下）それぞれ白い服を身につけて抗議のデモ行進をする女性たち（写真：ロイター／アフロ）

シャイム・スーティン『エヴァ』(1893年)

パホーニャ紋章

ベラルーシの女性たちを特集した『ガーディアン・ウィークリー』2020年 8 月21日号(グローバル版およびオーストラリア版)表紙。このイラストは本書の原書カバーにも使用された。

女たちのベラルーシ

目次

女たちのベラルーシ

革命・勇気・自由の希求

1　亡命生活

情報発信センターにて

ドアが開いて、スヴェトラーナ・チハノフスカヤがこちらに入ってくる——しかしこの彼女、かつての彼女と同一人物であるとは、ほとんど思えない。今の彼女は輝くほどの自信にあふれ、いかにも熟練した政治家らしくはあるが、同時に慎重で、どこか落ち着かないようでもある。「半年もたたないのに、変わるものね」これは私ボータの感想。

今は二〇二一年二月のおだやかな土曜日、リトアニア。ところが半年ほどの前の、昨年の夏のことであった。ベラルーシの首都ミンスク在住の自信なさそうな主婦であったスヴェトラーナ・チハノフスカヤが、運命のかげんで、人目につく場にむりやり引っ張り出されたのは。かつての彼女はノーメイクで、服装はあまりかまわず、ヘアスタイルにこだわる余裕などなかった。ところが今の彼女は、信頼感を与える細身のドレスにヒールのある靴である。顔は念入りにメイクされ、眉は完璧に引かれ、目はアイシャドウで強調。かつての長い髪はカットした――女性スタイリストがあごのラインまでのボブを勧めたのである。出張やいずれかの政府のトップに会うときも、このスタイリストがスヴェトラーナ・チハノフスカヤにマッチしたドレスを選ぶ。どうやって自分を最も効果的に見せるか。化粧係は、彼女に最良のメイク法を教えた。

三八歳の彼女の外見を詳しく説明する必要があるだろうか？　もちろん！　権力とは常に外見力の問題だからである。スヴェトラーナ・チハノフスカヤはこの間に、それをしっかりと思い知らされた。彼女の外面変化は、新しい人生で自分の道を見つけなければならない女性の内面変化の反映である。かつての彼女は今の人生を望んでいなかった。今の人生は、彼女に対するとんでもなく大きな要求となっている。しかし、スヴェトラーナ・チハノフスカヤは要求を受け入れようとし、外見的にも、この新しい役割を期待どおり演じきれる人物になろうとしている。

ドレス、メイク、インタビュー、世界中の大物政治家との会合――これらはかつてのスヴェトラーナ・チハノフスカヤの人生では重要ではなかった。そのとき、つまり二〇二〇年八月九日、同志たちはメイクするよう彼女を説得しなければならなかった。この日は、彼女自身の人生だけでなくベラルーシのすべてを、元には戻せないほど大きく変化させることになった大統領選挙投票日である。彼女はミンスク市第一三七番学校で票を投じる。「そのためにドレスアップする必要があるの？」しかし彼女の同志たちはゆずらなかった。「とにかく外国からの記者が、何百人も待ちかまえているかもしれない。写真映えは大切！」ゆずったのはチハノフスカヤであった。

かつての彼女はベラルーシの首都ミンスクにある三部屋のアパートで、週末には帰るであろう夫を、子供たちといっしょに待っているのが常であった。現在、彼女はリトアニアの首都ヴィリニュスにある近代的な複合オフィスビルで、二〇人ほどのスタッフを率いている。フロア全体を占めているオフィスが情報発信センターであり、そこから世界中にメッセージを送信する。「彼女が選挙で選ばれた〈自由ベラルーシ〉のリーダーである。彼女の敵、ベラルーシの独裁者アレクサンドル・ルカシェンコに対して、欧州連合はより多くの制裁を加えるべきである。ベラルーシ人には援助が必要である。国家から弾圧と暴力に直面しているので、自分たちだけで抵抗運動を成功させるのは不可能であるから。」

スヴェトラーナ・チハノフスカヤのスタッフが働くのはビルの八階。オフィス正面扉の向こうには、がっしりとした警備員が座っていて、私をチラリと見上げただけで通してくれる。エントランスホールから通路が左右に分かれ、右通路では、ベラルーシから来た学生たちがコーヒーマグを持って歩いている。亡命中の彼らは、ここで自国の民主的未来のために働き、調査を行い、ブログ記事やYouTube動画を発信し、ベラルーシと連絡を取り合っている。

フロアの左側がスタッフに割り当てられている。この場所の立ち入りが許可されているのは、スヴェトラーナ・チハノフスカヤと彼女のチームのみ。最も手前にあるのが、今週の土曜日は施錠されている彼女のシンプルなオフィスである。これに続いて、机が並んだ大きな共用スペース——ここでチームが仕事をする。その裏にはキッチン。エスプレッソマシンがあり、隅にピザの箱が積み上げられている。奥にはガラスの壁で区切られた部屋があり、ビデオ機材と白赤白の旗〔65頁参照〕が置いてある。旗はインタビューやオンライン配信の背景として使われる。

　現在スヴェトラーナ・チハノフスカヤには、国際関係についての顧問、〈ツイッター〉と〈テレグラム〉に複数の言語で対応するコミュニケーションの女性専門家、教育政策の影の女性大臣がいる。将来の憲法改正担当委員と外交担当委員もいて、後者はヴァレリー・コヴァレフスキーである。彼はルカシェンコ政権の外交官であったが、ルカシェンコの繰り返す不正選挙が嫌になって十五年前に権力機構を離れ、二〇二〇年十二月にチハノフスカヤのチームに加わった。「スヴェトラーナ・チハノフスカヤが私のリーダーです。私は彼女に投票しました」とコヴァレフスキー。チハノフスカヤがそう呼ばなくても、これは一種の影の内閣である。すべてが新しく始まる〈零時〉——アレクサンドル・ルカシェンコの辞任とついに実現する公正選挙——への準備である。「いつかは新しい大統領が登場します。ルカシェンコの遺産が何であるかわかりません。たぶん、残っているのは焼け野原だけです。ひょっとしたら、すべてを最初から始めなければならないでしょう」とスヴェトラーナ・チハノフスカヤは言う。「そのために、いま私は準備したいのです。」

　二月の今日、この土曜日、彼女の母親が孫たちの世話をしている間に、スヴェトラーナ・チハノフスカヤは次々と着替え、ライトを当てられて、カメラを真剣に見つめながらポーズを取る。ウェブサイトやソーシャルメディアのためのプロによる写真撮影だ。写真家を待たせておいて、隣の部屋へと彼女は姿を消す。彼女の広報担当《スポークスウーマン》のアンナ・クラスーリナは、あとに残ってうれしそうに言う。「ステキでしょ？　あっちにはぞっとするルカシェンコ、こっちには私たちの美しい女性リーダーがいる！」

ネットフリックスの政治ドラマに似て

残酷で困難な状況下で、かつての非政治的女性が女性政治家へと変身した。そのようすは、まるで早回しの映像であった。世界で最も強力な女性の一人アンゲラ・メルケル〔前ドイツ連邦共和国首相、在職二〇〇五〜二〇二一〕も、そうなるまでは東西ドイツ統一を成し遂げたコール元首相〔在職一九八二〜一九八八〕に見いだされた「コールの娘」であり、未熟で首相の役は荷が重すぎると見られていた。ところがベラルーシのスヴェトラーナ・チハノフスカヤの場合、メルケルには何年もかかったことを、数か月以内に成し遂げなければならない。変身して新しい役割と格闘するスヴェトラーナ・チハノフスカヤであるが、それと同時に、ベラルーシ人たちが祖国で払う大きな犠牲を毎日見ている。彼らは投獄され、侮辱され、殴打されている。そしてすべてのベラルーシ人は、スヴェトラーナ・チハノフスカヤがどのように学び、変身し、もちろんどのように失敗するかを、リアルタイムで見ることができる。

二〇二〇年には信じられないような事件がつぎつぎと起きた。通信手段皆無の絶海の孤島で暮らしていた人が、それらの事件を後から知らされたら、腰を抜かすほどびっくりするだろう。イギリスが欧州連合（ＥＵ）から離脱した。パンデミックが全世界の動きを止めた。選挙で敗北したドナルド・トランプが、人びとを集めて権力を取り戻そうとした。しかし最も信じられない事件が、ヨーロッパの真ん中、ベルリンから飛行機でわずか一時間半のベラルーシで起きた。ここは、欧州連合、ウクライナ、ロシアに隣り合う九三〇万人〔二〇二一年の統計〕の住民を抱える国。二六年間、独裁者によって支配されている。

二〇二〇年のベラルーシでの出来事は、とんでもなく野心的な脚本家がネットフリックスの連続政治ドラマのためにひねり出した筋書きのようで、あまりに予想外の展開であった。あるブロガーが独裁者アレクサンドル・ルカシェンコに挑戦し、ベラルーシの大統領になろうとする。ところが彼は、候補者として公認される前に、独裁者により投獄されてしまう。そこで彼の妻スヴェトラーナ・チハノフスカヤは、夫にかわって立候補を宣言する。人々は苦笑いを浮かべた。彼女が政治のことを何も知らない、ただの主婦であったからである。彼女はとても無害に見えたので、選挙管理当局は彼女に大統領選出馬を許可した。

選挙戦はスヴェトラーナ・チハノフスカヤには荷が重すぎたが、彼女には二人の女性同志の助けがあった。その一人はＩＴ企業の幹部、ヴェロニカ・ツェプカロである。彼女の夫ヴァレリーも立候補しようとしたが許可されなかった。もう一人の同志は音楽家のマリア・コレスニコヴァ。彼女の盟友のヴィクトル・ババリコもルカシェンコの対立候補になろうとしたが、息子と共に逮捕されていた。この三人の女たちは一緒にベラルーシの都市を演説して回り、壇上から無数の人々の前で話し、政府によるあらゆる嫌がらせもはねのけて、奇跡を起こした。歴史の浅い国ではあるが、かつてこれほど多くの人々が、これほどさまざまな領域から集まることはなかった。その全員が、スヴェトラーナ・チハノフスカヤに賛成している。あるいは正確に言えば、独裁者アレクサンドル・ルカシェンコに反対である。この人びとにとっては、スヴェトラーナ・チハノフスカヤは、独裁者とは違う未来を約束する存在にすぎない。しかしどちらにしても彼女によって、多くの人々が変革の可能性を思い描けるようになり、手の届く対象になったのだ。

しかし二〇二〇年八月九日の投票日、ルカシェンコはベラルーシの歴史で最も恥知らずな選挙結果のごまかしを行なった。初当選した一九九四年の選挙は別として、その後ルカシェンコは、全国民の支持で再選されたと見せかけるために、ごまかしを続けてきた。しかし今回は、これまでにない大規模な不正であった。アレクサンドル・ルカシェンコは八〇・一パーセントの支持を得て勝者と宣言されたのである——恥知らずなウソ。これまでにない大規模な抗議運動が起こった。

選挙結果公表から一日たった八月十一日の夜、スヴェトラーナ・チハノフスカヤはベラルーシを離れざるをえなくなった。ＩＴ企業幹部のヴェロニカ・ツェプカロは、選挙当日すでにモスクワにいた彼女の家族を訪ねており、そこの大使館で投票を済ませていた。音楽家マリア・コレスニコヴァは、どうなるか分からなかったが、ベラルーシに留まることに決めた。彼女は二〇二〇年九月八日から拘置所に入れられている。彼女には、十二年以下の禁錮刑が科される可能性がある〔二〇二一年九月に禁錮十一年の判決が下った〕。

ネットフリックスの連続ドラマであれば、ふつうはここで「シリーズ終了続編なし」となるであろう。三人の女たちの負け。彼女たちは刑務所にいるか、故国を追放された生活を送っている。これでおしまい。ハッピーエンドにはならない。

ところが現実の物語には続編がある。それは、新しい門出《かどで》、ごくあたりまえの生活が送れる未来への憧れ、そして女性のエンパワーメントの物語である。そして物語はすでにベラルーシを変えた。三人の女たちは、最も残忍な国家権力でもとらえられない途方《とほう》もないものを引き起こした。ベラルーシは、もうこれまでのベラルーシには戻ることはなく、この三人の女たちの生活もこれまでと同じではない。スヴェトラーナ・チハノフスカヤは亡命中である。彼女は二方面で戦っている。一つは彼女の国の未来に向けた戦い。もう一つは、自分がどうありたいかを求める、彼女自身との戦いである。ＩＴ企業幹部のヴェロニカ・ツェプカロは家族と共にラトヴィアのリガに住み、ベラルーシへの帰還を待っている。そしてマリア・コレスニコヴァは二〇二〇年九月一七日に、刑務所から父親に同志宛ての最初の手紙を書く。

　皆さん

彼らが私を意に反して国外追放しようとしたとき、不当性と無力感がかえって私の心をどれだけ強めたか想像もつかないと思います。内務次官が私に迫った決断――二五年間監獄で歯が抜ける年になるまで警備兵のシャツでも縫っているか、あるいは、さっぱりと国を離れるか――を考えているうちに心は固まりました。私は国に留まると決めました。決めたことを一瞬たりとも後悔しません。自由は戦い取る価値があります。何もかも良くなりますように！　皆さんは本当にすばらしい。

マーシャより〔マーシャはマリアの愛称〕

第八拘置所、ジョディノ〔ミンスク近郊の都市〕

何という未来であろう。ルカシェンコの手先のために出来高払いでシャツの縫製とは。ベラルーシの刑務所に服役する女性に典型的な仕事である。それでもマリア・コレスニコヴァは心を決めたのだ。

2　嵐の前

昨日の政治家

すべての始まりはいつだったのだろう？　びくともしないほど頑丈に見えた体制に、細くても、最初のひびが入ったのは？　ベラルーシの首都ミンスクは、はるか昔に滅んだ、社会主義の書き割りのように見える。通りの名は、レーニンやジェルジンスキー〔ソ連秘密警察初代長官、ミンスク出身、一八七七〜一九二六〕や他のソ連時代の大量殺人者たちの名にちなんでいる。堂々とした大通りが街を突き抜け、途方《とほう》もない広さの、広いけれどもガランとしてほとんど何もない広場の脇を通る。広場は巨大で、人は自分が小さくて取るに足らない存在であると感じずにはいられない。清潔ではある――ただし独裁国家にありがちな、訪問者になんとか気に入られようとするたぐいの清潔さである。すべてが完璧に整頓されており、通りはすみずみまで念入りに掃除され、壁には落書き一つない――落書きが現れても、ただちに塗りつぶされる。

スターリン時代からの重厚な建物正面部《ファサード》が、町の中心広場を縁取るように取り囲んでいる。すべての街角には鎌とハンマーのシンボルがあって、ここにはまだソ連が生き残っているのだという感覚に襲われる。そしてミンスクの郊外には、灰色で平屋根のこれといった特徴のない建物〔コンクリートの集合住宅〕が整然と並ぶ。まるでレオニード・ブレジネフ〔ソ連指導者として一九六四～一九八二〕がたったいま完成させたかのようだ。

この舞台を支配するのは、たった一人の男。彼はインターネット嫌いで、まるで共産党政治局から今出てきたばかりのようだ。毎年ソ連ボリシェヴィキの十月革命記念日を祝っている。政府、テレビ局、議会、治安機関、軍隊など、すべてがこの男アレクサンドル・ルカシェンコの意向に合わせられている。ほぼ二七年間ずっとそうであった。一九九四年の選挙からわずか二年後、ベラルーシのジャーナリストであるアナトリー・マイセーニャ〔一九五九～一九九六、交通事故死〕は、ルカシェンコの統治システムを「過去から生まれた政治的悪夢」と名付けた。

アレクサンドル・ルカシェンコの政治的位置づけは困難である。彼は〈昨日の政治家〉である。彼はソ連の維持を目指す。一九九四年に大統領に選出されると、ソ連のシンボルをベラルーシに再び持ち込む。かつてスターリンはベラルーシに想像を絶する苦しみをもたらしたが、それにもかかわらずルカシェンコはそのスターリンを讃え上げる。かといって、ルカシェンコ本人は共産主義者ではない。「彼には具体的な社会理念も無ければ、社会変革のための目標やモデルを策定するイデオロギーも無い」とベラルーシの政治学者ヴァレリー・カルバレヴィチは、ルカシェンコの伝記に書いた。カルバレヴィチによると、ルカシェンコのイデオロギーは力である。彼は力を手段としてではなく、目的そのもの、自分の存在確認として理解している。ワレ支配ス、故ニワレ在リ。「権力の無い生はルカシェンコには考えられない。生はあらゆる意味を失う」とカルバレヴィチは書いている。

　十年以上前ロシア語で出版された、ルカシェンコの伝記は注目に値する。そこにはルカシェンコの姿が容赦なく描き出されている。この政治学者の描き出すルカシェンコ像によると、彼は権力に飢えてそれを追い求める、不安定でコンプレックスのかたまりのような人物である。つまり権力マニア。すでに当時の指摘によれば、ルカシェンコは特定の病理学的性格を示しており、権力を手にするためなら、何でもやってやろうという覚悟ができていた。

　こんな本を出版したのだから、著者カルバレヴィチは国外にいる、と私は思っていた。ところが彼はなんとまだベラルーシに住んでいて、何のとがめもなくミンスクで仕事を続けていた〔ただしその後二〇二一年七月に出国している〕。「そんなことって、ありうるのですか」と尋ねると、彼はにっこり笑って答えた。「ルカシェンコには、自分について書いてある本の内容は重要ではありません。重要なのは、彼について書かれた本が存在することなのです。モスクワにいたとき、いくつかの書店をのぞいたことがありました。サッチャーやド・ゴールのような超大物の伝記と並んで、私が書いた彼の伝記が置かれていたのですよ。そういうのが彼にはうれしいのです。」

長年にわたりルカシェンコは、独自の嗅覚で社会の気分を感じ取り、それにふさわしい口調で人々に語りかけることができた。一九九四年に大統領選挙に初出馬したとき、彼は汚職と戦う闘士となり、改革と生活向上を約束したので勝利した。権力を掌握するやいなや、彼はただちに自分が演じるべき役をあらたに見いだした。ベラルーシの安定、平和、静穏の保証人である。

彼は生活条件を改善した。給与は上昇し、超インフレはおさまり、経済的業績は上昇した。しかし真の改革は避けた。国営産業を近代化して企業が世界的競争力を持つようになることも、起業家や自営業者にとってより良い条件を作り出すこともしなかった。彼は古いシステムを温存した。

「ルカシェンコはその性質から、改革者になることはできません。彼は未来の人ではないのです」とカルバレヴィチ。そして十年以上前に、次のように書いている。「ルカシェンコの辞任は不可能になった。彼の作り上げた体制は、すべての政治的および社会的領域で、彼自身に完全に適合している。ルカシェンコ本人が、決して変更が許されない体制そのものになってしまった。もし変更すれば、ベラルーシ全体の体制崩壊につながる可能性がある。」

それでは、昨日が今日を支配しているこの国で、〈未来〉、言い換えれば、今とは違う生き方もありうるという大胆な考えが、どのようにして生まれることができたのであろうか。

これからお話する、信じられないような物語の始まりを探しているうちに、気づくことがあった。すべてを逆転させる究極のターニングポイントは存在しない。変化はひそかにやって来るのだ、と。

多くの個人的な体験の集積こそが、ついには爆発につながるのだ―〈出発〉のほうが適切かもしれない。

二〇〇六年三月にアレクサンドル・ルカシェンコが不正な大統領選挙を行なった時点で、早くも変化の予兆を感じた人もいた。現在スヴェトラーナ・チハノフスカヤの外交政策顧問をつとめるヴァレリー・コヴァレフスキーが政府機関を去ったのは、このときである。二〇一〇年十二月にルカシェンコが再び大統領選で不正を行い、彼の組織が反対者たちに前例のない弾圧を加え、長い禁錮刑を科したときに、変化を感じた人もいた。さらに別の人びとにとってのターニングポイントは、二〇一七年に訪れた。このときルカシェンコは、税金を十分に支払わない人びとに、悪名高い請求書を送りつけた。

〈〝社会的寄生の防止〟に関するルカシェンコ大統領令第三号〉によると、税金を払わなかったり、十分に払えなかった人は罰せられる。失業者、芸術家、ブロガー、フリーランサー、パートタイマーなど収入が低い人たちが該当した。ルカシェンコは一挙に何千何万もの人々の自尊心を傷つけた。「幸福をもたらす手紙」と名付けられたこの請求書が該当者の家に舞い込むたびに、ベラルーシ中の何百何千もの人々が、抗議のために集まろうとオンラインで申し合わせた。

無関心の終わり

スヴェトラーナ・チハノフスカヤにとっての個人的なターニングポイントは、二〇二〇年五月に訪れる。このときの大統領選挙では、アレクサンドル・ルカシェンコに挑戦したいと考えた経営者、ビジネスマン、ブロガーが弾圧され、彼女の夫セルゲイも逮捕された。チハノフスカヤは政治を求めていなかったが、政治の側が彼女を見出した。その後まもなく、声望ある銀行家ヴィクトル・ババリコと彼の息子のエドゥアルドが逮捕された。ババリコはベラルーシでは著名人であり、まっとうな選挙が許可されれば、現職のルカシェンコを倒せる最も有力な対立候補になると見なされていた。想像を絶する暴力で、すべての抗議を窒息させようとした二〇二〇年八月九日の不正選挙の後では、ようやく他の人たちも政権からの離脱を本気で考えるようになった。ルカシェンコには思いもよらなかった、何かが起きたのである。ルカシェンコ最大の政治危機を引き起こしたのが三人の女性であったように、ここにきて女たちが、選挙後の政権の暴力に対して立ち上がったのである。彼女たちの姿は、やがて抗議運動のイメージを形作るはずである。

　アレクサンドル・ルカシェンコに対する不満は、すでに長期間くすぶっていた。九〇年代に大統領と国民の間で取り決められていても、書類として残されていない約束は、どんどん破られていった。すなわち、政府はソビエト時代と同様に、社会保障、政治的安定、最低限の豊かさを保証した。ルカシェンコは月額五〇〇ドルの収入を繰り返し約束した。これは彼にとって「神聖な」数字である。その見返りとして、政治参加など絶対に考えないよう市民に要求した。「市民の役割とは、現状を分かち合うことです。せめて我慢ぐらいはしなさい。」

しかし十年ほど前の経済危機以来〔二〇一〇年の大統領選キャンペーンでの無理な給与引き上げや二〇〇七年のリーマンショックの影響により、ベラルーシでは二〇一一年にインフレ率が一〇〇パーセントを越えた〕、彼は国民に対し不当な要求を繰り返すばかりで、約束はほとんど実行していない。ベラルーシでは、生活に対する不満が高まっている。経済は停滞し、国有企業はしばしば赤字になり、収入は減少したのに政府の干渉は増加した。ソ連時代には、コンクリートでできた蜂の巣のような住宅の台所で、ドアを閉ざし政治を議論し独裁者の悪口を言ったものであった。ところが年が経つにつれ、静かな絶望感——窮乏の中における孤独、国家による愚弄に対する嫌気——が明らかに広まっていった。

とはいえ、あらゆる不満がくすぶっていたのが、これに続く数年であったのかもしれない。それは、ベラルーシのサイレント・マジョリティーが、日常化している政府からの押しつけに対し何とか折り合いをつけ、弾圧や変化に伴う不確実性を恐れ、あるいはそれらをたんに無関心で見過ごしてきたであろう年月でもある。ベラルーシは北朝鮮ではないので、人々が政治に関与しないかぎり、体制内であれば自由は存在していた。

「私はベラルーシ人の九〇パーセントと同じく、政治には無関心でした。「私に何ができるというの？」これが私たちの間でよくある態度でした」とスヴェトラーナ・チハノフスカヤは言う。どのようにして、自分の心がこうも政治に無関心になってしまったのかを、彼女はよく覚えている。

「人々は小さな家庭に生きていました。そこにいるかぎりすべてがうまくいくのです。そして外に出たときは、多くのことに目をつぶりました。こうすれば、生きていけました。特定のことには、気づかないほうが楽なのです。」

　そんな生き方にもはや耐えられなくなった人々は、さっさと出国した。ロシアへ、ウクライナへ、ポーランドへあるいはリトアニアへ。独裁政権は人びとの恐怖を食べて生きている。独裁政権は、忍耐強くあり感謝するために頭を下げておくよう、幼いときからたたき込む。高貴な人間を、媚びへつらって生きる卑屈な人間に変える。ルーマニアの独裁政権下で何十年も生き延びたドイツ語作家のノーベル文学賞受賞者ヘルタ・ミュラーは書いている。すべての独裁政権は、一人が恐怖を作り、他の人々が恐怖をおぼえることで機能する。独裁政権は人々に、自分の隣人が潜在的な敵であると思わせる。その結果、人は周囲を見回すことが許されず、できることといえば、薄目を開けて前を見ることしかない。それがいちばん安全なのだ。その結果、人は自分の周囲で起こっていることに興味を失い、外界から切り離された自分自身の小世界だけに興味を持つようになる。そして恐怖はこの小世界にすら侵入する。

　人は恐怖に慣れても、それをすっかり忘れることはない。人は恐怖と共に眠りに落ち、恐怖と共に目を覚ますことを身につけるが、恐怖は人生のバックグラウンドノイズとして絶えず鳴り続ける。ベラルーシでは二〇二〇年の夏まで、安定多数が無関心のまま生きていて、奇妙なことに、自国で起こっていることに動かされなかった。例のバックグラウンドノイズは、かすかでも、つねに聞こえていたのではあるが。

典型的なベラルーシ人の性格としてよく挙げられるのだが、彼らは温和で辛抱強く、隣人のウクライナ人やポーランド人より、戦闘的でも反抗的でもないといわれている。外国語に翻訳するのは困難であるが、ベラルーシ語には、この奇妙な運命への屈従を表すためによく用いられる語〈パミャルコーウナシチ〉がある。この語の意味を外国人に説明するため、ベラルーシの作家で言語学者のアントン・ソミン〔一九八八〜　〕が教えてくれた小話を紹介しよう。――暗い部屋に、座面に釘《くぎ》の飛び出したイスを置いておく。ロシア人ならその椅子に座った瞬間に立ち上がり、口ぎたなく罵ったあげく怒りのあまりイスをたたき壊す。ウクライナ人もすぐに立ち上がるが、イスから釘を引き抜いてズボンのポケットに隠し、「まだ使える」とつぶやく。ところがベラルーシ人は立ち上がらない。座りごこちをためして、もっともらしく言う。「こうでなくちゃならん。」

ベラルーシ人社会は多くを甘受することに慣れている、とこの小話では言いたいのだ。しかしコロナウイルス感染症の大流行《パンデミック》に襲われるに至り、この国の社会はもはや無茶な要求にがまんする気になってはいない。

パンデミックと女たち

無関心の終わりが、なぜパンデミックのときであったのか。なぜもっと早くではなかったのか。

二〇〇六年、はたまた二〇一〇年や二〇一五年ではなかったのか。

　オレーグ・アイズベルグは、ミンスクで開業している有名な精神科医である。彼は、コロナ・パンデミックが国とその国民にどのように影響を及ぼすか、患者に接しながら観察している。「精神疾患、不安障害、うつ病、アルコール依存症が増加しています。パンデミックの結果は、世界中どこでも似たようなものです。」二〇二一年一月に取材したとき、アイズベルグは言った。「ベラルーシが違うのは、「問題はまったくない」と権力者が常に言っていた点です。けれども誰もがすぐに理解しました。事態はほんとうに深刻なのだ、と。」

　ベラルーシ人がルカシェンコにうんざりするのが、なぜよりによってこの時なのかという質問に、アイズベルグはしばらく考えてから答える。「パンデミックが発生するまで、政治はほとんどの人々の生活に影響を与えませんでした。政治弾圧が存在し、人々がまったく何の罪もないのに刑務所に入れられることは知っていました。しかし大多数にとって、そのような不正は自分から遠く離れたところにあると考えられていました。不正は常に自分以外の人々、年配のリベラルな反対派の闘士たちの身の上に起きるのだ。決して自分たちの身に起きることはないのだ、と思っていたのです。」過去の選挙で逮捕され、場合によっては何年も刑務所に入れられていた野党の政治家もいた。しかし彼らの名前を、スヴェトラーナ・チハノフスカヤは知らなかった。彼女は政治について何も知らなかった。夫の逮捕により、突然自分が政治に関わるようになるまでは。

「私たちはそれを「道徳的隔たり」と呼んでいるのですが、時間的空間的に遠くに思えると、行動を起こさねばという感覚は薄れます。しかしコロナウイルスによって、突然すべての人びとが、互いを非常に身近に感じられるようになったのです」とアイズベルグは言う。「ウイルスには、あらゆる男性にもあらゆる女性にも伝染する可能性があります。ルカシェンコに忠実であろうが反対であろうが、公務員、医師、店員、兵士であろうがなかろうが関係ありません。ほとんどのすべての人は、新型コロナで重症になる可能性があります。または、ウイルスによる感染症で死亡した人と知り合いかもしれません。加えて、とんでもない大ウソがありました。政府発表ではすべてが順調だ、というのです。」

　パンデミックがルカシェンコの運命にとって何を意味するか、とスヴェトラーナ・チハノフスカヤ、マリア・コレスニコヴァ、ヴェロニカ・ツェプカロの女三人組に尋ねると、彼女たちは異口同音に答える。「パンデミックに対するルカシェンコの無能ぶりに、人々はうんざりしています」と、このときはまだ自由であったマリア・コレスニコヴァは言った。「人の命に対する政権の軽視に、反感を抱きました」とスヴェトラーナ・チハノフスカヤ。「ルカシェンコの言葉は、抗議で大きくふくれあがった風船に針を刺したようなもので、そこから大きな抗議の流れが始まりました」とヴェロニカ・ツェプカロ。「ルカシェンコによる人命軽視は、耐えがたいものでした。国家が私たちを助けないと分かったとき、私たちの忍耐も限界に達していました。」

「もう、限界だ！」

不満は広がり、それはボブルイスク在住の三八歳のリュドミラにまで及ぶ。ボブルイスクはベラルーシのちょうど中心部に位置する中規模の都市である。そこには涙を誘うほどの辛い歴史があるが、実はベラルーシの町や村ではよくあることである。ドイツ兵がしばしばもたらす残虐。第二次世界大戦前、良き時代には、ボブルイスクではユダヤ人文化が繁栄した。住民のほぼ三分の一はユダヤ人であり、およそ三〇のシナゴーグ〔ユダヤ教の会堂〕があった。ボブルイスクは「ユダヤ人の首都」と呼ばれていた。一九四一年七月にドイツ軍がこの町を占領するまでは。彼らは一万四〇〇〇人のユダヤ人を殺した。

そして一九四一年一二月末、ドイツ軍特別行動部隊《アインザッツグルッペ》Bは、ボブルイスクはすでに「ユダヤ人皆無《ユーデンフライ》」と報告した。ドイツ兵は町の歴史的な要塞をソ連軍捕虜収容所とし、そこで八万人の命を奪った。一九四四年にソ連赤軍の第一白ロシア戦線が最終的にボブルイスクを解放したとき、この町の人口は、かつての三分の一以下しか残っていなかった。他の人々は死んだか追放されたか逃亡したのである。

リュドミラが今日のボブルイスクについて説明しようとしても、この町の良いところはあまり思い浮かばない。美しく風格ある建物が、いくつか存在するのは確かである。しかしドイツ軍は仕事を見事にやってのけ、家屋の半数近くは戦争で破壊された。廃墟の上にボリシェヴィキは、社会主義の理想郷を築き上げた。つまりソ連風の無骨な建築、いやに広い道路、そしてたくさんの産業。国営タイヤ工場〈ベルシナ〉は、二一万二〇〇〇人の居住者にとって最大の雇用主であり、看板企業である。一九九八年にはルカシェンコが工場を訪れ、タイヤをなでてみせたものである。

　ところが数年後、ルカシェンコはボブルイスクを「本来はユダヤ人の町」と呼び、それゆえ「豚小屋」呼ばわりした。多くの住民、とりわけ男たちは仕事とより良い給料を求めて、他の国、ポーランド、ロシア、またはウクライナに出て行った、とリュドミラは語る。町に留まったのは女たちであった。ボブルイスクは繁栄する都市ではなく、希望や変革の場でもなくなった。「社会参加とか抗議運動なんて、思いもよりません。ボブルイスク市民には、行動を起こすための準備はなにもできていなかったのです」とリュドミラ。

　たしかに彼女たちが、行動を起こすまでは。二〇二〇年三月の寒い日、リュドミラは市の中心部のアンティカフェ〈１３８７〉〔アンティカフェとはゲーム、イベントなど自由に時間を過ごすカフェの一種。ロシアからヨーロッパに広まる〕に数人の知人と座っていたが、次に何をすべきか分かっていなかった。彼女はあれこれ思い悩み、無力感を覚えた。パンデミックは、とっくにベラルーシに来てしまっていた。コロナウイルスが存在し、それは危険であり、世界規模で状況が切迫していることを、リュドミラは知っている。彼女は無力感を嫌う。行動すれば無力感はおさまる。しかし自分に何ができるのか、どうしたらよいのかが分からなかった。

　リュドミラは、周囲をその気にさせる影響力とエネルギーに満ちた精力的な女性である。「行動していれば、心配なんて吹き飛んでしまう」と彼女は笑う。ほんらい彼女の話には笑うべきことがらは少ないが、今回の話をするときばかりは大いに笑う。当時、彼女たちがアンティカフェ〈1387〉に集まったときはマスクを着用したが、着用義務はなく、ルカシェンコ自身はけっしてマスクを着用しなかった。市内で誰が病気なのか、どんなふうに患者数は増えているのかについて、彼女たちは話しあった。「なぜ病院で急に肺炎患者が増えたのだろう？　おかしい。」会合に参加したのはほとんどが女たちであり、たちまち彼女たちは、小規模ではあるがきわめて効率的な支援組織を形成した。むだにできる時間がないことに、彼女たちは気づいていた。

　パンデミックがヨーロッパに到達したばかりの二〇二〇年三月には、ベラルーシの病院にまだ余裕があった。しかし、病院はすぐにコロナウイルス患者でいっぱいになった。医師や医療スタッフの負担は限度を超えた。政府発表では、不足するものは何もなく、医療制度はパンデミックに十分な備えをしている。しかし、どこでも市民たちがボランティアで対策にあたった。ほとんどの場合、動いたのは女たちであった。彼女たちは病院に電話し、医師に何が必要かを尋ねる。「分かったのは、何もかもが足りないってこと」とリュドミラ。サージカルマスク、フェイスシールド、医療用ガウン、血中酸素濃度計、医療スタッフ用の食品、飲用水、コーヒー、自宅での病人の世話。かつてリュドミラは、救援組織でボランティアをしていた。彼女は他人の苦労に無関心ではいられない、とにかくめんどう見のよい世話好きの女性である。自分は「たくましい市民」であると彼女は言う。「でも、政治ですか？——政治は肌が合わないというか、関わりたくないというか、どこか虫が好かない世界ね。」

リュドミラはきわめて短時間で物資調達の手はずを整えた。「誰が防護服を縫う？　誰がサージカルマスクを？　そして、抱きまくらは誰？　届けるのは誰？　手術着用の布はどこで最も安く手に入る？　それを買うお金はどうしよう？　体温計をもってくるのは誰？　どの患者が最優先？　どこから始めればいい？」

まず彼女たちは、ミンスクのボランティアのデータベースを見習った。今やボブルイスクでは、すべての病院の医療スタッフたちは、緊急に必要な品物を、いつでも連絡し手に入れる方法を知っている。リュドミラはボブルイスク独自のデータベースを作成し、それをミンスクのデータベースと比較して、注文が重ならないようにした。医療のための寄付用口座も開設。ごく普通の人がその口座に振り込んだり、いくらかの現金を入金したりし始めた。リュドミラは市場を探し回りフリース地を買い求める。そこでは専門の医療用品店よりも安いのだ。彼女は型紙を作り、女たちは医療用ガウンの縫製を学ぶ。リュドミラはゴーグルを買い、フェイスシールドに作り変える。

病院で酸素供給装置が足りないと、ＩＴの専門家とハッカーのグループがさっそく名乗り出て、３Ｄプリンターを使い、二人同時に酸素を供給できる装置の接合部を作った。「レッドゾーン」と呼ばれるコロナ病棟の医師用のフェイスシールドも、３Ｄプリンターで作られた。ボランティアは医療スタッフのための食料品、コーヒー、水、ピザを購入。パンデミック第一波の間、家族に感染しないように、病院に寝泊まりした男性医師や女性医師もいたからである。一部のクリニックではいくつかの区画を空けた。その場所で医療スタッフが寝るのである——スペースが狭い場合は、看護師室のソファの上で眠る。医師たちは二四時間重労働、週末に一晩だけ自宅でシャワーを浴び、清潔な下着を持ってくる。ときにはうまく行かず、医師自身が新型コロナウイルスに感染してしまうこともあった。しかし彼らは働き続けなければならず、病院から離れられない。パンデミックの最初の波の収束はゆっくりで、何人もの医師が数か月も家族に会わなかった。

　ボブルイスクでは支援を申し出る人が、数日間で三〇〇人ほど集まった。リュドミラはその一人である。三五人から四〇人が、その中で中心グループとなった。それ以外の人々は、必要に応じてあるいは誰かが不在のときに働く。コトはきわめて短時間でスムーズに進行した。「もちろん、私たちは政府からの援助いっさい無しで、これらすべてを行ないました」とリュドミラ。「国とは何の関係もありません。それどころか、国は私たちの邪魔をしたのです。」

　パンデミックの最初の波がベラルーシを襲った直後は、国として何もしなかったわけではない。初めのうち保健省は、パンデミックに関する情報を定期的に提供した。ベラルーシでの最初の新型コロナの症例は、二〇二〇年二月二八日に確認された。続いて毎日、感染に関する日ごとの統計と、特に感染の多い地域を示した地図が公開された。ジャーナリストが質問すると、それに対する回答が実際にあった。保健省は、国営通信社〔ベルタ通信〕を使ってウェブサイト「ストップ・コロナStopCovid」を運営した。情報交換のために、ジャーナリストと専門家との仲介も行ない、ニキータ・ソロヴエイからアドバイスを受けさせた。彼はドイツにおけるウイルス学者クリスチャン・ドロステン〔一九七二〜　ウイルス学の専門家として今回のパンデミックで活躍〕に相当するような専門家で、ミンスク大学の医学部で教えていたが、そこでの任を解かれて主任感染症専門医となった。

二〇二〇年三月末までに、二万四〇〇〇回を超えるコロナ検査がベラルーシ国内で実施された。ちなみにベラルーシの人口は九五〇万人〔二〇二〇年時点〕。保健省はオンラインで「新型コロナ感染状況Q&A――保健省・教育省」をライブ配信し、〈テレグラム〉を介して毎日更新する最新データを公開した。さらに保健省はサイトをとおして、軍や大学や企業による感染対策のマニュアル化、ソーシャル・ディスタンシングの順守、マスク着用と定期的な交換を推奨した。高齢者に在宅を勧告し、コロナ感染症患者の増加に備えるため、多くの市立病院を感染症病院として認定しなおした。医師の場合、初めは厳格な検疫規制が適用された。濃厚接触があった医師は、二週間病院に隔離されなければならない。

パンデミックが進行し、感染者発生率が上昇しているにもかかわらず、ベラルーシ保健省は方向転換する。三月末、大臣は突然、国内の感染率の地図は更新しないと宣言した。感染者の個人的権利は保護される必要がある、というのがその理由である。現在の感染状況に関する記者会見や定期的なブリーフィングは中止され、一部地域の保健当局は、新規感染者数を公表しなくなった。そもそも、そのような数字に誰も興味を持たないし、いたずらに不安をあおるばかりである、というのがその理由である。また、国内の人工呼吸を必要とする患者数も開示されることはなくなった。

独立系オンラインメディア〈tut.by〉の女性ジャーナリストは、問い合わせに対して急に回答が来なくなったと報告している。パンデミックに関する情報は、突然ベラルーシ国営メディアにのみ伝えられるようになった。専門家、ウイルス学者、疫学者が独立系ジャーナリストの取材に応じるのは、かろうじて保健省が承認した場合のみであるが、ほとんどの場合許可は下りない。国営メディアは夕方のニュースで安心させる。「ベラルーシ国内では、ウイルスはコントロールされています。パニックになる理由はありません！」

方向転換の決定に責任があるのは、アレクサンドル・ルカシェンコである。彼はロックダウンが及ぼす経済への悪影響を恐れている。スヴェトラーナ・チハノフスカヤは彼の心の動きさえ理解できる。「ルカシェンコはパンデミックによってもたらされる危険を軽視しました。彼はウイルスを今までの他の政敵と同じように扱うのです。災いを真剣に受け止めず、ウイルスを威嚇して彼の力を見せつけています。そうではなくて、「皆さん、一緒にがんばりましょう。そうすればわれわれはパンデミックを克服できます！」と言っていれば、領域をへだてる多くの垣根がくずれ、私たち全員が力を合わせてウイルスと戦ったでしょう。」

最初ルカシェンコは、ウイルスの存在を疑っていた。「どうしてウイルスが存在するというのだ。どこにも見当たらんじゃないか？」彼はパンデミックを「気の迷い」と呼ぶこともあったし、新しい世界秩序を作り出すための地政学的なゲームであると主張することもあった。あるとき彼は、ウイルスは命を奪っても無害であると言った。「人間が車にはねられて死んだって、車は生産され続けるだろ。」またあるとき彼は、ベラルーシでは誰も新型コロナ感染症で死ぬことはないと約束する。ところがそのときすでに、最初の死者が出ていた。ベラルーシでは有名な、受賞歴のある俳優ヴィクトル・ダシケーヴィチ。彼はコロナウイルスによって引き起こされた肺炎で、三月三一日に七五歳で亡くなった。

　ベラルーシの隣国ロシアでは国境を閉鎖、ほぼすべての都市で大規模なイベントを禁止した。モスクワでは、バス、電車、地下鉄にマスクと手袋を着用する法的義務が導入されており、市長は厳格なロックダウンを命じた——その後、モスクワ市民にかろうじて許されるのは、買い物、ゴミ出し、自宅から一〇〇メートル圏内での犬の散歩しかない。これ以外のすべての外出には、通行許可証を申請する必要がある。モスクワでは、ヒトラーのドイツに対する戦勝七五周年祝賀の、巨大な軍事パレードの日程さえ延期された。リトアニアはすでに三月中旬に、学校やほとんどの店舗を閉鎖した。ウクライナではシャットダウン。キーウの地下鉄はしばらくの間、運行を停止した。

　しかしその間、ベラルーシでは、生活はほとんど制限されなかった。パンデミックなど存在しないかのように。国境は開いたままで、マスク着用義務も課されていない。レストラン、カフェ、フィットネススタジオは、学校や幼稚園と同様に開き続けていた。ベラルーシの諸都市の病院が感染者であふれ、外科医や婦人科医さえコロナ患者に酸素吸入させるための訓練を受けているという状況にもかかわらず、医療機関以外の場所では、人びとが集まっていた。サッカーの試合とアイスホッケーのトーナメントは、なんと観客を入れて開催された。正教会の復活祭では、教会をいっぱいにするほど集まった信者たちがイコン〔聖像。正教会にはイコンに接吻する習慣がある〕に次から次へと接吻した。五月九日の戦勝パレードさえルカシェンコは開催にこだわった。何千人ものベラルーシ人が、中止を求めるオンライン請願をしたにもかかわらず。というのは、伝統に従って参加する古兵たちは全員、八〇歳をはるかに超えているからである。結局は、なんと一万人を超える人々が参加した。

ルカシェンコが持論とするパンデミックに打ち勝つための処方がある――ウォッカを引っかけてトラクターを運転、畑仕事をしてサウナに行き、生姜・ニンニク・レモン、脂肪分の多い物を食ってスポーツをする。男の場合は、少なくとも一か月間は禁欲すればいいのさ。「パンデミックで、問題がすべてはっきりしました」とボブルイスク出身ボランティアのリュドミラは言う。「そのときから、私には世界が変わりました。」

ドイツでは、当時の首相アンゲラ・メルケルがスピーチを行い、ドイツ国民にせつせつと訴えた。そこにおいて彼女は、コロナウイルス患者の指数関数的増加のロジックをもちいて、連邦政府が店舗やレストランを閉じさせるには正当な理由があることを説明し、個人的な接触を可能な限り制限するよう人々に求めた。ベラルーシでは、人々が政府に行動を求めた。市場調査会社サチオのアンケート調査によると、国民の七割は、密集が予測されるイベントをすべて国がすぐに禁止することを望んでいる。半数以上が、すべての教育機関を閉鎖し、在宅勤務指示を雇用者に義務づけることに賛成している。しかし、国は動かない。動くのは人びとである。

ドイツでは、最初のコロナ規制妄想論者の組織が生まれた。政府によるコロナウイルス感染症対策による規制を、全体主義的な「コロナ独裁」と思い込み、自分たちがそれに対抗する自由の闘士であると妄想する。実際は衛生義務さえ守ればデモも許されるが、彼らはそれに応じない。当局とぶつかると、自分たちがナチスの犠牲者であるゾフィー・ショルやアンネ・フランクの再来であるかのような気分になる。ベルリンでの彼らのデモの一つで、年配の男が集会の自由の権利を守るために、プラカードを高く掲げた。「ミンスクなみの集会の自由をベルリンにも！」

一方ベラルーシでは、隣国ウクライナ、リトアニア、ラトビア、ロシアの政府がとっている措置に大いに注目し、それを自発的に自分たちが実施しているのは一般の人々である。ルカシェンコは蒸し暑い部屋でのんべんだらりと過ごさないよう警告しているが、人々は自己隔離に入る。民間企業は従業員を在宅勤務にする。人々は自分たちの社会的接触を制限する。スヴェトラーナ・チハノフスカヤは、子供たちを学校や幼稚園に通わせず、ベラルーシの他の何千人もの母親と同じく、子供たちの世話をする。ヴェロニカ・ツェプカロが勤めるマイクロソフト社は、彼女に在宅勤務を認める。彼女もまた二人の息子を学校に行かせず、自宅で教えている。マリア・コレスニコヴァのアートコレクティブ〈ＯＫ１６〉は隔離状態になる。ミンスクでのすべての公演をキャンセルし、オンライン形式に切り替えた。コロナでも公開イベントは引き続き許可されているにもかかわらず。

「私も若い仲間も、リスクを求める気にはなりません。」

当時の調査では、パンデミックの最初の春には緊急事態宣言がなくても、ベラルーシ人の五〇パーセント以上が家にいた。ほぼ半数の人びとが公共交通機関の利用を控えて公共のイベントを避け、四〇パーセントが旅行をキャンセルしている。〔ロシアの〕インターネット企業ヤンデクスは、この期間のデータを用いて人びとの移動率を測定した。三月と四月に移動率は大幅に低下している。

　ささやきではあるが、皆の「もう限界だ！」の声が聞こえて、国中がざわついてくる。ルカシェンコに、かつて彼を政権の座につけた政治的センスが残っていれば、その声に耳を貸すことができたろう。しかし、常に古代ローマの護民官をもって任じてきたルカシェンコは、もう長いこと豪奢な宮殿に身を隠してきた。彼には社会の不平が聞こえていない。何年にもわたり、ルカシェンコをとりわけ忠実に支持してきたのは女たちであった。ところが彼は、ほかならぬその女たちの支持を失っていることに気づいていない。

　ベラルーシの有権者のほぼ五五パーセントが女たち、と見積もられている。そしてその女たちの大多数がかつてはアレクサンドル・ルカシェンコを支持していた。ベラルーシでは、女たちが社会構造、家族や保健分野をになっている。つまり、家族や親戚の世話をし、子供を育て、高齢者やパンデミックに特に弱い人々の世話をするのは、女たちなのだ。なにしろ病院、社会福祉施設、幼稚園での給与は低い。そして給与が低い職場ゆえに、とりわけそこで多くの女たちが働く。この悪循環はいまなお健在で万国共通、ベラルーシも例外ではない。この国の保健分野と社会福祉分野では、従事者のほぼ八六パーセントが女たちであり、収入はルカシェンコの約束した月額五〇〇ドルよりはるかに少ない。ベラルーシの看護師の場合は平均一七〇ユーロ、幼稚園教諭では約一六〇ユーロである。首都ミンスク以外では、追加手当を除くと、一〇〇ユーロの場合すらある。

いまや、政府の無為がもたらした結果を実感しているのは、まさに女性医師と女性看護師、妻と母親である。パンデミックの発生からほぼ半年後の夏、組織〈働く女たち〉は、ベラルーシの千人以上の女たちに質問した。「パンデミックにより、あなたたちの生活はどのように変化しましたか？　仕事で立ち向かうべき困難なことは何ですか？」調査対象者のほぼ半数は、看護や医療の現場あるいは女性教員や女性幼稚園教諭として感染リスクの高い分野で働いている。また、調査対象の女たちのわずか一四パーセントしか、パンデミック時の行動について十分な情報を得ていると感じていなかった。特にルカシェンコの言動は、パンデミックにより生じる深刻な事態を認識するのに、混乱を引き起こし妨げになるばかりであったと思える。

人が病気にかかり、その結果に苦しみ、さらには亡くなってしまう。今そのようすを見ているのは、女たちである。いかに病院が過重な負担に苦しみ、いかに医療スタッフが孤立感を深めているか。これを間近に目にするのは、女たちである。国家にとって個人の生命がいかに無価値であるか、それを最初に知るのは女たちなのだ。人々の苦しみに対し、以前から国家が処方してきたのは冷笑であった。以前であればそれも少量であったので、女たちは何とか対応してきた。しかし今や彼女たちは怒り狂っている。例えば若くて向上心に燃える女性医師クリスティーナのように。二〇二〇年八月まで彼女は、職業倫理的に医療者は非政治的であることが求められると確信していた。医療者は、被害者にも加害者にも、英雄にも悪人にも等しく助けの手を伸ばさなくてはならないからである。

不安になる医師たち

クリスティーナは幼い頃から医師になることを夢見ていた。彼女は自分の仕事が大好きで、自分の分野でトップグループに入りたいと思っている。彼女はイギリスに留学し、さらにそこでトレーニングを積み、臨床のかたわら教えてもいる。数年前から、ミンスク市内の病院の医師である。クリスティーナの政治的見解は秘密にしないが、彼女の姓も働いている病院名も、隠しておかなければならない。

私はベルリンにいて、ミンスクにいる彼女と〈テレグラム〉で通話したとき、彼女は赤いフード付きセーターで、病院内の白壁で飾り気のない部屋に座っていた。彼女の仕事はまもなく始まり、彼女は着替えるであろう。ときおり同僚女性がやって来て挨拶するが、彼女も挨拶を返し、落ち着いて話し続ける。「もちろんそのせいで、もしかしたら失職するかもしれない。まだ解雇されていないので、驚いているくらいです。でもいつかは、私を解雇するでしょう。上司がその問題で何度も話していることくらい知っています。しかし私を解雇するにしても、理由は仕事ぶりではありません。私はとても良い医師だから。」

パンデミックが始まると、彼女の病院は通常診療を中止し、コロナ患者を治療する多くの感染症病院の一つになった。年金開始年齢を過ぎても働いている医師たちは、院内感染を避けるため、現在無給休暇を取っている。いっぽう若手は二四時間重労働である。以前は三二時間のシフト勤務が週に一回あったが、それが現在では週に三回だ。クリスティーナは、ほとんどクリニックに居続けている。

「日曜の夕方になると家に帰り、一晩自分のベッドで寝て、月曜日の朝になると病院に戻りずっと働き続けました。何が起きているのか、私たちには考えるヒマもありません」と彼女。死因として、新型コロナウイルス感染症ではなく、代わりにその合併症である肺炎、心臓発作、または血栓症を記入するよう指示されたとき、クリスティーナは拒否した。「どうかしてる。なぜ、こんなはっきりした事実を隠す必要があるのでしょうか？」

日によってはクリスティーナの小さな病院だけでも、新型コロナで亡くなる人の数は、ベラルーシ全国の公式死者数よりも多かった。「二〇二〇年秋に始まるパンデミック第二波の間でも、嘘をつき続けるでしょう」とクリスティーナは言う。「二週間前の一日だけを調べてみましょう」と彼女は言い、二〇二〇年十二月のある日のデータを言った。「公式には、ベラルーシ全体で新型コロナで死亡したのは九名でした。しかし、私たちの病院だけでも、その日は十二名が亡くなっています。」クリスティーナの同僚は、二〇二〇年春ほど多くの心臓発作を見たことがないと言う。「いまや死因ナンバーワンは心臓発作です。」感染者数を押し上げないために、明らかにコロナの症状がある患者には意図的に感染判定検査をしなかったこともある、と別の同僚が言ったとのことである。

多くの点が、組織的なデータ操作の存在を暗示する。公式的には、ベラルーシはヨーロッパでコロナ死亡率の最も低い国の一つである。しかし「公的統計」と聞いただけで、大笑いする医師もいる。実際にベラルーシでは、公式発表よりもはるかに多くの人々がウイルスに感染している、と彼らは言う。コロナで死亡した人の数は、記載されているよりもはるかに多いのではないか。それを示しているのが、ある年の特定期間の死亡者数と、前年までの同期間の死亡者数との比較である。二〇二〇年四月から六月の間に、前年同期よりも五六〇〇名多くの死亡が記録された。ところが公的には、この期間の新型コロナ犠牲者として三九八名の死亡者数しか保健省は報告していない。

例年と異なり、ベラルーシ統計局は二〇二一年春に死亡率を公表しなかった。国連に統計が送られ公表されたので、やっと死亡率が知られるようになったのである。〈メディアゾーナ・ベラルーシ〉〔ロシアの独立系ニュースサイトのベラルーシ版。二〇二〇年に開設〕は内部文書を分析して、二〇二〇年全体では、コロナによる死者数は首都ミンスクだけで公式発表による全国死者数より多いとの結論に達した。首都では五〇〇〇名以上の死者が記録されずにいた――これは二九パーセントの死亡率増加を意味する。

ポータルサイト〈tut.by〉のある女性ジャーナリストは、医師たちは十八床の利用可能ベッドを備えた集中治療室で、三八人の新型コロナ患者を治療しなければならなかった、と語っている。時を同じくして、ますます多くの救急患者が担ぎ込まれるのだ。それを証明するのは、病床配置計画書と医師たちの証言だけで可能である、と彼女はいう。しかしこの情報を公開した場合に、彼女にどのような結果がもたらされるか分かったものではない。彼女の同僚カテリーナ・ボリセヴィチは、診断記録を引用したゆえに、六か月の禁錮刑を宣告された。医師の守秘義務を怠ったというのが表向きの理由である〔ボリセヴィチは二〇二〇年十一月に「変革広場」でのボンダレンコ殺害事件に関する医師の診断記録を報道したことで逮捕された〕。結局、〔tut.by の〕編集部は記事を公開したが、死亡者数は記載しても執筆者名は記載しなかった。ミンスクの六つの病院だけで一日に四〇名が新型コロナ感染症で死亡したことを証明する別の調査もあるが、未発表のままである。あまりにも危険だから。

クリスティーナの病院でボランティアたちが手伝っても、リュドミラがボブルイスクで医師たちを手伝っても、上司たちは反対していない。「首都の外、小さな町や地域では、事情は異なるように思えます」とリュドミラ。「そういう所では、ミンスクよりもはるかに物資が足りません。何もかも不足です。でも医師たちは援助の申し出を断るよう圧力をかけられています――なぜなら、公式には足りないものは何ひとつなく、パンデミックは大したことがないのですから。」「ミンスクの医師よりも、この地域の医師たちのほうがずっと、外部援助の受け入れを恐れています。」町が小さいほど、慎重さが必要なようである。

「近くの小さな村の医師たちが、私たちに助けを求めたことがあります。でも彼らは、上司がそれについて何と言うか怖がっていた」とリュドミラは回想する。「そこで提案されたのが、私たちの手作り防護服とフェイスシールドを、近くの森に捨てておいてくれないか。あとでそれらを拾って、森を散歩したときに偶然見つけたと上司に報告するから、って。」彼女は大声で笑った。この会話から三か月後、陽気なリュドミラは私に手紙を書いてきて、名前を出さないでおくのはまだ可能かと丁寧に尋ねてきた。だからこの話のリュドミラは「偽名」である。彼女によると、ベラルーシではボランティアとして特定されるのは、このところ危険すぎるとのことである。

しかし、最悪なのは政府の無為ではない。ルカシェンコによる、パンデミック犠牲者への罵倒が最悪なのである。

○

太った男が新型コロナに感染した結果で死んだとしよう。そうするとルカシェンコは、テレビカメラの前でこう言い放つのである。「そもそも、こんなに体が重いのにどうしたら生きていけるのか、オレには理解できないね。」俳優のヴィクトル・ダシケーヴィチが亡くなり、最初の正式に記録された新型コロナの死者になると、ルカシェンコは彼も罵る。「八〇歳近かったんだとさ。そんな年寄りが、なぜまだうろついて働いていたのかね？」彼の冷笑に、人々はブラックユーモアで応じる。ソーシャル・メディアで人々は、**〈#大統領弔辞集〉**なるハッシュタグを付けて「ルカシェンコによる死亡広告」を投稿する。彼らはルカシェンコの皮肉な口ぶりをそっくり真似て誇張し、皮肉を〈ネット越し〉に、ルカシェンコに撃ち返す。たとえば、ルカシェンコ大統領いわく「この女がどんな女か知ってるかね？　パーティー好きで、あっちで飲んだり、こっちでおしゃべり。国中ふらふら流れ歩き、ジプシー女も顔負けさ。いつも飲んだくれてたな。あれだけ飲んでりゃ、たちまちコロリだ！」というぐあいである。

長い間、アレクサンドル・ルカシェンコは多くの人々にとって〈国父《バチカ》〉であり、何が人のためになるかよく知っていた。彼が繰り返し誰かを公然と侮辱しても、なんとか人びとは我慢してきた。しかし、彼らの最も愛する人の命を尊重せず死者を侮辱するルカシェンコは、忍耐強い人々にも極端に過ぎた。

「人間には言ってよいことと、悪いことがあります」と、家族全員が新型コロナに感染したリュドミラは首を横に振る。彼女の家族は幸運であった。年配の母親を含む全員が回復した。しかし、リュドミラには、両親や親戚を病気で失った友人知人がいる。「ルカシェンコの言葉を思い出すだけで鳥肌が立ちます！」彼女は声を高める。「お世辞なんか言わなくてもいい！　新型コロナなんて無いと言ってもいい！　でも、人間の命はつまらないものでしょうか。自分の家族が死にかけているとき、ルカシェンコのことばを聞くのはとてもつらい。あんなのは、人でなしの言うことです！　人の生死は神聖なのだから。」

○

パンデミックのときに、ベラルーシの多くの人々は、彼ら以外には奇妙に思えるかもしれないある変革を経験している。そしてそれが、新しい基準になりつつある。クリスティーナやリュドミラは、ルカシェンコを一度も支持しなかったが、政治とは何の関係も持とうとはしなかった。そのような女性たちが、自分が政治的に能動的であり行動する人間である、と自覚したのだ。いまクリスティーナは、このような時代には自分の意見に責任を持ちなさい、とせき立てられている気がしている。「こわがる必要がどこにあるでしょうか。私たちはどんな法律にも違反していません。これ以外に何ができるというのでしょう？」そしてほんらいは、人助けをしたかっただけのリュドミラが、新しい自分を発見する。「以前の私は、政治からかなりの距離を取っていました。新聞のニュースも読んでいなかったし、そもそも政治に興味がなかったのです。私は反政府運動と関係なかった。けれども突然意識がひっくり返りました。ボランティアの仕事が私を変えたのです。視界が大きく開けました。私にとって、世界は異なったものになりました。」

社会のめざめ

私が取材したすべての女たちは、自分たちがパンデミックにより、どれほど人びとと会話するようになったか話してくれた。これは人びとがバラバラであったベラルーシ社会にとって大きな一歩である。パンデミックの時期に人びとは憂うつ状態になると思いきや、精神科医オレーグ・アイズベルグの観察によると、この社会では驚くべきことに多幸感が広まったのである。かつてベラルーシの人びとは、他人から頼りにされることはないと思い込んでいたので、無関心の中に閉じこもった、とアイズベルグは考えている。今、彼らはボランティア活動をとおして、自分たちが頼りにされる独立した存在であり、何かを変えられる存在であることに気づいた。後で明らかになるように、この気づきこそアレクサンドル・ルカシェンコにとっての最大の危険である。

社会のためにがんばっているこれらの人々（ほとんどが女性）と話してみると、彼女たちはほんの数か月間で自分に起きた変化に驚いている。いや、ほとんど信じられないでいる。二〇二〇年の春に目覚めて、周囲を見回して気がついた。隣りの人たちは敵ではない。とてもすばらしく親切で立派な人たちばかりだ。信じられないことに、自分たちはひとりぼっちではない。お隣りさんの隣りには、さらに別のお隣りさんがいる。だからすばらしい人は非常に多いのだ。

リュドミラとクリスティーナは、数か月後の二〇二〇年の驚きの夏に街頭に出ることになる。ミンスクのクリスティーナ、ボブルイスクのリュドミラ。彼女らは会うこともなく、互いに知り合うこともないであろう。しかし、彼女たちは二人とも人生で初めて抗議運動に参加し、全国で数千人が集まっている女性たちに加わり、連帯の輪に加わることになる。リュドミラにとってパンデミックがターニングポイントであり、クリスティーナの怒りは病院の嘘と人員・設備の不足で始まった。しかし、彼女たちを最終的に街頭につれ出したのは、投票日の後の国家暴力である。「以前の私に向かって「あなたは抗議者の一人となって、自分の意見を皆の前で話すことになる」と言う人がいたら、そんな人は頭がおかしいと思ったでしょう」とクリスティーナは言う。

二〇二〇年にベラルーシの運命の年が始まるとは、前年一月には予想もできなかった。国家それ自体がパンデミックへの対応ゆえに抗議への道を開いてしまうとは、誰も考えていなかった。そして何よりもルカシェンコは、この抗議運動で女たちの存在感がきわ立つとは思ってもいなかった。

「アレクサンドル・ルカシェンコはベラルーシのフェミニズムにとって、フェミニストの女性全員が束《たば》になってもかなわないほど大きな貢献をしてくれました」とマリア・コレスニコヴァ。彼女がベラルーシ秘密警察に連行される数日前のことである。そしてヴェロニカ・ツェプカロは私に言った。「ルカシェンコは私たちに、抗議運動以外の選択の余地を与えませんでした。こうなるように仕向けたのは、ルカシェンコ自身なのです！　ただ彼は女たちの力を信じていなかった。」このことばを聞いたのは、不正選挙から半年後の二〇二一年二月であった。歴史とは通常、後になって初めて「ああそうだったのか！」と理解されるものである。

　すべてが始まった二〇二〇年三月、スヴェトラーナ・チハノフスカヤもマリア・コレスニコヴァもヴェロニカ・ツェプカロも、よりによって自分たちがこの変革の中で最重要人物になるとは、夢にも思っていなかった。「あとでこうなると分かっていても、あなたは再びすべて同じことをしましたか」と、スヴェトラーナ・チハノフスカヤは尋ねられた。そのとき彼女はためらいがちに答えた。「もしかしたら、もしかしたら――歴史にもしかしたらがなければよいのに――でも、もしかしたら同じことをしたかもしれません。だって、弾圧や殺人が起きるとは分かっていなかったのですから。すべてがこうなると分かっていたら、この段階まで足を踏み出さなかったかもしれません。そこは分かりません。でも振り返ることはできないし、どれだけの犠牲者が出たか考えると、すべて同じことを繰り返すとは、とても言えません。」

　この一歩を踏み出す前まで、スヴェトラーナ・チハノフスカヤはミンスクで夫のセルゲイと一緒に安定した生活をしていた。チハノフスカヤは満足していた。「今から思えば〈温室生活〉でした」

と彼女。「ほかほかしていて、風も吹かず、冷たい現実から守られていると感じていました。生活に大きな不自由を感じておらず、大きな夢もありませんでした。でも、運は少し良かったのです。」パンデミックのまっただ中、何年かの主婦生活のあとでも、彼女はもとの職につけた。ミンスクの学校で英語を教えることになったのだ。もちろんオンラインで。チハノフスカヤの同志ヴェロニカ・ツェプカロは、自宅では双子兄弟の息子たちを教え、職場ではＩＴ企業の幹部として成功し、夫と一緒に彼の政治への第一歩を計画している。

当時、自分の未来に大きくかかわる決断をしたのは三人目の同志となるマリア・コレスニコヴァだけであった。しかしおそらく、それが自分の人生をどれだけ変えてしまうか、予感さえなかっただろう。コレスニコヴァはフルートを演奏する音楽家で、シュトゥットガルトに住んでいた。ミンスクでアートコレクティブ〈ＯＫ１６〉〔工作機械工場跡に作られたアート・イベントスペース。ベルガスプロムバンク所有。二〇二二年二月に閉鎖される〕を運営するようになってからは、定期的にシュトゥットガルトとミンスクを往復していた。ドイツに二週間、ベラルーシに二週間というわけだ。新型コロナ感染症の大流行により、ドイツでの仕事が停止したので、彼女は十三年間のシュトゥットガルト生活を終えて、ミンスクの中心部に戻ったのだ。秘密警察ＫＧＢの真向かいにある賃貸アパートに引っ越した。

もしパンデミックがなければ、ベラルーシ社会は自分で道を切り開こうとする考えを学ばなかったかもしれない。おそらく、スヴェトラーナ・チハノフスカヤは、世界中を飛び回って政治家たちに会う代わりに、今日も夫の帰りを家で待っているであろう。おそらくヴェロニカ・ツェプカロはミンスクにとどまり、亡命する必要はなかったであろう。おそらく、抗議運動は起こらなかったであろう。マリア・コレスニコヴァは拘置所に入らなかったであろうし、シュトゥットガルトの中心にあるお気に入りのカフェで親友のユーリアとお茶でも飲んでいたであろう。おそらく彼女は親友に提案し、町はずれのブドウ園の崩れかかった階段を上って、頂上からシュトゥットガルト全体を見渡すであろう。ひょっとしたら二人は、墓地礼拝堂のまわりを歩くかもしれない。そこには、妻のカタリーナ・パヴロヴナ・ロマノヴァ〔ロシア〕大公女にして〔ヴュルテンベルク〕王妃と、夫のヴュルテンベルク王ヴィルヘルム一世が、カラーラ産大理石製の一つの棺に眠っている。地下墓室の入り口の上には碑文が刻まれている。《愛に終わりなし》

もしかしたら、もしかしたら、もしかしたら……けれども現実はこうなった。

3　恥知らずな偽選挙

デジタルな自由精神

あらかじめ私は認めておこう――こんな経験は初めてだ。ベラルーシでの抗議運動、社会変化、パンデミックの影響、独裁政権下での生活など、私の取材相手はすべて女性であるが、なんと彼女たちのほとんどが、ＩＴ技術者、機械設計者、エンジニア、プログラマーであることに気付いた。彼女らはミンスクやゴメリやボブルイスクに住んでおり、既婚者もいれば独身者もいて、立場はさまざまだが、自分のキャリアが話題として取り上げられるほどの意味があるとは考えていない。

「女性ＩＴ技術者、女性プログラマーですが……それが何か？　何か特別なことですか？」

いまだドイツでは、これらの分野の女性たちは比較的少数である。女たちの主たる領域は人文科学や社会科学で、自然科学なら医学分野に集まる傾向がある。ベラルーシで、私はある修道女に取材したことがある。彼女は東方正教会の聖職者の政治的消極性に失望し、抗議運動の間に教会から離れた。しかし将来の年金を考えて、かつての職業に戻っている。今の仕事は、アルゴリズムやボットのプログラミングだ。ベラルーシでもＩＴ業界で働く大多数は男性であるが、そこは男性優位の職場ではない。ソ連時代後期、ハードウェアの世界は男性のものであった。しかし、ソフトウェア開発やプログラミングは、ずっと後になって男性のオタクがそれを引き継ぐ前までは、長い間女性の仕事であると考えられていた。

　ヴェロニカ・ツェプカロは、マイクロソフト社でＩＴ部門の幹部として働いており、旧ソ連十二か国で事業開発を担当している。マリア・コレスニコヴァは、大学ではフルートの演奏を学び古典音楽と現代音楽の両方を研究したが、ソーシャルメディアの利用について独学し、検索エンジン使用の最適化とアルゴリズムの機能を学んだ。コレスニコヴァの信頼する友人でありメンターであるクリスティーネ・フィッシャーは、シュトゥットガルトで開催される「エクラ現代音楽祭」（一九八〇〜）の女性監督である。彼女は、この若くて意欲的な女性マリア・コレスニコヴァが、ソーシャルメディアの可能性に夢中になっていたのを覚えている。「ソーシャルメディアはベラルーシの若い世代に、なんて大きな意味を持つことでしょう。マリアと会ったときに、エキスパートであるのが、すぐに分かりました！」コレスニコヴァは音楽祭の運営責任者として働いた。現代音楽で修士号取得を目指して研究しながら、音楽祭のソーシャルメディア担当者になった。彼女の妹タチアーナは数学が得意でプログラミングを心得ており、当然のことながらＩＴ企業で働いている。

　ノルマ達成と年間計画の国であるベラルーシでも、この十五年間で自由な精神がゆっくりとではあるが支配的になってきた。以前と変わらず、ベラルーシの国有企業の割合は非常に高い。つまり政府は企業を人質に取っているようなもので、働く人びとの服従をひとまとめにして手に入れている。それで二〇二〇年夏の不正選挙後でも、反ルカシェンコ・ストライキの呼びかけに応じないように、労働者たちに強制できた。ストライキに参加するような労働者たちは、直ちに解雇されたであろう。国は企業の六五パーセント弱を所有しているか、あるいはそれらに出資している。これは過半数である。ところが近年、そのあちこちに、自由度が高い一種の〈すき間〉が出現した。この自由な〈すき間〉の中で、クリエイター、アーティスト、小売業者、そして何よりもＩＴの専門家たちが羽を伸ばしている。たしかに、この自由な空間は決して大きくない。せいぜい日曜菜園の割り当て一区画ほどの、ネコのひたいほどである。しかし、存在はしているのだ。

　その自由な空間の中心にあるのが、かつてヴァレリー・ツェプカロにより率いられていたベラルーシ・ハイテクパークのＩＴ部門である。このハイテクパークは、独裁政権の中心に位置する一種のユートピアであった。そこには独自の税制があり、給与は他地域の四倍から五倍高く、成功の可能性も高い。二〇〇五年にルカシェンコが、このハイテクパークを許可した理由はただ一つ。このプロジェクトから、いつかまともな成果が生まれるとはルカシェンコが夢にも思っていなかったから……と少なくともヴェロニカ・ツェプカロは想像している。

ルカシェンコはアナログな男で、そこはウラジーミル・プーチンと共通する。ルカシェンコはインターネットが好きではなく、それは何年も前から彼にとって脅威である。国営テレビの有名な女性ジャーナリストの一人に語るには、彼はスマートフォンを所有しておらず、〈テレグラム〉からのメッセージは、印字させているそうである。また多くの人びとを前にして、ネット空間は洗脳に用いられる邪悪な場である、と演説した。ハイテクパークがミンスクの中産階級に与える影響、インターネットが若い世代に与える影響。その兆しを二〇〇五年当時のルカシェンコが察知していたら、必ずや彼はパーク建設を阻止し、ＩＴ企業に宣戦布告し、インターネットを自分の管理下に置こうとしたであろう。

　もちろん新しいベラルーシの中産階級も社会主義を背景にして生きているが、それを変化させてもいる。自由な精神の持ち主であれば、ギャラリーを開き、廃工場を手に入れてアートスペースに作り替える。彼らはアングラ劇を見たり、旧市街のクラブで夜明けまで踊ったりして、しゃれたカフェあるいは社会主義のなごりがあるミルク・バーで二日酔いをさまそうとする。

　マリア・コレスニコヴァは展示会を企画運営し、テクノのレイヴやパーティーの計画をいくつも立てていた。場所は彼女の〈アートコレクティブＯＫ１６〉、ミンスクのオクチャブリスカヤ十六番地（ＯＫ１６の名の由来）にある廃工場跡である。そこでアーティストたちを支援し、ミンスクの〈ＴＥＤトーク〉で女性と男性が等しく演奏する混成オーケストラの能力を話題にする。そしてビジネスマンや銀行家を相手に、自分たちに投資するよう説得を試みる。彼女の説く芸術や文化は、慈悲深いパトロンのお情けにすがる美の営みではない。それは消費者たちと共に作る、将来性に満ちた巨大産業、すなわち投資対象なのだ。

〈平等な権利を持つ女性〉という神話

もちろん自由な精神の持ち主であっても、完全に自由ではない。彼らの生活は、〈すき間〉生活であり、芸術や文化や新技術によって提供される〈すき間〉の中で営まれる。これらの中にまで、国家の手はそれほど伸びてこない。財政面で国に頼っていないからだ。加えて、この小さいけれど、成長しつつあるエリート層に属している女たちの一団。彼女たちは、ドイツでは「ＭＩＮＴ」（ドイツ語の〈数学〉〈情報工学〉〈自然科学〉〈技術〉の頭文字を並べた語）とまとめて呼ばれる仕事についており、もっと多くの女たちをこの職業にひきつけようと努力している（ただし圧倒的多数の女子学生は、以前と同じくそれを欲していない）。それでは、芸術や新技術に活躍するこれらのベラルーシ女性たちが、二〇二〇年夏に戦わざるをえなくなり、存在感を示した理由は何だろう。彼女たちが手を出せない領域はない。彼女たちは望むことのすべてを行える——それならなぜさらにまた、自分たちが自由であることを見せつけるために戦うのであろうか。

真相はこうだ。社会主義であったソ連時代から続く、平等な権利を持つ女性のイメージは神話だからである。もちろんまったくの嘘ではない。核の部分は真実である。けれどもそれはひどく不完全であり、誤解を招く可能性がある。この〈平等な権利を持つ女性〉の神話の始まりは、社会主義が女性を世界で最も偉大な解放的なイデオロギーのアイコン（偶像）として、祭り上げたときにまでさかのぼる。

とにかくソ連の女性には、強くてエネルギッシュで、女性的で強健で、愛情に満ちて重労働に耐え、自立していて思いやりがあり、美しくて落ち着いており、母性的であって恐れを知らない（私は全部挙げたと思うけれど）ことが求められた。ソ連の女性とは、ベラルーシ人女性、ロシア人女性、ウクライナ女性を重ねてスクリーンに映し出した映像である。彼女たちは社会主義イデオロギーの価値創出の道具として大切であったが、モノとヒトの産出の道具として、さらに大切であった。多くの戦死した男たちの代わりに、物を産出する女性労働者として――多くの男たちの戦死により人口減少した〈帝国〉のために子を産出する母親として。

女性に対するこれらの要求は矛盾しているように思えるし、実際矛盾している。実生活でこれらの矛盾を解決するか、少なくとも矛盾に耐えるのが、ソ連の女性の務めであった。すなわち、社会や雇用主、パートナー、そして党による期待に応えることが。ソ連時代は〈心得帳〉により、女たちには進むべき道が示された。『女性労働者《ラボトニツァ》――女性と家族のための雑誌』と『農婦《クレスチャンカ》』がこの〈心得帳〉の名前である。表紙では、女性は労働力としてかつまた進歩的な社会主義の先駆者として讃えられている。表紙をめくっていくと、シワ伸ばしの家庭薬、（授乳時の）冷水での乳首の手入れ法、気むずかしい夫のなだめかた、家族の世話をする方法、家事の要領のよい片付けかた、それにもかかわらず魅力ある外見を保つ方法などについて読めた。

イデオロギー上ではソ連の女たちは自由であったが、実際には、その自由は男たちが許す範囲内に押し込まれていた。スターリンの死〔一九五三年〕から二年後、ソ連の女たちは、再び合法的に無料で中絶をすることが許された。西ドイツ*では中絶が刑事訴追された時代である。頭のかたい西ドイツでは、妻が職業に就くために夫から許可を受けねばならなかったとき、ソ連の女は宇宙に飛び出すことが許された〔ワレンチナ・テレシコワ、一九六三年に最初の女性宇宙飛行士〕。ソ連の女は工場で働き、エンジニアになり、プログラミング言語を開発することを許された。そしてチャンスをつかんだ。アメリカに長年住み、講義をしてきたベラルーシの女性社会学者エレナ・ガーポヴァは、ベラルーシ国立大学で講義をしたときの話をしてくれた。物理学、数学、化学などの科目では、半数より多くはないにしても、少なくとも半数が女性であったことを覚えている。「そしてなんといってもプログラミング！　しっかりと女性の手に握られていました。まさに女性の仕事として。これは

＊西ドイツ：第二次世界大戦後一九四九年に、ドイツの地では二つの国が独立した。ソ連占領地域が〈ドイツ民主共和国〉、アメリカ・イギリス・フランス占領地域が〈ドイツ連邦共和国〉となった。前者を「東ドイツ」後者を「西ドイツ」と通称する。西ドイツは急速な戦後復興と、高度な経済成長を遂げやがて経済大国となった。東ドイツも社会主義下でそれなりの発展をしていたが、国民の体制への不満は高まり、一九九〇年に西ドイツに統一されて現在に至る。したがって現在のドイツ（ドイツ連邦共和国）は、西ドイツの後継国。

すべて、ソビエトの教育制度とその平等の理想の結果でした。」

しかし、ソ連の女性はプロのサッカー選手にはなれなかった。女性に適切な職業ではないという理由で、ソ連崩壊の直前まで禁止されていたのである。女性の生殖能力を保護するために、国はこれ以外にも、四〇〇以上の職業につくことを女たちに禁じた。男はどんな職業についても生殖能力には関係ない、とでもいうのであろうか。欧米に巣くうソ連労働者階級の敵によって発明された避妊用ピルは、ソ連の女性にほとんど処方されなかった。「副作用が恐ろしい！」という理由で。その代わりに、人工妊娠中絶が実質的な避妊方法である状態が続いた。中絶を決意したソ連女性は、手術前にかならず母体がいかに重要であるか教え込まれた。ソ連の女性は、生涯に何回か妊娠中絶するのが普通であり、保健当局は、女性たちが中絶経験を決して忘れないようにする術を心得ていた。

中絶手術の望ましくない結果として不妊がある旨を、患者本人をはずかしめながら警告する医師たち。そして、患者を屈辱的に取り扱う女性看護師たち。彼らについて、特に若い独身女性からの報告がある。いくつかの診療所では、女性患者たちが下半身を露出させて並んで座り、手術を待っていたという。手術は通常、麻酔や鎮痛剤なしで行われた――「女たちは中絶が何を意味するかをよく覚えておく必要がある。」それなら女たちは、いったいどうすればよかったのだろう？　コンドームやペッサリーは少なく、それに代わる避妊薬も存在しなかった。おそらくただ一つを除けば――自発的な貞潔生活である。しかし、男性にも性欲があり、女性は男性の自由にされていた。アレクサンドラ・コロンタイ〔一八七二〜一九五二、ソ連の女性革命家〕のような初期女性フェミニストによる、解放された女性についての告発の書物があったにもかかわらず、ソ連社会の性モラルは西側のそれと本質的に違わなかった。

結局ソ連の女たちは、一人で二人分の生活を送っていたことになる。プロパガンダによると女たちは、女性労働者と母親という社会主義の二重のヒロインであると見なされていた。生産と再生産に等しく責任があるのだ。西はブク川から東のアムール川まで、現在のベラルーシからロシアの極東まで広がった灰色のソ連という現実の中で、女たちは疲れ果てた存在であった。六〇歳になり、年金生活に入ってから作家としてデビューしたナターリア・バランスカヤ〔一九〇八〜二〇〇四〕は、著書の中でソ連女性の窮状を繰り返し取り上げてきた。一九六九年に出版された『ありふれた一週間』の中でバランスカヤは、二六歳の女性科学者オルガの日常生活を語っている。オルガは二人の子どもと一緒に、毎日せき立てられるように暮らしており、いつも落ち着かず、いつも過大な要求を突きつけられ、いつも疲れ果てている。子どもたちを起こして、服を着せ、夫がのんびりヒゲを剃っている間、子どもたちに食事を与え、いつも働いて、いつも遅くまで起きていて、いつも掃除し、料理し、洗濯し、縫い物をし、アイロンをかけ、お金をやりくりし、牛乳と肉を手に入れるために行列に並ぶ。次の妊娠におびえ、生殖義務に対する国の期待に悩まされる。——これが、普通のソ連女性に求められる過大な負担であった。

バランスカヤの小説は十数か国語に翻訳された。当時のソ連の文化大臣はこの作品出版について、次のような判断を下した。「イデオロギーのチェックにミスがあったに違いない。このようなことは、この政権下では二度と起きてはならない。」バランスカヤの作品は、しばらくのあいだ検閲を受けた。女がおおやけに心身の疲れを話すのは国家に対する挑発であり、女たちを解放の象徴としてきた国家イデオロギーからの逸脱であった。

一九九一年にソ連は崩壊した。しかしソ連の解放された女性の神話は生き延びた――西側女性の嘆き節は聞き飽きたとばかりに笑い飛ばし、人生を力強く進んでいく彼女たちには、あらゆる可能性が開かれている…。

ベラルーシの女性社会学者エヴゲニア・イヴァノヴァが自国の女性のイメージについて議論するときはたいてい、たっぷり練習してあることがうかがえる、長いお経のような決まり文句から始まる。「問題はどこにありますか？　ベラルーシでは、男女平等がずっと前から達成されており、女性にブルカを着用させたり、家に閉じこもることを強制したりすることはありません。女性だって働きますよ！　高等教育への道は開かれています！　男性よりもはるかに長生きします！　早期に年金を受給できますし、軍務につく必要もありません。法的には、死刑の執行もまぬがれているのですよ。男女平等を望むなら、男性の方から手を着けたらいかがですか！　彼らの権利を守ってあげてください！」

実際、ベラルーシの女性の立場は、少なくとも数字の上からは悪いわけではない。国会議員のほぼ四〇パーセントが女性である。いっぽう全世界の平均では、国会議員の中で女性の占める割合はわずか二五パーセントである。さらに、ルカシェンコの最も忠実な盟友の何人かは女性である。彼のスポークス・ウーマン、選挙結果を監視する中央選挙委員会女性委員長。共和国評議会（上院）の女性議長。〈ジェンダー・ギャップ指数〉は世界経済フォーラムが公表する報告で、十四の指標を用いて世界中の男女の権利格差を測定する。それによるとベラルーシは、オーストリアや米国を抜いて、二九位にランクされている〔日本は一二〇位前後〕。この報告では、ベラルーシの女性は男性よりも大学進学率が高い。平均的なベラルーシ女性の健康管理はアメリカ女性より優れており、出生時乳幼児死亡率の低さは顕著である。米国とは違ってベラルーシの女性には、有給育児休暇をなんと三年間も取得する権利があり、休暇終了後は、以前の職場に復帰または少なくとも同等の仕事につける権利がある。

　しかしベラルーシの現実は、白黒の見分けがつかないほど混濁しており、紹介するのもかなり気が重くなる。ベラルーシでは女性の年金支給開始年齢は男性よりも五年早いが、たいていは金額が非常に低いゆえ生活に十分でなく、女性は高齢になるまで働かなければならない。育児休暇も三年あるが手当の支給額が非常に少ないので、母子家庭では手当だけで生活することはできない。彼女にパートナーがいる場合でも、家事はあいかわらず主に女性の仕事である。育休を取る男性は一パーセントに過ぎないが、それでも近年のめざましい進歩である。

　外からは閉じていて見えないから、実は多くの家庭では女たちが家を仕切っているのかもしれない。しかしたとえ女たちが昼間会社を経営していても、家事が女たちの仕事であることに変わりない。これが素晴らしいソ連の伝統なのだ。就活面接のどこかの段階で、ほとんどの女たちが、お子さんは何人欲しいですか、結婚なさってますか、お子さんはときどき病気になりますか等々の質問に、嫌でも答えなければならない。これに対して男たちの場合、これに類した質問はほとんどありえない。母性は絶対！　ただしこれが、すべての女たちに当てはまるわけではない。女性のアルコール依存症患者や薬物依存症患者への不妊手術強要が、くりかえし報道されている。

　社会主義時代の伝統が色濃く残るこの国では、女たちは自分が望むすべてを行うことがいまだに許可されていない。ベラルーシでは今日でも一八一の職業が女たちに禁じられているが、これはソ連時代の遺産である。男女間の給料格差は解消されているだろうか？　ベラルーシ女性はベラルーシ男性よりもしばしば高学歴であるが、女性たちの収入は、男性たちのそれよりも毎年減少している。インターネットは次のような求人広告にあふれている。「秘書求む、一九〜二三歳の独身女性、モデル体型、身長一七四〜一八〇センチ、金髪」「コンサルティング会社のアシスタント・ディレクター求む、大学教育を受けた魅力的な女性、三五歳まで、独身者優先」「社長秘書求む、二三〜三〇歳までの容姿端麗な女性。写真添付の上申し込むこと」

　ベラルーシでは、セクハラは依然として刑事犯罪ではない。それは個人的な問題として見過ごされる。なんと訴えようと、まさに〈女のたわごと〉なのだ。第一に、女性議員が多数選出されていても、その議会が無力なのだ。第二に、ルカシェンコ勢力圏の有力な地位は男性によって占められており、体制内の少数女性エリートたちですら、それを変えることは不可能である。ルカシェンコは、男たちをおとなしくさせる目的で女たちを政権内に入れたことを、公然と認めている。「女の前では、男はヤンチャをしないもんさ。そんなことをすりゃあ、女の前で恥ずかしい思いをするだろ」とルカシェンコ。

ルカシェンコの権力の砦で外から見えている部分は、家長ルカシェンコの要求を実行に移す忠実な女性使用人の担当である。そして、議会の女性議員たちは、言ってみれば国民的母親の役割を果たし、次世代を教育していると宣伝するための要員である。したがって、女性議員たちにセクハラや家庭内暴力について議論するよう求めてもむだである。またルカシェンコは、内務省が承認した家庭内暴力に関する法案を自らの手で葬った。「こんなもの、西ヨーロッパのサルまねさ」と言って。

うまく行かない結婚生活に似て

アレクサンドル・ルカシェンコとベラルーシの女たちの関係は奇妙で、うまく行かない結婚生活を連想させる。夫ルカシェンコは侮辱し、妻ベラルーシ女性たちはなだめる。夫は見下し、妻は耐える。夫の生活スタイルは粗野で慇懃《いんぎん》無礼《ぶれい》、妻のそれは忍従的で混乱を丸く収めようとする。夫婦関係がきわめて悪化する可能性があり、何年間もこの調子である。ルカシェンコの言いたい放題をいくつか挙げよう。

二〇一二年「女と女のセックスだと？　女が男を相手にしなくなったのは、男がだらしなくなったせいさ。オレたち男が、自分が無能であることを証明した結果だ。」

二〇一四年「どんな行事でものっぺりしたツラの役人どもの隣には座らないのがオレの原則なんだ。いつも若い娘っ子なんだが、たいていは小さい息子を一方に座らせて、もう片方は女の子ってわけだ。（いつも隣にいる女性たちについて）一人はブルネットでもう一人は金髪。二年間も一緒に仕事してるよ。」〔五月、ＴＶ番組のインタビューで〕

二〇一五年「弱い性である女性代表者のためにだって、大統領の椅子を明け渡すつもりはないね。まず大統領ってのは大変な仕事で、女向きではない。それにオレには最高司令官の権限がある。そうだ。軍事演習で、スカートをはいた女たちが先頭を行進するなんてのはどうだろう。いまは女もズボンをはく時代だが、それとこれとは別物さ。」

二〇一八年「女の使命は世界の美化、男の使命は世界と女の保護。」

二〇一九年「もっと子どもを産んでくれ。話は簡単だよ。子ども二人は君たちにやる。でも三番目の子はオレの国のものだ。」

○

ベラルーシの女たちは長い間、アレクサンドル・ルカシェンコの無軌道ぶりを問題視してこなかった。むしろ反対である。「一九九四年にルカシェンコが権力を掌握する準備をしていたとき、彼のチームは四〇歳以上の女性票を頼りにしていました」と、元選挙コンサルタントは回想する。「女性たちは自分を、理想の婚約者や夫と見なすであろう、とルカシェンコは確信していたのです。」

近年の主要な決定投票において、女性票のみ集計されたとしたら、イギリスは依然として欧州連合に留まり、ドナルド・トランプはおそらく大統領にならなかったであろうし、ドイツでは二〇一七年の連邦選挙後、社民党と緑の党の連合政権が誕生した可能性がある。緑の党が〈ドイツのための選択肢ＡｆＤ〉に勝ったであろうから。女性票にもかかわらずではなく、女性票のゆえに権力を維持し続けているのは、ベラルーシのアレクサンドル・ルカシェンコのみである。数年前、独立系世論調査がまだ可能であったとき、ベラルーシの社会学者オレグ・マナーエフは、ルカシェンコが、とりわけ女性によって支持された理由を調査した。結果を端的に言うと、ルカシェンコは女たちに感銘を与えるからである。

ルカシェンコはコルホーズ〔ソ連の集団農場〕出身、貧しかったが母親のもとで親一人子一人でがんばり、父親はいなくても人生の道を切り開いて出世した。彼はコルホーズの長、国会議員、そして最終的に大統領になった。それと同時に、三人の息子を育て上げることができた。女たちはルカシェンコを「強い男、頼もしい男」と見ていたのかもしれない、とマナーエフは言う。そして女たちは彼の共犯者になった。「選挙管理委員会のメンバーのほとんどが女性です。推定によると、投票と集計が行われる投票所で働いているのは大半が女性です。何十年にもわたって、ルカシェンコは選挙結果の偽造に成功したのですが、そこには女たちの助けもあったのです。」

ルカシェンコの支配の専制的な性格は、彼と女性との関係で明らかになっている、とロシアの調査メディア〈プロジェクト〉〔二〇一八年に設立されたインターネット・メディア〕の女性ジャーナリストたちは書いている。十九歳でルカシェンコと結婚し、長男と次男の母親と言われる妻ガリーナは、早いうちに公的な場から姿を消した。伝統的な価値観を説き、男性と女性の結婚を神聖なものとして保護したいルカシェンコは、独身者のように暮らしている——これもウラジーミル・プーチンとの共通点の一つ。ルカシェンコは大統領職を世襲させるつもりで、末子〔三番目の息子〕コーリャを幼い頃から報道の目にさらしているが、この息子は少なくとも表向きには母親なしで育っている。

保守的で伝統的な勇士をもって任じる大統領には、かたわらに立つファーストレディがいない。むしろ、非常に若く非常に美しく非常に多くの女性に囲まれることを好む。一九九六年、大統領になってわずか二年で、彼は国のモデル・エージェンシーである「国立美容学校」設置令に署名した。ルカシェンコの世界観では、女たちは主体ではなく、むしろモノ（客体）に等しい。固有の権利はないが、機能はある。女たちは男たちの生活を美化すべきであり、彼はそれを文字どおりに解釈している。ルカシェンコのエージェントは国主催の美人コンテストを組織する。ロシアの調査メディア〈プロジェクト〉は、ファイナリストが、審査員ではなくルカシェンコ自身によって選ばれることは公然の秘密、と書いている。〈プロジェクト〉の女性ジャーナリストたちは、ベラルーシの報道機関〈ベルサット Belsat〉〔二〇〇七年に開設されたポーランドのベラルーシ向け衛星テレビ放送〕と共同でルカシェンコの周辺を調査した。そこで彼女たちは、コンテスト参加者が大統領府に出入りして、ルカシェンコを「私たちのパパ」と呼んでいることを突き止めた。

　この〈プロジェクト〉の記事には、ルカシェンコの美人コンテストを何年も運営し、現在は国外に住んでいるインサイダーのことばが引用されている。「国民的コンテスト〈ミス・ベラルーシ〉の優勝者は、ルカシェンコの自宅電話番号を持っています。成年に達するか達しないかの美女たちが、ルカシェンコのところに連れて行かれます。彼の気晴らしのためです。もちろん、秘密警察ＫＧＢによる事前チェックは言うまでもありません。」ルカシェンコは、コンテスト優勝者に政府内の地位を与えて報いる。彼にとって美は、戦略的資源なのだ。モデルとしてのキャリアを望むベラルーシ美女たちに、国外渡航を禁じることが可能か、彼は数年前に検討すらした。もちろん公的には、人身売買に対抗するためであるが。

　ルカシェンコは公式訪問で、代表団に四〜五人の若い女たちを加えることがある。女たちを「武器」として使用している、と彼は言う。「女たちに見とれて、オレ以外の男たちは周囲の世界を忘れる。」美によって、政治的キャリアが始まることもある。二〇一八年ミス・ベラルーシのマリア・ヴァシレヴィチは、ルカシェンコによってまず公務員に採用され、それから同年の「ミスワールド」コンテストに向けての準備を、大統領自ら手がけたと言われている。二〇一九年、ヴァシレヴィチはついに二二歳での最年少国会議員になった。

「もう一度選挙をするなら、オレを殺してからにしろ」

なぜベラルーシの女たちは、アレクサンドル・ルカシェンコのこんな行動を許すのであろうか？　彼が女性たちを飾り物のように取り扱っているのに、なぜ女たちは彼に忠誠を尽くすのか？　なぜ女たちは、彼のマッチョ的態度と女性の権利軽視の事実に腹を立てないのであろうか？

「その理由は、ベラルーシでは、たとえば米国とは男女平等の理解が異なるためです」と女性社会学者のエレナ・ガーポヴァは言う。彼女は冷静で良心的なフェミニストと言ってよい。ガーポヴァは一九九七年、ミンスクのヨーロッパ人文大学に東ヨーロッパで最初のジェンダー学研究機関を設立した。大学は二〇〇四年に閉鎖され、一年後、リトアニアのヴィリニュスに移設された。ガーポヴァもベラルーシを去って長年アメリカに住んでいる。そして彼女は気付いた。女性解放とジェンダーの平等が議論されるとき、議論の対象がしばしばアメリカとベラルーシでは異なるのだ、と。アメリカでは、ジェンダーに配慮した言葉遣いが論じられる。また身体的および精神的に傷つけられない権利や、自己決定の権利や、セクハラを恐れたり暴行被害の自己責任を問われたりすることなく、女性が自分の好みの服を着る可能性が論じられる。

他方ベラルーシの女たちにとっての平等は、社会のセーフティネットによって非常に具体的な形を取る。三人以上の子どもを持つ場合の家賃割引制度、不景気時でも解雇されない強力な保護、三年間の育児休暇、育児休暇終了後の職場復帰権、特別な配慮が必要な子どものための追加のケア時間等。「母親として市場の法則に無防備にさらされるときに、ジェンダーに配慮した言い回しにどんな意味がありますか？　もし彼女のパートナーに、制度不備が原因の収入不足を補えるほど十分な稼ぎがなければ、どうしたらよいのでしょう？」ガーポヴァによると、だいたい世界のどこであっても、女たちは社会的な保証とセーフティネットを約束する候補者に投票する傾向がある。

アレクサンドル・ルカシェンコは、このような約束をするのが巧みであった。ほとんどのベラルーシ人にとってショックであったソ連崩壊後、非常に短期間ではあるが、不人気で不完全な民主主義と市場経済が始まった。ルカシェンコが一九九四年に、いわゆる「ソビエト連邦時代の明るい面」を公約にして、大統領に選出されるまでの期間である。ルカシェンコは白赤白の国旗の横に立って大統領宣誓をしたが、その国旗は一九九五年の国民投票の直後に廃止され、旧ソ連時代のシンボルが再び国章となった。一九九六年には別の国民投票の助けを借りて、ルカシェンコは自身にほぼ無制限の権力を付与し、ためらいがちに始まった民主主義を終わらせた。二〇〇四年に彼は再び国民投票により、大統領は二期までとする憲法上の制約を撤廃した。

ルカシェンコは、ソ連時代からの女性に与えられた社会的特権と社会的セーフティネットの持続を保証した。そして隣国ロシアでは、略奪的資本主義と無軌道な自由化の波が国を売り渡し、社会の大部分を貧しくしてしまう結果をもたらしたが、そのような荒廃をベラルーシでは防ぎ止めることに成功した。この理由でも、ルカシェンコによって代表される開発の道は模倣する価値のある「ベラルーシ・モデル」である、とロシアの専門家たちはしばらくの間考えていた。社会に大きな犠牲を強いたロシアの強引な制度移行とは異なり、ベラルーシ・モデルでは、共産主義から新しい時代へのスムーズな移行を保証したのであった。

ルカシェンコは、国民にショック療法や無軌道な民営化を要求しなかったゆえに、女性たちは彼に感謝し忠誠心を抱いた。育児休暇と社会福祉施設が利用できなくなったら、幼稚園と住宅に料金を支払えなくなったら、国が安全を保証しなくなったら、ひどく苦しむのはとりわけ母親である。

女性活動家のオリガ・カラチは、ルカシェンコ支持には、男女間で大きな隔たりがあったと考えている。伝統的に、男たちは反対派の候補者を支持する傾向があり、それに対し女たちはルカシェンコに賭けた。選挙が不正であったのは確実であるが、社会学者のオレグ・マナーエフは、二〇一〇年の選挙では、女性の三分の二近くがルカシェンコに投票したことを突き止めた。彼女たちにとり、治安と生活の保障がとりわけ重要な意味を持ったのは明らかである。世論調査によると、ルカシェンコに賛成か反対かを問わず、ベラルーシ女性の大多数は計画経済に賛成している。ところが男性たちの間では、賛成派は四〇パーセントにすぎない。

ルカシェンコが一九九四年の最初で唯一の民主的選挙で権力を掌握したとき、彼は旧来のノーメンクラトゥーラ〔ソ連の指導者層〕の腐敗を一掃し、エリートたちに再びうまい汁を吸わせない「人民の守護者」として自分を売り込んだ。「正直こそ我が信条！」が彼のスローガンであった。当時、平均月収二〇ドルで、経済危機と暴走するインフレに苦しんでいた人々の面倒を見る、と彼は約束した。彼のことばをよろこんで信じたのが、とりわけ女性たちである。そして独裁者ルカシェンコは、自分が彼女たちにどれほど感謝すべきかを心得ていた。「もし女性の皆さんのご支持が得られなければ、私は大統領になれなかったでしょう。」

しかし二〇二〇年になった。いつものとおりルカシェンコは、女性をネタにした軽口をひねり出すことをやめなかった。「オレたちの所じゃあ、国の仕組みが女向きじゃない。社会は女たちに投票するほど育ってない」と彼は言った。「オレは、本物の漢《ムジーク》が大統領になると絶対に信じている」彼は女たちを「売女《ばいた》」「雌豚《めすぶた》ども」「ウスノロ」と呼んだ。選挙直前にウクライナの人気インタビュアーであるドミトリィ・ゴルドンとの会話で、彼はスヴェトラーナ・チハノフスカヤ、マリア・コレスニコヴァ、ヴェロニカ・ツェプカロの女性トリオをあざ笑った。「こういった〈娘っ子《こ》たち〉ってのは、まわりで何が起こっているのか分かってないんだ。この娘たちは、人に使われやすいのさ。チハノフスカヤと話せってのかい？　ちょうど手作りの焼きたての肉団子を子どもたちに食わせたところだろうよ。まだうまそうな匂いがするかもしれんぜ。いま政治問題について議論しているそうだ。スヴェトラちゃんの政治手腕だけじゃなくて、三人組ぜんたいの腕前も知れたもの。あの娘《こ》たちと何が話せるんだい。」

しかし、今度ばかりはルカシェンコもやり過ぎた。

今回、彼自身はまったく変わっていなかった。変わったのは人々であり、それも、政治学者たちが何年にもわたって予感していた以上の変化であった。変革が必要なら、大統領選で女性に投票することもありうる、と人々は思いはじめたのである。「今日、社会とルカシェンコは異なる時代に生きています」とルカシェンコの伝記作家ヴァレリー・カルバレヴィチは言う。「本来、卓越した政治的直観の持ち主として知られているルカシェンコですが、年月とともに社会が彼からどれほど離れてしまったかに気づいていなかったのです。その過程ですか？　政府から独立した社会学的調査はもはやほとんど存在しなくなり、公式の会見に出てきても、ルカシェンコは賛美者とイエスマンに会うだけです。何年かのうちに、彼に面と向かって耳に痛いことでも大声で言う忠告者は消え、独裁者に心地よいことをささやく従順な連中に取って代わられました。この連中は、社会で起こりうる変化について、何も耳に入れたがらないのは明らかです。独裁者に悪い知らせは届きません。破滅の扉が開くまで。」

○

次期大統領はもちろん本物の漢《ムジーク》がなる、とルカシェンコが宣言してから二か月、彼は選挙でスヴェトラーナ・チハノフスカヤに、ひょっとしたら、おそらく、きっと、間違いなく敗れたのであろう。チハノフスカヤ本人も詳細は分かっていなかった。確実なのはただ一つ。アレクサンドル・ルカシェンコがとてつもなく大胆な方法で選挙をねじ曲げ、いつものとおり八〇パーセント以上を獲得したと、勝利宣言をしたことである。中立の選挙監視員は投票所への立ち入りを許可されていなかったので、実際に投票所に入った人数と、公式に投票所に入ったとされる人数を外で数えた。人数と票数はまったく一致せず、推測されたのは票数の水増しであった。

国家選挙委員会の一人が、私に投票用紙計算の方法を涙ながらに教えてくれた。彼らは選挙日の終わりに投票用紙を数えたが、その投票所ではアレクサンドル・ルカシェンコに投票した人はほとんどいなかった。「ルカシェンコと書いた投票用紙はほんの少し。それに対してチハノフスカヤの方は巨大な山でした。そこで選挙管理委員長の女性は、チハノフスカヤを選んだ投票用紙の山から大きな束をつかみ取って、ルカシェンコのほうに置いたのです。実際は、九〇パーセントが、スヴェトラーナ・チハノフスカヤ票だったと思います。」法令どおり投票所が選挙結果を公示したとき、入り口の前に集まっていた多くの人々は選挙管理委員を罵った。「恥を知れ！」「そこで私たちは裏口から投票所を後にしました。何もかもが悔やまれます。何もかもが恥ずかしい」と管理委員の一人は語った。「けれども私はとても怖いのです。こんな話は、ベラルーシの国中で山ほどあるんじゃないでしょうか。」

選挙が実際にはどのような結果であったか――それは不明である。ルカシェンコは再集計を許可しなかった。ルカシェンコが国のことを思う気持ちは、彼が女たちのことを思う気持ちと同じである。彼は自分を家長と見なし、ベラルーシを、自分の好きなように処分できる財産と見なす。不正選挙に対する抗議が広がると、「オレは恋人ベラルーシを渡さんぞ」とすごむルカシェンコ。「もう一度選挙をするなら、オレを殺してからにしろ。」彼の実際の得票率が五パーセントか、五〇パーセントか、あるいは二〇パーセントか四〇パーセントであったのか――それは決して明らかにされない秘密である。投票記録はおそらく破棄されている。

ひょっとしたら、スヴェトラーナ・チハノフスカヤが勝たなかったのが事実かもしれない。これは誰にも分からない。ただしアレクサンドル・ルカシェンコが、最も重要な支持者を失ったことだけは確かである。ベラルーシの女たちは彼にうんざりしている。

4　「私自身の革命でした」——スヴェトラーナ・チハノフスカヤ

政治版シンデレラ・ストーリー

スヴェトラーナ・チハノフスカヤが、リトアニアや、ポーランドや、またはルーマニアの外相と、パンデミックゆえにオンラインで話すときに、ときどき彼女はある肖像画を画面に出す。カンバスに描かれた、腕を組んだ若い女性の油絵。黒い髪、黒いドレス、見る人をじっと見つめる黒い目。フランスに移住したベラルーシ人の画家のシャイム・スーティン（一八九三〜一九四三）は、一九二八年に描いたこの絵を「エヴァ」と呼んだ。八五年後、ヴィクトル・ババリコは、ロシアのガスプロムの子会社であるベルガスプロムバンクのＣＥＯであったときに、ニューヨークのオークションでこの作品を購入した。ババリコは、ベラルーシで展示するために、海外のベラルーシ出身芸術家の作品を長年集めてきた。彼は「エヴァ」に一八〇万ドルを支払った。ベラルーシの絵画に、これ以上の金額が支払われた例はかつて無かった。「エヴァ」は国の重要文化財となり、転売は禁じられた。

　けれどもそののちババリコは、選挙でアレクサンドル・ルカシェンコの対立候補になるつもりだと宣言した。治安部隊は肖像画「エヴァ」を含む彼のコレクションを没収〔ギャラリー「アート・ベラルーシ」で展示されていたコレクションは二〇二〇年六月に没収され、一年後に返還された〕。肖像画「エヴァ」はベラルーシの抗議運動のシンボルとなった。女たちは、アレクサンドル・ルカシェンコに対する反乱を〈レヴォリューション〉ならぬ〈エヴァリューション〉と呼んだ。絵画没収の直後、ヴィクトル・ババリコが逮捕されたからである。画家スーティンは多くの女性の肖像を描いているが、「エヴァ」ほど大きな影響を与えた肖像画はない。「エヴァ」は自分を見られるだけの存在にしておかない。見る側に視線を返す。おそらくこの作品は、見る側に思いを向けさせるので、多くの女性にインスピレーションを与えるのであろう――今までの自分たちには客体としての役割しか与えられていないが、これからは主体となるのだと。「内面の強さが女たちにはあったのですが、それを今までのベラルーシでは、見せてはならなかったのです。そして突然、彼女たちは内面の強さを発揮し、自分でもびっくりしたのです。私もそうでした！　それが私の身に起きたことです。」とスヴェトラーナ・チハノフスカヤ。「それまで私は強さを見せてはいけなかったのです。今は、自分自身がどれほど変化しているか、感じられます。」

彼女のこの発言は、二〇二一年一月中旬、私の最初のインタビュー中に出てきて、新しい音色を聞くような、新鮮な響きがあった。少し前にスヴェトラーナ・チハノフスカヤは、あるジャーナリストに次のように述べている。「私はまた妻と母親に戻りたいので、責任ある決定をする必要がなくなるように願っています。」さらにまたこうも発言した。「権力は重荷です。それを担うことを望みません。ひょっとしたら、権力を持って好きなように振る舞いたい人がいるかもしれません。しかし私はそうではありません。私は夫と子どもたちと一緒にいたいのです。」

現在、チハノフスカヤはスウェーデンの首相やフィンランドの大統領に会う。彼女はウクライナ大統領と協議し、ベラルーシ語の特殊性についてアンゲラ・メルケルと語り合い、自国の革命について欧州議会議員の前で演説し、ウラジーミル・プーチンに働きかけてもらう約束を、仏大統領エマニュエル・マクロンから取り付ける。彼女は米国議会でルカシェンコ政権の暴力について証言し、今回の反政府運動における女性の役割を説明する。彼女はリトアニアの大統領からノーベル平和賞に推挙され、ベラルーシではジャーナリストたちがどのように嫌がらせを受けているか、国連安全保障理事会で講演する。

かつてのスヴェトラーナ・チハノフスカヤは、子どもたちと一緒に家にいて、週末に夫が帰ってくるのを待っていた。彼女はめったに国外へ出なかった。かつて家族と一緒に、エジプトの海辺で休暇をとったこともあったけれども。いま彼女は平日、十二時間から十四時間仕事をしている。パンデミックにもかかわらず、彼女はストックホルム、ベルリン、ローマ、ヘルシンキ、リガ、ブリユッセル、ウィーン、タリン、リスボン、ベルンへと飛び回っている。アレクサンドル・ルカシェンコは、西側諸国への公式訪問をほとんど行なったことがなく、外国語も話せない。一方スヴェトラーナ・チハノフスカヤは、亡命してからの数か月だけで十五か国を訪問した。通訳はほとんど必要としない。彼女は英語を非常に上手に話す。かつての主婦スヴェトラーナ・チハノフスカヤも、今や世界的に有名な政治家と会談する。自身も世界的に有名な政治家の一人となったが、自分が会う人物がいかに有名な大物であるのか、本人がいまだ驚いているように見えることがある。

まだベラルーシに住んでいたとき、簡単に政治家と接触すべきではないという先入観を持っていた、とチハノフスカヤは言う。「政治家は怒りっぽいので、私のことをうるさいと感じると、叱られてしまうかもしれないと思っていたからです――そうなったらお手上げですよね。しかし、マクロン仏大統領やメルケル独首相と話してみると、政治家であるにもかかわらず、人間としてオープンで親しみやすいのです。ベラルーシの政治家に感じるような、威圧感を覚えることはありません。ベラルーシでは、ええと……こんな印象があります」彼女は口ごもり、言葉を探した。「私はこんなコトバを使うのは好きではありませんが、自分が主人の前で平伏する下僕になったような感じです。とにかくマクロンやメルケルの前では、ベラルーシにいるときとは全く違う気持ちになります。すこし前まで私は主婦でしたが、この二人は私を家事しかできない女とは見ていません。彼らは私の話に耳を傾けます。英語の単語が間違っていようと、私をバカにしません。民主主義の中で生きること――ひたすら自由であると感じられ、何も恐れる必要が無く、人びとが同じ権利を持っている――こういうことはすべて、私にとって新しい経験です。」

　昨年〔二〇二〇年〕はまだ、チハノフスカヤは国外の政治家との会合を恐れていた。彼女は英語が非常に上手であるにもかかわらず、的確な単語を見つけられなかったり、口が滑って間違った表現が飛び出してしまったりするのではないか、と心配していたのである。十二歳のときから何回も、彼女はアイルランドのホストファミリーで夏休みを過ごした。彼女はベラルーシ南部で育った。チョルノビリ〔チェルノブイリ〕原発事故（一九八六年）による放射能被害がひどかった場所である〔出身地のミカシェーヴィチ市（後述）はブレスト州東部の放射能汚染地域に位置する〕。当時ベラルーシの子どもたちは、健康を回復するための援助プログラムの一環として、何度も海外に派遣されていたのであった。

○

　スヴェトラーナ・チハノフスカヤの人生は、政治版シンデレラ・ストーリーのおもむきがある。それは一生に一度の大変身、ほぼ非現実的なおとぎ話である。しかしこの物語を、女性による自己克服の一事例と考えれば、ドイツ、ポーランド、コロンビア、ロシア、イタリアなど、世界中のどこでも同じく実現される可能性がある。もちろんすべての女性が独裁者に挑戦できるわけではなく、民主主義の国に住んでいれば、そもそも挑戦する必要もない。しかしひとりの女性が、自分に与えられていた役割から突然踏み出すことになった物語は、世界中の何百万人もの女性たちに知られてもよいのではないか。

スヴェトラーナ・チハノフスカヤは、真のフェミニズムの物語を体現している。そしてよくあることだが、この物語は女から始まるのではない。発端には一人の男がいた。

やや尊大で、やや男くさい

セルゲイ・チハノフスキーは、チョルノービリ原発事故汚染地域からそう遠くない、ベラルーシ南東部の町モズィリのナイトクラブ〈55クラブ〉でスヴェトラーナと出会った。彼女は教職を目指して英語を勉強している勤勉な学生で、めったに出歩かなかった。しかし、この月曜日の夜、女友だちは彼女を無理に連れ出した。月曜日には女子大生は無料でクラブに入れるからである。若い女性たちが一緒に座って、飲んだりしゃべったりしていると、何人かの若い男たちに声をかけられた。ここで何も起こらないはずがない。この中の一人が、スヴェトラーナより四歳年上のセルゲイ・チハノフスキーであった。彼はクラブを運営しており、女子大生たちに土曜日の無料チケットを渡してその場は別れた。彼はもう翌日には、このスヴェトラーナが何者であるかを突き止め、電話して一緒に出かけないかと頼んだ。彼女に印象的であったのは、彼の決断力と押しの強さであった。「彼は自信があり、どこか大胆でした。」一目惚れだった、と彼女は思い出す。彼の魅力、男性的な風ぼう。「ハンサムね《クラサフチク》」と彼女は思った。二人はすぐに恋人同士になった。

夫——やり手タイプ、やや尊大で、やや男くさく、非常に率直。不器用で白黒をはっきりさせたがる癖あり、と言う人もいるだろう。「ときどき気難しい人になることもあります」と妻は夫について言う。「彼は自分の不満をかなり率直に示します。そういうとき、周りにいる人は、とばっちりを受けます。ときどき彼は不機嫌になることもあり、短気です。しかし、社交的で、冗談を飛ばすのが好きで、人びとを笑わせます。とても面白い人なので、誰もが彼と友だちになりたいと思っています。彼と一緒にいれば、退屈することはありません」と彼女。「行動が先で、理由は後、の人ですから、みんなのために休暇旅行を突然予約して驚かせます。懲《こ》りない人です。正しいと思ったら、てこでも動きません。」

セルゲイ・チハノフスキーは、野心的で、ビジネスに有能で、心の広い人と思われている。彼は広告映像制作会社を立ち上げた。最初はベラルーシ南東部のゴメリ、次に首都ミンスク、そして最後にロシアの首都モスクワで。彼は子どもたちを愛し、子どもたちの世話もするが、そもそもほとんど家にはいない。出張旅行が多く、家族と一緒にいるのはほぼ週末のみである。

妻——英語教師。質素な家庭の出身で、面倒見の良い両親を持つ。長距離トラック運転手の父、料理人の母。彼女は小さな町ミカシェーヴィチで、つつましい環境のなかに姉妹で育った。足りないものも、余るものもなかった。「富める者とは、足《た》るを知る者」と母親はよく言っていた。スヴエトラーナ・チハノフスカヤは、謙虚で、思いやりも向上心もあり、誠実さを教え込まれた。優秀な生徒であり、素晴らしい成績により学内で金メダルを受けている。聡明で、内気、控えめで、思いやりがある。彼女が夏をアイルランドで過ごしたときは、人前で話すのには気後れしていたが、英語が苦手な子の代弁をしてやっていた。「彼女の英語は、仲間の誰よりも上手でしたから」と当時のホストファミリーの一人は言う。「彼女はリーダーになるタイプではなかった。しかし、まったくさりげない形のリーダーシップは見せていました。年少の子たちは、自然に彼女のまわりに集まってきましたから。」これもホスト・ファミリーの話。

「〈自分に損でも、他人《ひと》のため！〉これが私の生家の教えでした。〈他の人に先を譲りなさい。自分は後で〉ということです」チハノフスカヤの思い出である。故郷ミカシェーヴィチの実家では、父親は古風な家長で、すべてが彼を中心に回っていく。後にスヴェトラーナ本人の家庭でも、これは続いていく。夫セルゲイ・チハノフスキーが稼ぎ手であり、家族の長である。自分以外のことでも決めるのは、彼一人。ときどき夫婦は喧嘩する。夫は怒鳴り始め、妻は傷つく。「あなたは、どの程度まで耐えるのですか？」あるときウクライナのテレビジャーナリスト、ドミトリイ・ゴードンが彼女に尋ねたことがある。「許せなくなるギリギリまで」とスヴェトラーナ。

　長男のコルネイが二歳のころ、夫婦は息子に何か問題があることに気づいた。チハノフスカヤは、当時の様子や息子に何が起きたのかについて話さない。知人によると、耳が不自由であったとのことである。治療は処置が遅れ、手術が必要になった。彼女は息子の成長の遅れを取り戻すために、多くの時間と労力と愛情を注ぎ、「一過性の問題」として最終的にはうまく切り抜けた、と彼女は言う。しかし当時、彼らはセルゲイの故郷ゴメリにあったセルゲイの住居を売り払い、息子コルネイに必要な治療ができる首都ミンクスに引っ越した。二〇一三年のことである。彼らはそこでマンションを購入。部屋が三つ、狭いキッチン、小さなバスルーム、全体でおそらく五〇平米ほどである。「私たちは普通のベラルーシ人と同じ暮らしをしていました」と彼女。とはいえ、家族は休暇旅行に出かけられ、チハノフスカヤは子どもたちを家で世話する程度の余裕はあった。

　この時点では、セルゲイ・チハノフスキーは政治とはほぼ無関係で、彼の妻も同様である。政治は彼の世界ではない。ましてや彼女の世界でもない。

　人生で一回ほんの一瞬、彼女は政治の世界に触れたことがある。成年に達したチハノフスカヤは選挙に行った。しかしそれは、彼女にとって政治的信念の表明ではなく、むしろ成人になるための儀式であった。自分が政治家になる前に投票したのは一回しかない。そのとき彼女は、アレクサンドル・ルカシェンコに投票した。その男に、まさか彼女が二〇年後に挑戦することになるとは。

ルカシェンコ最大の誤り

　さて、最初に政治の世界に迷い込んだのは夫のほうであった。きっかけは一軒の古家である。二〇一七年、出張旅行から帰る途中、セルゲイは廃村になりかけた村を通りかかった。そこには競売にかけられている一軒の古い農家があった。風格があり、築百年以上、三階建て、屋根裏部屋付きで、改修が必要。チハノフスキーはそれを二二〇〇ドルで購入した。彼は大胆な夢を見る。「ホステルにでも建て替えてカフェを開き、村を生き返らせてやろう――ロシアとの国境は近く、多くの観光客がきっと来る！　そのあとは、年を取ったら、引退したオレとカミさんとの隠居住まいにでもなれば。」

　チハノフスキーは屋根を葺《ふ》きなおして、改修を始めた。暖炉を修理し、水道やガスを引いて……ここでベラルーシの現実とぶつかった。地方自治体ともめたのである。突然、何年間もほこりをかぶっていた規則が引っ張り出され、記念物保護条例が適用された。「電線敷設許可未取得ニツキ貴殿ハ……」というわけで、改装にはそのたび申請が必要であり、カネと時間がかかる。工事を進めようとすると、ハードルはますます多く、ますます高くなる。そうなるとチハノフスキーはますます待てなくなり、イライラはますますつのる。

　二〇一九年三月に業を煮やした彼は、YouTubeで「住む価値のある国」というビデオブログを始めた。彼はベラルーシ中を旅し、一般の人びとの声に耳を傾ける。北東部のオルシャでは、農民たちに話を聞かせてもらった――彼らは老朽化した倉庫を、自分たちで改修してそれを賃借していたが、役所は横暴にもその倉庫を取り上げてしまった。農民たちはせっかくの自分たちの骨折りを、無にされたのである。彼は自営業者にインタビューして、役人による日常的な嫌がらせについて話してもらう。北部の小都市グルボーコエで、彼にマイクを差し出された女性は、国にすべてを奪われたと文句を言い続ける。地元のブロガーには、何にでもいちいち口出ししてくる政府について語らせた。

自国を旅するたびに、そして一般の人びとと会話をするたびに、セルゲイ・チハノフスキーは政治への関心が大きくなり、激しやすく、口が悪くなった。二〇二〇年春に大統領選挙の有望な候補者と見なされていた二人の男性、ヴェロニカ・ツェプカロの夫ヴァレリーとも、マリア・コレスニコヴァの盟友ヴィクトル・ババリコとも、彼は異なっている。この二人は、ルカシェンコの権力システムの中でスピード出世を果たし、エリート体質である。彼らは各地を飛び回り、複数の言語を操り、多額の資金を動かし、全国的に有名であった。ツェプカロはベラルーシの〈シリコンバレー〉の創設者であり、芸術愛好家ババリコはベルガスプロムバンクのCEOである。彼らの自己表現は上品であり、主として教育を受けた都会の中産階級にアピールする。何年もかけて準備したとわかる選挙公約も、彼らは持っていた。

それらのどれも、セルゲイ・チハノフスキーは持っていなかった。公約も、選挙資金もなく、政治的な微妙な言い回しに対する勘も働かなかった。しかし彼には、自分が政治家になろうという断固たる決意、我こそ本物の政治家であるという意識、そして政治家になれる確信があった。ヴィクトル・ババリコやヴァレリー・ツェプカロとは異なる有権者層に語りかける。彼は自分自身を庶民の一人であると称しているので、有権者たちに直接話しかける。彼は公務員や国会議員に釈明を求めると予告する。うなり声を上げている豚の鼻先にまでマイクを突きつける。彼は役人たちを、「ドロボー」や「できそこない」と呼ぶ。彼はルカシェンコを害虫にたとえ、「ストップ・ザ・ゴキブリ！」なるスローガンを作って害虫駆除を要求した。声を聞いてもらえない人びとの苦しみに、彼は耳を傾けたのである。

そのような人びとは、やっと自分たちのことを真剣に考えてくれる人が現れたと感謝した。夫セルゲイがベラルーシ中を旅している間、妻スヴェトラーナは自宅で彼の配信した映像を見た。そして、多くの人びとがルカシェンコに裏切られたと感じていること、しかも彼らが恐怖を克服し、怒りや不満を自宅という密室内だけでなく、オープンに話しているのを目の当たりにした。そして、夫が時と共に変化するのを感じ取る。サイトを見に来る人がどんどん増えて、何万人もの人びとがYouTubeで彼のビデオを見ている。ときどき彼女は夫に頼む。「もうちょっと露骨でなく、もうちょっとやんわりと話したらどう？　それだと役人たちの反発を買うばかりよ。」「でも、あいつら、泥棒じゃないのかな？」夫は妻に言い返す。

一九九九年にロシアとベラルーシの間の連合国家創設条約が結ばれて以来、ベラルーシがロシアによる支配に転じることなく、両国間の統合がどれほどまで可能であるかについて大議論があった。ただしそんなことは、ベラルーシ人の大多数にとって受け入れがたいであろうが。

二〇一九年十二月には、ロシアとの緊密な統合に反対するいくつかのデモがあった。チハノフスキーはその一つに参加し、それについてブログで報告した。そしてよくある十五日間の禁錮刑を言い渡された。この時はこの件で実際に服役する必要はなかったが、それはあとになってやってきた。二〇二〇年五月九日、パレードが行なわれる対ナチス・ドイツ戦勝記念日、この日、チハノフスキーは〈リュドミラ〉〔第二章参照〕の故郷の町ボブルイスクにおいて〈反《アンチ》・パレード〉を計画していた。リュドミラはほぼ同時期、ボランティアで新型コロナ・パンデミックと戦う医師や看護師を手伝っていた女性である。この〈反《アンチ》・パレード〉には、パンデミックの最中でも強行される、ルカシェンコの軍事公式行事に対する抗議の意図があった。けれども今回チハノフスキーは、その三日前に拘束されてしまった。その日から、十五日間服役しなければならない。「警察が通行人を無差別に逮捕したり、道を封鎖したり、ということがなければ、私たちはそもそも〈反《アンチ》・パレード〉など気がつかなかったでしょう。」とリュドミラは言う。「政府の新しい動きへの恐れも、チハノフスキーの影響力が増し、同調者がふえるのを助長しているのです。」

妻は心配し、夫は心配しなかった。彼の活動をつづけると、必ずある決断を迫られことになる。しかし夫は妻にそれについて何も語らなかった。「人生が一晩で変わってしまうとしたら、きみはどう思う？」と夫は妻に尋ねなかった。たとえ彼女がそれについて聞いたところで「彼を説得してやめさせようとは、考えもしませんでした。というのも、彼が正しいことをしているのを、心の底から理解しているからです。夫が恐れを知らないのを、私は誇りに思っています」とスヴェトラーナは言う。

二〇二〇年五月七日、彼が刑務所に入って二日目、予定通り彼の動画がYouTubeに自動的にアップロードされた。「ベラルーシ人企業家にしてブロガーである私ことセルゲイ・チハノフスキーは、これをもって大統領選挙に立候補します。」アレクサンダー・ルカシェンコに挑戦すると決断した彼は、二〇二〇年八月九日の選挙で戦う要件を満たすために、書類を提出するつもりであった。

妻は夫セルゲイの計画をネットで知った。彼女には、そんなことになるのではないかとの予感はあった。立候補登録の書類をすべて集めた彼女は、獄中のセルゲイがすべての書類に署名することを弁護士に頼んだ。しかしセルゲイに署名は許されなかった。署名がなければ立候補認可がおりない。

スヴェトラーナが夫の仕事を引き継ぎ、自分が立候補すると決めたいきさつは、このようであった。夫の意見は聞かない。「なぜか、ですって？　夫は刑務所にいるんですよ。彼の努力が水の泡とならないよう、私はそうしただけです。計画なんかありません」とスヴェトラーナ・チハノフスカヤ。「夫に愛と尊敬を示したい。それだけを考え、それだけを願っていました。」この夫婦の間では、大きな影響をもたらす決断を、妻がひとりだけで下したのはこれが最初かもしれない。ただし当時の彼女は、この決断が後にとてつもなく大きな影響をもたらすとは夢にも思っていなかった。当局が自分を候補者として認めるはずがない、と思い込んでいたのである。五月中旬、正式な登録締め切りの直前に、彼女は自分の書類を選挙管理委員会に提出した。ほぼ同時に（ただし立候補には遅すぎる時期に）釈放されたセルゲイはびっくりしたが、すぐに妻の立候補を全面的に支援した。

「私は五月二九日まで何にも関わっていませんでした」とスヴェトラーナ。「夫は一人で町から町へと訪れ、大統領選挙候補者となるのに必要な署名を集めました。私は彼の旅には一度も加わりませんでした。」訪問した町で、彼はボール紙で裏打ちした妻の等身大の写真を看板のように立てたので、彼女は〝ボール紙候補〟というニックネームをもらうことになった。彼女はインターネット上で彼の活動を追跡した。映像がライブで上がると、署名のために人びとが数キロにわたる長蛇の列をなすのが見えた。「私を大統領候補者に推すために、署名する人びとが何時間も行列に並んだのです。ルカシェンコと彼の一党は、しまったと思ったに違いありません」とチハノフスカヤ。

しかし、二〇二〇年五月二九日が運命の日となった。グロドノでセルゲイがスヴェトラーナの署名を集めているとき、ごくささいな理由で逮捕された。彼女は自宅のコンピューターの前にいて、彼が連行されるのをその目で見た。それ以来、スヴェトラーナは夫に会うことはかなわなかった。

とつぜん大統領候補者に

彼女はそのとき思った。万事休す。正式に大統領候補者となるための条件は、かなりむずかしい。該当者は、推薦者たちからなる推薦者組織を登録する必要がある。その後、この組織は一か月足らずの期間で十万人の署名を集める。その署名は、全国の一五三の選挙区のうち一四七の選挙区で、一週間以内に提出する必要がある——そこでやっと、中央選挙管理委員会から、立候補許可が与えられる。巨大選挙組織の援助がなく、たった一人で、それも短期間で十万人の署名を集めるのは、ほぼ不可能に思えた。しかしスヴェトラーナ・チハノフスカヤは、一人ではなかった。彼女の夫は人びとを魅了し、彼を信じてボランティアで支える多くの人びとがいた。「ボランティアが組織化され、仕事をひたすら続けたのは奇跡のようでした。そのために今までの仕事をやめた人までいます」とチハノフスカヤ。彼らは署名を集めるが、チハノフスカヤはまだ表に出てこない。ついに彼女に必要な署名数が集まった。いまや彼女は、なろうと思えば、正式の大統領候補者になることが可能である。

チハノフスカヤは、同年代の実業家マリア・モロスと知り合った。モロスもまた何年も主婦であり、息子を育てていたが、これからどうしようか迷っていた。ベラルーシでは自分たちの未来が見えてこないので、彼女は夫と国外に出るつもりであった。そのときである。ルカシェンコに挑戦するセルゲイ・チハノフスキーのウワサを耳にしたのは。彼女は国内にとどまることに決めた。彼の推薦者組織に参加するためである。そして最終的には、彼の妻スヴェトラーナのために署名を集めた。モロスはチハノフスカヤが好きで、チハノフスカヤも、初めからモロスに大きな信頼を寄せていた。選挙運動は女たちをすぐに結びつけた。

チハノフスカヤの最も重要な顧問の一人が、アレクサンドル・ドブロヴォリスキーである。彼は以前、ルカシェンコに反対する統一市民党にいた。彼女はドブロヴォリスキーを頼り、統一市民党の選挙公約の一部を自分が引き継げるか尋ねた。この党の候補者には当選の見込みがなかったので、党は公約の引き継ぎを許した。ドブロヴォリスキーは、チハノフスカヤを推薦する署名をするため、みずから二時間半待ちの行列に並んだ。初対面の時に、彼は彼女の誠実さを感じた。「チハノフスカヤは賢明で、責任感にあふれているのが印象的でしたが、無知でもありました。それは彼女からの質問の内容で明らかです。けれども質問そのものは、問題を深く掘り下げていました。」

しかし選挙公約だけでは、当選はおぼつかない。そこで仲間は選挙戦略を練った。「彼女は、本当の選挙を可能にするための暫定大統領として、自分を売り込むべきだろう。」そのためには、選挙運動の専門家とチームが必要となり、彼女の方はインタビューに備えて準備をしなければならない。ドブロヴォリスキーは思い出す。「私はチハノフスカヤに言ったものです。選挙運動は、あなたの絶対的に信頼できる人が、仕切らなくてはなりませんよ。」「任せられるのはマリア・モロスだけです。」こうして、マリア・モロスが彼女の選挙運動本部長になった。ドブロヴォリスキーは、アンナ・クラスーリナと共にチハノフスカヤのチームに加わった。二〇年近く野党政治運動に関わってきたクラスーリナは、チハノフスカヤの広報担当者《スポークスウーマン》になった。ルカシェンコの不正選挙の後、クラスーリナとドブロヴォリスキーは、チハノフスカヤと共にヴィリニュスに亡命することになる。

　チハノフスカヤが選挙スタッフに手配できた部屋は狭く、インターネットも使えない。そのなかで三〇人もが働いた。どうせすぐに終わりになるだろう、と思われていた。そこに、立候補を断念しなければ、子どもの身に何かおこるぞという脅迫電話を受けた、との報告がなされた。このときの彼女のようすを撮った映像は、人びとの同情を買う。彼女は恐喝されたと話して泣く――そして全国から多くの励ましを受ける。人びとは彼女に電話をかけてきて、選挙運動を続けるよう説得する。そして、チハノフスカヤは、「自分より、他人を優先」という親の教えを思い出す。彼女は気を取り直し、恐怖に打ち勝つ。子どもたちを祖母と共に隣国リトアニアに送り出して選挙運動を継続。しかしこのような孤独な戦い方では、すぐに終わりが来るのは目に見えていた――ここでも、しヴェロニカ・ツェプカロとマリア・コレスニコヴァという援軍が来なかったとしたら。本来、この三人の女たちは政治的ライバルになったかもしれないのだ。というのは、ヴェロニカの夫も立候補するつもりであったし、マリアの盟友であるババリコも同様であったから。しかし彼女たち二人は、スヴェトラーナ・チハノフスカヤが運動を継続をするために、支援にまわることになる。

夫セルゲイ・チハノフスキーは、自分が逮捕されることになるような選挙なら、ボイコットするべきだと考えていた。しかし今、妻スヴェトラーナは選挙の準備をしている。「夫の意に反しているのではないか。」不安になったスヴェトラーナは、マリア・コレスニコヴァが率いるヴィクトル・ババリコの選挙事務所を訪ねた。そこにはチハノフスカヤを待つ、もう一人の女性がいた。ヴェロニカ・ツェプカロである。

三人の女たちが最重要目標について意気投合するのに、ものの十五分とかからなかった。その目標とは、すべての候補者による自由で公正な再選挙と、ルカシェンコによって損なわれる前の、一九九四年憲法への復帰である。彼女たちは、それまでの野党男性政治家には不可能であったことを可能にする。それは〝協力〟である。これが、男たちにはできなかった。「男たちは野心的すぎます」とチハノフスカヤ。これに対し、彼女は権力を望まない。望みは一つ——自由で公正な選挙が可能になる段階までの引き継ぎ役になる——これだけである。そうすることで彼女は、あらゆる対抗意識や、野心の競い合いや、公約間のさまざまな違いを棚上げしておくための、重要な前提条件を作り出した。彼女は弁護士をとおして夫セルゲイに決心を伝えた。「私が続きをやります！」納得したセルゲイがついに支持を伝えてくると、彼女は言った。「大きな心の重荷が降りました。」

七月十四日、煩雑で官僚主義的な立候補手続きを経て、スヴェトラーナ・チハノフスカヤは大統領戦立候補者として実際に認められた。彼女はルカシェンコと争うことを許可された、ただ一人の候補ではない。しかし、実際は無競争であることを隠すために、ルカシェンコが立てた〈カカシ立候補者〉でもなければ、ルカシェンコに従う〈操り人形立候補者〉でもない、ただ一人の真の立候補者であった。

ルカシェンコは、この主婦の惨敗を確信していた。夫セルゲイ・チハノフスキーも、妻の計画がまもなく破綻するとの前提でいた。スヴェトラーナ・チハノフスカヤ自身も、自分の立候補に勝算があったわけではない。「実際に夫の代わりをするなんて、計画すらしていません。権力者たちにとっては、私はお笑い草でした」と彼女。「だからこそ私は候補者として認められたのでしょう。彼らは私のことを笑いものにしようと思っていたのです。」

しかし、彼女はアレクサンドル・ルカシェンコの悪夢となった。

「私の子どものために、あなたがたの子どものために、私たち全員のために！」

「ほんの少し前には想像さえできなかったことを、どうしたら、引き受けることができたのですか？」記者の質問に、スヴェトラーナ・チハノフスカヤはこう答える。「マリア・コレスニコヴァとヴェロニカ・ツェプカロがいてくれたからです。そうでなければ、とても無理だったでしょう。

いつもマーシャと呼んでいる、マリアが強さと度胸をくれました。私たち全員が一台の車に乗って、町から町へと演説してまわったときのことです。ボディーガードを置いたらどうか、と思いました。でもマーシャは「心配無用。ボディーガードなんかいらない」と言うのです。またヴェロニカは、暖かい友情と揺るぎない心をくれました。彼女は政府高官の妻ですから、そのうち私たちを見捨ててしまうのではないかと心配したけれども、私の誤解でした。どちらかというと厳格で強靭なマーシャからは力を、ヴェロニカからは友情に満ちた支えをもらいました。」

二〇二〇年七月の最初の共同記者会見では、スヴェトラーナ・チハノフスカヤが中央に座り、左がマリア・コレスニコヴァ、右がヴェロニカ・ツェプカロであった。チハノフスカヤが主たる発言者のはずだが、彼女は発言をためらう。そこでマリア・コレスニコヴァが作戦と次のステップについて説明した。ヴェロニカ・ツェプカロは、ベラルーシ中を熱狂させている新しい女性の連帯に注意を向けさせる。スヴェトラーナ・チハノフスカヤは話すのが苦手なのだ。ほとんどの場合彼女の回答は短い。長く答えると、待ち受けている多くの罠に落ちてしまうのではないか、と恐れているようだ。重要な点を忘れることもある。するとヴェロニカ・ツェプカロが右からささやく。「これとあれは、言っておいたらどう？」

インタビューはこういう展開になることが多かった――スヴェトラーナが言葉に詰まると、マリアとヴェロニカが応援に入る。彼女らは、ガッツとアイデアでチハノフスカヤを助ける。最後に、彼女らは象徴的な身振りをする。スヴェトラーナ・チハノフスカヤはこぶしを見せ、マリア・コレスニコヴァは両手をハートの形にし、ヴェロニカ・ツェプカロはVサインを出す。説明しなくても、これからはこの三つのサインはどこでもわかってもらえるであろう。「サインは誰のアイディアでしたか？」チハノフスカヤは笑って答える。「偶然です！　コレスニコヴァはすでにババリコのスタッフが使っていた〈ハート〉のサインを用い、夫ヴァレリー・ツェプカロがかつて使っていた〈Vサイン〉を、妻のヴェロニカも使っているのです――そして私は、夫のセルゲイから〈握りこぶし〉を引き継ぎました。パンデミックの最中ですから、人びとは握手の代わりにこうやって挨拶したのです。その結果、この挨拶法は誰にも理解され、人びとが彼からこぶしの挨拶をもらうようになりました。私たち三人は立って、それぞれのサインを見せ合いました。一秒もかかりませんでしたよ。突然名案がひらめいたのです。さっそく三つのサインのステッカーを作りました。」

彼女たちは一緒に出発した。ジェルジンスク、ミンスク、グロドノ、ゴメリを巡る旅。何千何万という人びとの前で話した――ステージの上ではいつも三人で話し、いつも腕を組んで。決して一人にならない。一緒に同じ車両に乗り込み、一緒に下車する。非常に多くの演説会があり、お茶を一口飲む時間さえない日もあった。

世界じゅうでアマチュア政治家の時代がやって来たようである。ただしその現われ方はいろいろであるが。イタリアではコメディアン〔ベッペ・グリッロ（一九四八〜）〕が、最終的には与党になったポピュリスト運動〔五つ星運動〕を生み出した。アメリカでは、厚顔無恥なビジネスマンが大統領に成り上がった。ウクライナでは、これまで政治とは何の関係もなかったことを誇りにしていたコメディアン〔ヴォロディミル・ゼレンスキー（一九七八〜）〕が国家元首に選ばれた。これらの政治家には共通点が一つある。彼らは政治の世界の外にいた人物であった。政治家臭が感じられたり政治エリートに分類される人物は、不信感をもって見られる時代である——とりわけ何十年も社会主義独裁の下で苦しんできた国々では。

　スヴェトラーナ・チハノフスカヤも、政治の世界の外にいた。選挙演説の中で、彼女は対照を強調する——〈私たち＝庶民〉vs.〈彼ら＝支配者〉。しかし、チハノフスカヤは〈嫌《けん》〉政治家ではない。〈嫌々《いやいや》ながらの〉政治家である。夫の故郷であるゴメリで、彼女は群衆に呼びかける。「私は政治家ではありません。家族を取り戻し、また肉団子を作りたいと思っています。」ミンスクではこう述べた。「私がスヴェトラーナ・チハノフスカヤです。ベラルーシの大統領に立候補しています。私は自分のために立候補しているのではありません。立候補したのは、夫のため、自分の子どものため、あなたがたの子どものため、そして私たち全員のためです！」それから彼女は、夫とのなれそめを語る。人びとは歓呼の声を上げる。彼らは歌う——壁は崩れ、[*] 人びとが心から求める変化がついに始まると[†]。チハノフスカヤは問う。「私は我慢にうんざりしています。沈黙に飽き飽きしています。恐怖はもう嫌になっています。皆さんいかがでしょう。あなたがたも我慢にうんざりしていませんか？　沈黙に飽き飽きしていませんか？　恐怖はもう嫌になっていませんか？　そうでしょう、皆さん！」何千人もが叫ぶ「そうだ、スヴェータ〔スヴェトラーナの愛称〕！　そのとおりだ、スヴェータ！　いいぞ、スヴェータ！」そして希望する。今までの生活の何かが変わることを。

スヴェトラーナ・チハノフスカヤは、自己変革の象徴となっていた。彼女の話は自信なさそうに聞こえても率直で、不思議なことにきっぱりとしている。おもな話題は夫のことだ。彼女に立場があるが、それは「～の妻」としての立場である。〈自己犠牲の妻〉という役を演じて彼女は説得力を増し、逆説的ではあっても、独自性さえ獲得した。「夫に代わって、妻スヴェトラーナ・チハノフスカヤが今ここにいます。（拍手）皆さんはご存じです。私が政治家でなく、権力を必要としないことを。しかし、私の夫は鉄格子の中にいます。私は子どもたちを、安全のために隠さなければなりませんでした。私は私たち全員のために、おだやかな生活を犠牲にしました。」

かつて個人は、無関心という眠りに封じ込められていた。チハノフスカヤは、まるで目覚めの呪文を見つけ出したかのようであった。眠り込んでいた個人はようやく目を覚まし、かつ連帯したのである。自分では思いもよらなかったが、チハノフスカヤは数十万のベラルーシ人にとっての手本となった。いまや彼らは、思い切って過去の自分を乗り越える。「スヴェトラーナ・チハノフスカ

＊『壁』：もとはスペインのフランコ独裁政権に対するカタルーニャ語の抵抗歌だったものが、ヤチェク・カチマルスキによってポーランド語に改作されて〈連帯〉の民主化運動で歌われた。その後さらにベラルーシ語とロシア語に訳されて、ベラルーシの民主化運動の歌としても人気を博している。

†『変化がほしい』：現在までカルト的な人気を博するソ連時代のロックバンド〈キノー〉の曲。ペレストロイカの空気を伝える歌として記憶されており、今日のロシアやベラルーシの民主化運動においても盛んに歌われている。

ヤのような一女性でも、ついにやってのけたではないか。」

絶望の瞬間

　いまスヴェトラーナはリトアニアで亡命生活を送っているが、夫セルゲイはベラルーシの独房に閉じ込められており、面会禁止となっている。外界との接点はただ一つ、週に二回接見にやってくる弁護士である。チハノフスカヤは、夫が虐待を受けているかどうかは知らない。もしそうだとしても、夫はおそらく妻には何も言わないであろう。妻はめったに夫と話せない。電話を許されても誰かが側にいて、妻と邪魔されずに話すことはできない。それは彼の声からも明らかである。亡命生活を送るのは心が重い、と彼女は言う。「「もうダメ」と思った絶望の瞬間が、いったい何回あったでしょう。「もうベラルーシに戻ります。あいつらは、私を逮捕すればいい。ベラルーシで捕まってしまえば、私もたくさんいる犠牲者のひとりになるでしょう。そうしたら皆さんは私ぬきで続けていって。私にはもう無理。」でも……でも、私は続ける。子どもたちのため？　いや、子どもたちのためじゃない。冷静に考えると、私が犠牲になっても何も変わらないことは分かっています。」

　チハノフスカヤ出国についての詳細は、今もってはっきりしていない。投票の翌日、二〇二〇年八月十日、彼女の夫はまだミンスクのヴォロダルカ刑務所（死刑執行で悪名高い）にいまだ収容されていた。チハノフスカヤは彼に差し入れの荷物を持って行くつもりであったという。帰り道、彼女は中央選挙管理委員会に立ち寄り、選挙結果に対して異議を申し立てた。彼女は弁護士と仲間の運動家の三人で建物に入り、その後何時間も連絡がつかなくなった。後にわかったのだが、彼女は選挙管理委員長の事務所で、人びとが街頭行動に出ないよう呼びかけるビデオを、撮影させられていた。彼女は紙一枚分のメッセージを読み上げる。彼女の声は抑揚がなく、読まされている人の声であることは明らかである。それから彼女は建物の裏口から出てきた。彼女を待っていた弁護士はそのように説明するだろうし、彼女の広報係もそれを認めるだろう。

彼女が帰宅し荷物をまとめたときは、もう夜になっていた。あわてふためいて何着かの服をスーツケースに投げ込み、すぐ自宅を後にして、すでに子どもたちを避難させてあった隣国リトアニアに向かう。翌八月十一日早朝、リトアニアの首都ヴィリニュスに到着した彼女は疲れ果て、涙ながらにビデオを撮りネットで訴えた。「私は一人の弱い女性であり、子どものために亡命を選択しました。誰も人生において、こんな選択をさせられないよう望みます。」彼女はこの新たな国リトアニアで、非常に辛い状態におちいって最初の二週間を過ごす。泣いてばかりいて少ししか食べない。彼女のために記者会見が計画され日程が決められたが、朝起きても何も話すことができなかった。「言葉が出なくなったのです」と報告された。「チハノフスカヤは今日は無理です。」

しかしまたも彼女は自分自身に勝ち、不安をねじ伏せた。彼女が自分に求めた役割は結局、国外にいながら民主的なベラルーシのリーダーになること。安全なところに身を置いたので、ベラルーシの人びとから非難されるのではないか――チハノフスカヤによると、これが最大の心配であった。
「その非難は不当です。私は自発的に出国したのではなく、国外に追いやられたのです。」

いつか彼女は、亡命の事情全体を明らかにするつもりである。それから、国を離れるために、ルカシェンコが彼女に一万五千ドルを支払ったという噂について、さらにまた選挙管理委員会で、誰が彼女にビデオ撮影を強制したのかについても、いつかコメントするつもりはある。「しかし、政権が私の夫を人質に取っているかぎり、コメントはできません。夫が自由でなければ、私も自由ではありません。」そして実際、彼女は事態をそれほど深刻だとはとらえていない。「なぜなら、この苦痛に満ちた一連の出来事があったあと、ある決心をしたからです。「まだやらなければ！」こう決めただけで、十分ではないですか？」と彼女は尋ねる。

○

二〇二〇年秋の一本の電話。このときのチハノフスカヤは撮影され、そのビデオは後に公開される。拘束されて一三四日たったセルゲイ・チハノフスキーは、この日初めて妻に電話することが許された。十二分間の通話――ルカシェンコが個人的に許可したのである。電話を受けたときチハノフスカヤは、ヴィリニュスで、女性たちと共にルカシェンコ政権反対デモをしていた。

夫　分かるかな、ボクだよ。

妻　あら、あなたなのね。

夫　元気かい？

妻　元気。あなたは？

夫　それほど元気でもない。子どもたちはどうした？　どういう話になってるのかな？

妻　パパは出張してるっていうことになっています。（中略）今のところ子どもたちには、パパがどこにいて、何をしているのか、お話を作って聞かせています。皆が全員そこから出て来られるように、私たちはできるかぎりのことをしています。いつまでかかるか分からないけど、その日は近いと思ってる。ベラルーシの状況を変えるために必要なことは、何でもやってます。なんとか私が持ちこたえているのは、もっぱらベラルーシの人たちのおかげです。私たちはもうあとには引けません。それは、よく分かっています。そしてあなたたち政治犯全員が自由になるまで、私たちはぜったいに後戻りしないつもり。

夫　で、いまの状況は？

妻　マクロン大統領とメルケル首相に会った。

夫　彼らはいい人たちだ。〈例の人物〉の正当性を認めていないから。ボクたちの勝利を信じてくれている。それは、ボクたちの願いが正しいからさ。（中略）すべてが順調に行くと思うよ。

妻　私もそう思うわ。もしかしたら、どこかにあなたを迎えに行くことになるわ。

夫　ならないよ。でも、きみたちはもっとたくましくなければ。

妻　もっとたくましく、ですって？　私は刑務所にいるみんなのことを、本当に心配しているのよ――心配しているのを表に出さないだけ。でも、もっとたくましくなれというなら、たくましいところを見せますよ。

（中略）

夫　キミが外に出て、人と会うのは良いことだ。テレビでキミを見てるよ。テレビは毎日キミの姿を見せてくれる。きのうはキミが、一万五千ドル*を手に入れたと言われていたよ。

妻　それに加えて、彼らがソファの後ろで見つけた九〇万ドル*。

（笑い）

妻　刑務所でスポーツはできるの？

夫　できない。

妻　今までにこんなに本を読めるときがあった？

夫　さて、今日はここまで。愛してるよ、スヴェータ。

妻　私もよ、セリョーシャ〔セルゲイの愛称〕。がんばってね。もうすぐすべてが終わるわよ。

○

セルゲイ・チハノフスキーは、十五年以下の禁錮刑に処されるであろう。スヴェトラーナ・チハノフスカヤは、二〇二〇年夏の選挙の数か月後、ロシアとベラルーシから指名手配されている。べラルーシ政府は彼女の引き渡しをリトアニア政府に要求し、テロ行為準備罪で彼女に対する捜査を行なっている。彼女のベラルーシ帰還が可能か、可能ならそれはいつかも定かではない。両親は故郷に留まっている。彼女は、ベラルーシ南西部のブレストに住む、かわいがっていた妹に教える——抗議行動に関わってはダメ。枠からはみ出た生き方をする人は、一家に一人で十分。「ときどき、おばあちゃんが何週間か、孫たちの世話をするためにリトアニアに来ます。彼女は国境で待たされ、毎回嫌がらせを受けています」とチハノフスカヤ。「でもベラルーシの国境警備隊は、まだ母を毎回出入国させてくれます。」

チハノフスカヤは最初の長期旅行を二〇二一年三月に計画している。期間は十日間、子どもを置いて出るのは初めてだ。子どもはリトアニアの小学校と幼稚園に通っている。「十歳の息子コルネイは、いままでの学校よりも、こっちの学校のほうがやさしくていばっていないことに驚いています。彼はなぜ、今自分がヴィリニュスで母親と一緒に住んでいるのか、そして父親の身に何が起こったのかを知っています。でも五歳のアグニアは父親がベラルーシで刑務所にいることを知りません。ときどき私は娘のためにプレゼントを箱に詰めて「お父さんが旅の途中で送ってくれたのよ」

＊「一万五千ドル、九〇万ドル」ベラルーシでは家宅捜索すると、政治犯の部屋からは隠匿された巨額の米ドルや大量の麻薬が発見されるらしい。彼らが海外勢力に国を売ったり、不道徳な生活をしている証拠である。もちろん、発見され報道されたからといって、それらが実在したかどうかは別の話である（本書169頁参照）。

と言います。娘が父親を思い出して泣くと、兄は妹を慰めて安心させます。「すぐにパパは来るよ。きっとだよ。もうすぐだよ！」って」

「機関車のようにグイグイ進みなさい！」

突然スヴェトラーナ・チハノフスカヤが、不本意ながらも有名人になったとき、彼女は過大評価されたと感じる女性によく見られる行動をとった。必要以上に謙遜したのである。政治家たちに会うたびに場違いに感じ、夫よりもはるかに有名であるにもかかわらず、「〜の妻」の役から降りようとしない。「何をどう言ったらいいのか、私には分かっていませんでしたし、それは誰の目にもはっきりしていました。」初めのうち、チハノフスカヤは自分を「ただの弱い女性」である、と繰り返した。「それは、自分に過度の期待をさせまいとし、他人を失望させまいとする〈おまじない〉のような効果がありました。」彼女は、自分が政治家としての必要条件を満たしていないのではないかと心配したのである。他の政治家たちは、彼女をなぐさめようと努める。「彼らは私の経験不足を大目に見てくれました。彼らは私に耳を傾けてくれました。そして、私たちベラルーシ人によって、私たちのやり方によって、心を動かされました。それで彼らは、私への評価を甘くしてくれたのです。」

しかし、チハノフスカヤの吐く弱音に、耳を貸そうとしない女性政治家が一人いた。自分の経験不足を嘆き不安を口にし続けていたら、おそらく大統領になれなかったであろう人物である。その女性政治家とは、二〇〇九年から二〇一九年までリトアニアの国家元首であったダリア・グリバウスカイテである。

「ダリアの生き方は、大切なことを教えてくれましたよ！」と大声で言ってスヴェトラーナ・チハノフスカヤは笑った。「ダリアは女性らしい政治的な強さで、私を奮い立たせてくれました。」チハノフスカヤはグリバウスカイテと夕食会で顔を合わせた。彼女はグリバウスカイテの忠告を思い出す――自分を弱いと感じているなんて、口にしてはいけない。仲間の利害を代表するときは、卑下してはいけません。「ダリアはかなりタフです。私に教えてくれました。「元気を出して、率直に話すのよ。タフになってね！　あいつらが全員集まったって、あなたのほうが優れています。そう、もちろんあいつらより経験は少ないけれど、そんなところを見せないでね。機関車のようにグイグイ進みなさい！」ですって。彼女の言葉が自信になりました。」

ソ連の女たちは最前線で戦い、コンピューター・プログラミングに励んだとしても、ほとんどの場合、権力へのアクセスは拒否されていた。ソ連の歴史六九年のうるう年の数のほうが、うらやまれるほど高い地位に登った女性の数より多い。女性大臣が四人、政治局員合計一二四人のメンバーのうち、女性はたったの二人であった。しかしその一人が政治局員であったのは一年だけで、もっと長く続けようとしても、その前にソ連が崩壊してしまった。ほぼ五〇年間ソ連に併合されていたバルト諸国が一九九一年にようやく自由になり、ベラルーシ人とウクライナ人が国民のアイデンティティ探しを始めたときでも、女性は権力サークルの外に留まり続けた。

女たちの時はほとんどが危機の時代にやって来る、とダリア・グリバウスカイテは信じている。独特な花冠編みの髪型と、怪しげなビジネスで得た巨利で有名なウクライナのユリア・ティモシェンコ〔一九六〇年生まれ、首相二〇〇五、二〇〇七～二〇一〇〕は、二〇〇四年のオレンジ革命後に就任した初めての首相である。ラトヴィアが経済危機に陥っていたときに、ヴァイラ・ヴィーチェ＝フレイベルガ〔一九三七年生まれ、大統領一九九九～二〇〇七〕は亡命して国外に在住していたアウトサイダーの身から一躍六一歳で大統領に就任した。リトアニアでも景気後退のときに、ダリア・グリバウスカイテが大統領に就任した。軽薄なジャーナリストたちは、彼女から厳しさが感じられ、空手の黒帯保持者であるゆえに、イギリスのサッチャー元首相になぞらえて、彼女を「鋼鉄のマグノリア」または「アイアン・レディ」と名付けたものである。最近あるジャーナリストが、グリバウスカイテを現大統領と比較し、次のように書いている。「当時はタマ有り女が大統領であったが、今はタマ無し男が大統領だ。」

弱くてスキがあると見られないためにグリバウスカイテは、実際よりも決断力があるように見せ、政治のプロらしく、タフに権力を保持せねばならなかったのではないかと思われる。当時、リトアニアのある女性政治家はグリバウスカイテの選挙での勝利について語りつつ、それを高く評価した。「グリバウスカイテが選挙に勝利したのは〈女性〉であったから選ばれたのではなく、彼女が男性の資質も兼ね備えていたからです。」

現在、政治の世界に挑戦する若い世代の女性たちは、ようやくタフであることを過度に示さなくても権力の座につけるようになったように見受けられる。モルドヴァでは、一九七二年生まれのマイア・サンドゥが国家元首である。エストニアでは初めて、女性大統領と女性首相が同時に生まれた。後者のカヤ・カラスは一九七七年生まれだ〔エストニア首相二〇二一～〕。ラトビアでは、一九七四年生まれのイングリダ・シモニテが女性首相になった〔現職二〇二〇～〕。コソボでは、三八歳の法律家ヴィヨサ・オスマニ〔一九八二年生まれ、現職二〇二一～〕が女性大統領に選出され、憲政上の危機が解決した。グリバウスカイテの信ずるところによると、女性は責任感から政治に参入し、男性は名声のために政治に参入する。たしかにこれらの女性のほとんどすべてが、自分を政治家ではなく、政治以外の分野の専門家であると見なしているようである。しかし彼女たちが政界に参入するときには、非常に豊かな政治経験を持っている。

スヴェトラーナ・チハノフスカヤには政治経験がない。二〇二一年一月、最初に私が彼女にインタビューしたとき、自分が政治家であるとの言葉は口から出なかった。〈政治家〉というレッテルが大きすぎるか、それが恐ろしいと感じているのか、またはその両方であるかのようであった。「心の奥には、政治を学ぶには長い時間がかかる、政治のためには熟達が必要な特定の教養が必須で、それを身につけてからでないと政治家になれない、という迷いを生じさせるような考えがまだ残っています。私はまだ多くの経験を積むに至っていません。この程度の経験では、政治家になるのに不十分です。」とスヴェトラーナ・チハノフスカヤは言った。「政治って、ゲームのようなものなのですよ！」彼女は声を高める。「駆け引きとはったりのゲーム。では、おまえはどうなんだ、ですって？　私はウソはつきません！　無条件で信用してよいのです。人が私に何と言おうとも、私たちは全員が勝利を望んでおり、誰もが私と同じ目標を持っていると信じています。誰かが私をだまそうとしているなんて、想像もできません。」

　政治は人間性を損ないかねない。それをおそらく彼女も恐れているのであろうし、彼女の考え方の出発点はそこにある。「誰それが刑務所に入れられたという話を聞くたびに、心が痛みます」とチハノフスカヤ。「一人一人の事情まで心にかけるのは、政治家らしくないかもしれません。それはそうです。でも私には、一人一人のことが、いまだに心にかかるのです。ひょっとしたら、私はちょうど人間から政治家への移行期にいるのかもしれません。」彼女の顧問アレクサンドル・ドブロヴォリスキーは言う。「彼女は一日の半分を、個々人の事情を心配するのに費やします。ここが彼女と他の経験豊富な政治家が違う点で、全員を心に留めているのです。人びとにはわかっています、彼女が誠実な人間であることが。」

女性政治家の誕生

　女性が政治家になる必要条件は、そもそも何であろう？　女性が自分を一人の政治家と見なすには何が必要なのか？　公式に女性政治家と名乗るには何が必要か？　選挙が必要なのか？　選挙はあった。役職か？　あるいは選挙公約か？　特定の能力を必要とするのか、それとも十分な信念なのか？　背後にいる支持者たちの情報、あるいは全体の動きさえわかっている必要があるのだろうか。タフネスを表に出す必要があるか？　権力を持つべきか？　権力を持ったとして、それをどのように示すのか？　そもそも権力とは何だろう？　権力とは――マックス・ウェーバーを適当に引用することにして――自分の意志を他人に押し付ける能力であろうか？　そうであると、アレクサンドル・ルカシェンコはきわめて強力であり、スヴェトラーナ・チハノフスカヤはきわめて無力である。それとも、権力を合意に基づく行動として理解する、ハンナ・アーレントの権力概念が現実に近いのではないだろうか。そうだとすると、ルカシェンコの権力ははるかに小さくなり、チハノフスカヤのそれは明らかに大きくなる。何が政治家を作るのか、それについての普遍的な考えは存在するのであろうか？　もし存在するなら――アンゲラ・メルケルとアレクサンドル・ルカシェンコは、二人とも同じく政治家であろうか？　バカバカしい質問のような気がしないでもないが。

当時、二〇二〇年八月、ドイツ与党のキリスト教民主同盟書記長パウル・ツィーミアクはリトアニアのヴィリニュスに行った。今は亡命しているが、本国における全国的な抗議運動の顔と見なされているスヴェトラーナ・チハノフスカヤと個人的に知り合いになり、自分なりに彼女のイメージを掴むためである。それまでに彼は、チハノフスカヤと彼女の謙虚さについて多くのことを聞いていた。けれども彼は、それが純粋なコミュニケーション戦略だと思っていた。「しかし、彼女と会ったとき、彼女は本当に謙虚なのだ、と確認しました！」とツィーミアク。「何よりも安全を気遣っている自分の子どもたちについて話しました。そして夫のセルゲイの身を案じている、と。」

　それからたっぷり二か月は経っていたが、パウル・ツィーミアクはベルリンでスヴェトラーナ・チハノフスカヤを迎えることになった。彼女はドイツのメルケル首相との会談に公式に招待されていた。「チハノフスカヤ氏は変化していて、より本物の政治家らしくなっていました」とツィーミアクは回想する。「彼女は協議事項を持って来て、非常に集中していました。私生活や子どもたち、夫について話題にあがったのは、やっと最後になってからです。」そのときの彼女の関心事は、ベラルーシの国営企業とルカシェンコの一味に対する制裁だった。その後ツィーミアクは連邦議会で演説を行ない、ベラルーシ民主勢力との連帯を呼びかけて、チハノフスカヤの提案を取り上げた。

　政治経験のない一人の女性を政治家に変えるのに、二か月で足りるのだろうか？「二〇二〇年の夏からスヴェトラーナの身に起こったことは素晴らしかった！　彼女はとても経験豊富になり、たくさんのことを学びました。そして、知らないことがあれば、とにかく誰に尋ねればよいかを知っています」と政治顧問アレクサンドル・ドブロヴォリスキーは言う。主婦スヴェトラーナ・チハノフスカヤが女性政治家に生まれ変わる、その最初の瞬間に彼は立ち会った。

　チハノフスカヤは、待っていてもどうにもならないことを知っている。彼女は急いで、自分に残された少ない可能性を利用しなければならない。ルカシェンコの全体主義的政策が、ヨーロッパじゅうに憤激を起こさせ衝撃を与えたとしても、引き起こされた憤激や衝撃はそのうちに消え失せてしまうからである。そうなれば、ベラルーシはほとんどのヨーロッパ政府にとって二次的な外交問題となり、問題を抱える国々のなかに埋もれてしまう。いまはまだヨーロッパの政府首脳はチハノフスカヤに愛想よく、会合や会談を開いてくれ、財政援助や道徳的支援を約束している。しかし、彼女はそれでは不十分だと感じている。「私たちは非常に失望しています」と彼女はＥＵ〔欧州連合〕へのいらだちを隠さない。それゆえ彼女はヨーロッパ中を旅して、フィンランド、オーストリア、ポルトガルに行き、欧州連合にルカシェンコ政権への送金や、ベラルーシの国有企業との取引を停止させようと働きかけた。「永続的な停止ではなく短期間の停止でよいのです、独裁者にかける圧力を増すことができれば。」

　彼女のカレンダーアプリを一目見れば、彼女の典型的な一週間がわかる。すなわち、彼女が望む欧州安全保障協力機構（ＯＳＣＥ）との調停に向けた協議。ベラルーシにおける地域住民運動の活動家たちとのビデオ通話。ルカシェンコへの忠誠を拒否した医師たちや治安部隊元隊員との対話。国際的な報道機関との数え切れないほどのインタビュー。コーチング。写真撮影。ブリーフィング。側近は、彼女が馬車馬のように働いていると言う。ジョージアとロシアの間の戦争〔南オセアチア紛争〕が二〇〇八年に始まった理由に、かつての彼女は興味がなかった。今日、彼女はジョージアの国会議員に会う前に、ロシアとの武力衝突の結果を詳細に知っている必要がある。「ウクライナ紛争〔二〇一四年〕とは何なのか？」かつては遠く離れていたところの話で、彼女とは何の関係もなかった。今になるとこの紛争も、彼女がウクライナ大統領と会談するか、ウクライナ議会で演説することになれば、非常に身近なものになる。

彼女のスポークスウーマンの思い出。かつてジャーナリストたちがチハノフスカヤに質問したことがある。「ヨーロッパ諸国が、ベラルーシ国債を購入することについて、どのようなお考えですか？」「あなたはこれについて、意見を持たねばならないのではありませんか？」「その背景を知らないとおっしゃるなら、ベラルーシ国債の購入を許容するのですね？」「それとも、女性政治家を目指すあなたは、無害な決まり文句で答えなければならないのですか？」スヴェトラーナ・チハノフスカヤとのインタビューの後、体制寄り新聞のロシア人記者は書いた。「彼女はインタビューでは率直で正直である。その最中に、子どもをいじめたような気がしてしまった。」しかしスポークスウーマンは言う。「政治家の話が従来型ではなくて、まったく異なるスタイルで進行してもよいではないですか？」

彼女の話の中に、率直さや無条件な信頼といったものがいまだに聞かれることがある。しかしそれは稀になった。チハノフスカヤは言う。「考えずに話すことは、もうありません。思っていることをどう表現するか、少なくとも二度は考えます。一言一句検討する必要があります。考えずに話すと、自分の話すことがあらゆる新聞の見出しになってしまう可能性があることを、忘れてしまいます。」ヴィリニュスのガラス張りのオフィスビルの八階で、私が三度目のインタビューをしたのは二〇二一年二月末である。その少し前、スイスのフランス語新聞『ル・タン』に、《チハノフスカヤ、抗議行動の場を失う》という見出しの記事が掲載された。記事の内容は、ベラルーシ人の現況と世界からの援助のあり方であった。しかし引っかかったのは見出しである。これでは、ベラルーシでの抗議行動が、さしあたり終わったことになってしまう。

「それはたいへんなショックでした」とスヴェトラーナ・チハノフスカヤ。「というのは、引用された部分は発言のほんの一部でしかなく、取材記者とはまったく別の話をしたのです。私は発言してすぐに、その部分を発言全体の文脈から切り離さないように言いました。しかし発言の切れはしが記事の見出しになるやいなや、ドイツ語、ロシア語、英語のメディアがそれを取り上げ、発言の全体は徐々に小さくなり、完全に消え失せてしまいました。」チハノフスカヤはあっけにとられ、がっかりした。「私には裏切られたように感じられました」と彼女。「あとで、マスコミとはそんなものだよ、と言われました。」

それ以来、彼女はもっと注意深くなり、ことばを十分に吟味するようになった。テレビのインタビューで質問に答える前に、ときどき彼女は長いあいだ沈黙する。そのようすを見ていると、一般的な政治家たちが考え込んだりしないでぺらぺらとしゃべるのに、私たちは慣れてしまっていることに、突然気付かされる。チハノフスカヤには現在コーチがついて、オンラインでアドバイスしている。コーチの役目は、彼女が人前で話したりテレビに出演するのための訓練である。インタビューの前に彼女は、むずかしい質問や、あつかましい質問に対処する練習をする。彼女は毎日学び続けている。長い道のりである。そして危ない綱渡りでもある。徹底的に政治のプロになってしまったら、その人には人格というものが残るだろうか。

そもそもの始まりのとき、チハノフスカヤは「独裁者」または「簒《さん》奪者」といった単語を口にするのをはばかっていた。それらはスターリンやヒトラーのために存在する語であると思っていたからである。八月の選挙直後、彼女は暴力の行使を終わらせ、票を公正に数えるよう「ルカシェンコ氏」にお願いし、「プーチン氏」に助けを求めた——きわめて丁寧に。「私はまだ心の中に、優しさとすべての人に対する敬意を持っていました」とスヴェトラーナ・チハノフスカヤ。「ルカシェンコには自分の時代が終わっていることが分かるだろう、人びとがもはや彼を望んでいないことが分かるだろう。それゆえ彼がお行儀よく辞任してくれる、と私は心の底から信じていました。」しかし、ルカシェンコは辞任しなかったし、力ずくで権力の座にしがみつくと決めた。

だんだんと彼女は、ルカシェンコを独裁者と呼ぶことを体得した。フィットネススタジオでのトレーニングのように。「初めは内輪で練習し、それから公の場で。」今日、彼女は西側にさらに断固とした態度に出るよう働きかけ、独裁者の権力グループに対する制裁を求め、いらだちを適度にコントロールしつつ、最終的にはさらなる制裁を要求する。今の彼女はルカシェンコを名指しすることは避け、通常は〈彼〉または〈非合法大統領〉と呼んでいる。

「私は自分の立場を貫きとおします」

「私は人が好きで、誰でも受け入れます」とスヴェトラーナ・チハノフスカヤは言う。「両親はそういう気持ちで私を育ててくれました。しかし、私の素朴な、人を信頼する心はすり減ってしまいました。ヴィリニュスのスタッフに新顔が現れたとします。その人物は私にどうしてほしいのか、その人物を駆り立てる動機は何か、をあれこれ試してみます。」出先で彼女は手近にある水は飲まない。自分で頼んだ密封ボトルの水だけを飲む。彼女は現在ヴィリニュスに、リトアニア政府から提供された運転手付きの車を持っている。

「スヴェトラーナ・チハノフスカヤは、一人で街に出かけることはできません」彼女のスポークス・ウーマンによると、「そんなことをすれば、人びとはすぐに彼女に気付いてしまい、周囲に人垣ができるでしょう。」彼女は四六時中警護下にあり、住み込みのボディガードがいる。このボディガードは、彼女がインタビューを受けて良い場所と悪い場所も決める。これらは推奨事項ではなく、行動基準である。彼女は現在リトアニア政府の公賓であり、万が一のことがあったら、リトアニア政府にとって大打撃となってしまう。

スヴェトラーナ・チハノフスカヤは、自分も致命的なミスを犯す可能性があることを知っており、それを回避しようと試みている。自分の清廉潔白をブランドのように保護する必要があるのだ。ほとんどの場合、金銭問題が政治家たちのつまずくきっかけとなる。夫のビデオブログにちなんで名付けられた財団「住む価値のある国」の所在地は自分のオフィスと同じくビルの八階にしたが、彼女は運営にたずさわっていない。財団運営の任にあるのは腹心の友人である。チハノフスカヤ自身は、とりわけ金銭に関連するすべてから距離を置こうとしている。彼女が最も避けなければならないのは、汚職や詐欺のウワサである。「ときどき彼女は、耳を傾けるべき人を間違いました」と顧問のドブロヴォリスキーは言う。「しかし私の見たところ、重大な間違いは犯していません。」

やはりいくつかの間違いはあるものだ。選挙戦で地方を回っているとき、都市リダで待っている群衆に、「スルックの皆さん、こんにちは！」と挨拶してしまったが、これは小事で問題ではない。彼女が政治家として大きくなれば必然的に間違いも大きくなり、それはたぶん避けられない。

最初チハノフスカヤは、治安当局のルカシェンコ協力者たちには呼びかけを行なわなかった。協力を求めようともしなかったし味方に誘おうともしなかった。その代わりに、人々に恐れられている民警の特殊部隊ＯＭＯＮ*が、欧州連合により「テロ組織」として制裁を加えられるよう要求した――このような要求が認められるはずがないことを、彼女は分かっていたに違いないのだが。そして彼女の強硬な要求は、かえってルカシェンコ陣営の結束が強まるという結果を生んでしまった。国内の変化に不安を覚えた治安当局はおおむね独裁者に忠誠を尽くし続けることを決定した。

しかし〔二〇二〇年〕八月には、治安部隊が抗議運動参加者を殴打し、拷問し、逮捕し、さらには殺害までした。この過剰暴力の後で、チハノフスカヤが穏やかで愛想よくしていられたであろうか？　そんなことをしたら、犠牲者となったすべての人びとにどのような影響を与えたであろう？いずれにせよ彼女は現在、当局の細かい裂け目を探し、石組みに穴を開け、政権の土台がもろくなるよう試みている。彼女は恩赦を提案している。彼女は、ルカシェンコに反旗を翻した治安部隊の連合である反体制組織バイポル（ＢＹＰＯＬ）をとおして、ルカシェンコに仕えるのに不安を覚えている役人との接触を求めている。

むしろ結論が出ないのは、スヴェトラーナ・チハノフスカヤの現在の身分呼称である。彼女は正式な大統領なのか、元大統領候補者なのか、反ルカシェンコ派の代表なのか。延々と続いた議論の末、ついに彼女のチームは、〈自由な民主主義国家ベラルーシのリーダー〉なる呼称をアドバイスした。大統領選挙直後に彼女が勝利宣言しなかったのは誤りである、と考える人も彼女の周辺に何人かいる。「ひょっとしたら、どこか外国にある反ルカシェンコ派の大使館で、大統領就任宣言ができたかもしれないじゃないですか。」自分の決断を誤りとする意見に、彼女は反論する。「行政機構を使いこなせなければ、呼称なんか何の役にも立ちません。」

もし大統領就任宣言をしていれば、ひょっとしたら彼女は、現在目につき始めている反ルカシェンコ陣営分裂の危機を回避できるかもしれない。陣営の中心人物たちはきわめて多様である。チハノフスカヤのスタッフ、ヴィクトル・ババリコのスタッフ、そしてツェプカロ夫妻。さらに、選挙後、権力者と人びととの間の対話を促進するはずの調整評議会があり、そこは反ルカシェンコ陣営の

＊ＯＭＯＮ（オモン）は民警組織の中の特殊治安部隊で、ロシアにも同名の組織が存在する。民警（ミリツィア）はロシア革命後に組織されたソ連における警察組織。現在のロシアではすでにミリツィアをポリツィア（警察）に再改称しているのに対して、ベラルーシはあくまでソ連時代の組織名を残している。ドイツ語のポリツァイ（警察官）が第二次世界大戦中にドイツ占領下で敵に協力したベラルーシ人の「補助警察官」の俗称に用いられていたので、ポリツァイ／ポリツィアには今でも否定的なイメージがある。本書で登場する「治安部隊」には、ＯＭＯＮ以外にも、内務省やＫＧＢに所属する〈アルファ〉やＳＯＢＲのようなその他の特殊治安部隊を含んでいると考えられる。

縮図となっている。そしてさらに、元外交官で文化大臣のパヴェル・ラトゥシュコがいて、彼は現在、野党勢力のリーダーとして話題にあがっている。反対派中心人物はすべてリガ、ヴィリニュス、またはワルシャワに住んでいる。そして、政治的迷走が長引けば長引くほど、誰もが新しい時代を目指して準備をよりいっそう進めようとする。彼らには〈アレクサンドル・ルカシェンコ排除〉という共通の課題があってまだ一緒に働いているが、中には野心と権力へのむき出しの欲望に取り憑かれた人物もいる。時がたつほどに、さまざまな勢力を一つにまとめるのは困難になる。

もしこの同盟が崩壊するとしたら、それはベラルーシ人に向けて反ルカシェンコ陣営の破滅を意味するシグナルとなるだろう。とりわけルカシェンコにとっても。そうなると、ルカシェンコはベラルーシ人たちに勝利したことになる。自分の最重要目標は、団結を作り出してそれを対外的に示すことにある、とチハノフスカヤは言う。「ときどき自分が雌鶏になったような気分になります。ひよこたちを自分の羽の下に隠さなくてはなりません。どんなことがあっても、ルカシェンコが辞職するまで、反ルカシェンコ同盟の崩壊を許すわけにはいきません。」

○

男たちが脱落するたびに、女たちが救援に駆けつける。歴史はほとんどこのように進行する。第一次世界大戦中、男たちが最前線にいたとき、故郷に残った女たちが彼らの仕事を引き継いだ。戦後のドイツは女たちによって築かれた——男たちは殺され、負傷し、捕虜になったからである。ポーランドの労働組合〈連帯《ソリダルノスチ》〉の男たちが逮捕されたとき、女たちが主要な課題を引き継いだ。そして ソ連崩壊後、無数の男たちが新しい困難な社会で失敗したとき、女たちは家庭の崩壊を防ぎ、金を稼ぎ、子どもを育てた。セルゲイ・チハノフスキー、ヴァレリー・ツェプカロ、ヴィクトル・ババリコの三人の男が排除された今、ベラルーシの女たちが男たちの救援に駆けつけた。いずれある時点で、セルゲイ・チハノフスキーが、そして他の男たちも解放され、政治に従事できるようになるであろう。そうすれば、すべてが昔どおりの男性支配に戻ってくる……であろうか。でも今回はそう簡単にはいかない、と私は思う。

「これまでの人生で私は弱い立場に置かれていました。私は夫に依存していました。彼が扶養者でした。しかし今、夫セルゲイは逮捕されていますが、私を誇りに思っています。彼は私を信じて、私に期待をかけています。私もくじけないでいられます。おそらくセルゲイより頑張れます。彼が解放されたら、私が何年も前と同じく母であり妻であるという印象は、きっと受けないでしょう。私はそれ以上の存在になっています」と彼女は自分を語る。「私はその自分を貫きとおします。」

　ああ、そうであった。彼女は依然として自国の次期大統領になるつもりはないのである。自分は、自由で公正な新しい選挙が行なわれるまでの移行期の人間である、と彼女はすべてのベラルーシ人に保証した。「公正な新しい選挙には、現在刑務所に閉じ込められている人物も出馬できるはずです。」それでは、彼女自身はどうするのか？「これはジレンマです。誰もだましたくありません。しかし、私はベラルーシにおける未来の生活に関わるつもりはない、とは言っていません。人権問題には非常に関心があります。まあ、見ていてください。」

人びとはこの並外れた女性のことばに耳を傾ける。彼女は感動的なほど誠実であろうとし、すべての応答から、どれほどの重責を担っているかが伝わってくる。彼女は公の場やインタビューで笑うことはめったにない。なぜなら、そのような場に、笑いはほとんどふさわしくないと思えるからである。そして、夫が牢から解放されればすぐに主婦という以前の立場に戻ると想像するのは困難である。

「それは私自身の革命でした」とスヴェトラーナ・チハノフスカヤは自分自身の進化について述べる。それが革命であるのなら、何ごともなかったように昔に戻ることは不可能ではないのか。

5　女たちの力

抗議運動はコマーシャルのノリで

ときどき聞こえてくるうわさ——ベラルーシでの抗議運動が見せている女の顔は、マスメディアが作り上げた虚像ではないか。ジャーナリストは英雄の物語を好む。ヒーローやヒロインの顔を見つけ出し、くわえてそれが美しければ、複雑な政治問題も大衆向けに単純化できると考えている。こういうわけでマスメディアが、ベラルーシの女たちを自分たちの目的のために利用し、ありもしないことをでっち上げたのだというのである。

ところがマーシャに話を聞いてみると、それは逆。ベラルーシの女たちがマスメディアを利用したのである。マスメディアを利用して自分たちを報道させ、抗議運動をわがものとした。マーシャは分かっているはずである。マーシャは友人のカーチャとマスコミの利用を始めた張本人だからだ。もちろんこの二人が抗議運動を起こしたのではない。しかし抗議運動のイメージは彼女たちが作ったものである。「私たちが考え出さなくても、他の誰かが代わりにやったでしょう」とマーシャ。「あの時期には、盛り上がっていましたから。それを最初に実行に移したのが私たちだった、ということです。」

ここで紹介する女性二人の実名は〈マーシャ〉と〈カーチャ〉ではない〔もちろんこの〈マーシャ〉は、「マリア・コレスニコヴァ」のことではない〕。抗議運動の初めには、二人は自分たちの意見に責任を取るために、顔も本名も出していた。インタビューを受け、ジャーナリストたちには自分たちの動機について語り、どのようにルカシェンコを女たちの手で退陣に追い込むつもりか、その方法を説明した。ところが今は、二〇二〇年八月の行動ゆえに、クーデターを企てた黒幕として数年の禁錮刑を宣告される可能性がある。したがって個人を特定されないように、よくある名前〈マーシャ〉と〈カーチャ〉を使う。二人の経歴や生き方、そして二人が今どうしているかの個人情報には触れない。

アレクサンドル・ルカシェンコが選挙を偽造し、スヴェトラーナ・チハノフスカヤとヴェロニカ・ツェプカロがすでに国を去った後のことである。乳飲み子とともに家にいたマーシャには、何が起きているのか理解できなかった。彼女はすぐにでもミンスクに行きたいと思い、計画を夫に相談した。夫はそこでまず、公安機関の事情に詳しい友人を家に呼んだ。その友人はマーシャに、運が悪ければミンスクに行くとどんな目に遭うことになるかを具体的に説明した。「刑務所に入れられるかもしれないし、脅迫され拷問され、殴られたあげく、最悪の場合は殺されるかもしれない。」

マーシャが生まれたとき、ソ連はもはや存在していなかった〔ソ連の崩壊は一九九一年〕。彼女は、ベラルーシのある主要都市の普通の家庭で育った。母親が彼女に伝えた価値観は、「ベラルーシのような家父長制社会」では典型的なものだった、とマーシャは言う。「男と結婚して子を産む。それが女のやるべき仕事。」

抗議運動に加わろうと決めたマーシャであるが、親戚一同は誰も彼女に理解を示さなかった。西側から金をもらっている女スパイだと疑われたり、洗脳されたのではないかと思われた。そして皆が彼女を「冷たい母親」と非難した。「母は私に言いました。「子どものことを考えなさい、国ではなくて！　子どもがあなたに一番大事なのよ！」」マーシャは思い出す。「人生には、ときには子どもや夫よりも大事なことがあることを、母に説明するのは困難だと思われました。ときには、自分が何者であるか、何が私を私たらしめているのか、自分に偽りなく毎日が過ごせているか、を問うのが大切。」マーシャは赤ん坊を置いて、出かけていった。

組織を作り、一緒に行動を起こそう、と彼女はミンスクの知り合いに連絡を取った。しかしほとんどの場合、返事さえ来ない。来たとしても、断りの返事である。「悪いけど、私は怖くてやれません。」または「ごめんね。私とはなんの縁も無い話。」こうも書いてあった。「申し訳ないけれど、政治には関わりたくないので。」マーシャは彼らが理解できなかった。「政治はあらゆるものに関わっていて、〈私には関係ない〉ではすまされない。沈黙していれば、この体制を支持していることになってしまう。」

連絡先のなかで、最後にたった一つ残ったのがカーチャである。よりによってカーチャに電話するのは気が進まなかった。二人ともお互いが好きなわけではない。何年か前に喧嘩別れしたが、その原因については、マーシャは話したがらない。以来、二人は互いに避けてきたが、マーシャには彼女以外の選択肢がなかった。他の全員に断られてしまったのだから。カーチャはマーケティングとコミュニケーションに精通している。マーシャはイベント・マネージャーであり、カーチャは広告が専門で、どちらかというとアイディアが湧いてくる女性。マーシャは実行力のある女性である。そこで彼女はカーチャに電話した。「カーチャはミンスクで、すでに何かを始めようとしていたところでした。」二人は、昔の喧嘩は水に流した。この和解は小さくても、マーシャには大きな意味を持つ。「女の喧嘩に仲直りはない」という決まり文句があるが、それをひっくり返したのだ。ゆえにこの仲直りは、マーシャにとって象徴的体験となった。二人は仕事に取りかかる。

○

「広告キャンペーンみたいな抗議行動を計画できないかな？　そうなると、キャッチコピーはどうしよう？　服装にきまりを作ろうか？　テーマ音楽は？」

カーチャのアイデアに「やらなくては！」とマーシャは思った。八月十二日水曜日、不正選挙から三日が過ぎていた。特殊部隊、とりわけ悪名高いＯＭＯＮの警官は、デモ参加者を追い詰め、警棒で殴り倒し、動かなくなった人の体を道路の向こうまで引きずっていき、気を失った人びとを鉄格子のはまった護送車《アフトザク》に放り込んだ。散歩に出ただけなのに、警告もなしに覆面をした男たちに取り押さえられ、ミニバスに押し込まれて連れ去られた人もいた。拘置所はすぐにいっぱいになった。女たちも、男たちも、若者も、年配者も——活動に関わったすべての人びとが捜索された。最初の死者が出た。アレクサンドル・タライコフスキー、彼はＴシャツに短パン姿で、手を上げて特殊部隊の警官に近づいたときに、至近距離で射殺された。

「残酷な内容《コンテンツ》ばかりになってしまいました」とマーシャ。不正選挙の後で起きたことを知らせるため、このコンテンツというマーケティング用語が使われるたびに、ぎょっとさせられる。この単語が、広告業界と残虐なデモ鎮圧という本来関係ないはずの二つの世界を、一緒くたにしたような気分にさせるからである。「残虐な光景を見るのに、人びとは耐えられません。目をそむけたがります。そこで必要とされているのは、別のメッセージなのだと気づきました。恐れがあったら、人びとは街頭に出て行かなかったでしょう。私たちは恐れの代わりに、みんなに光や希望やメッセージを与えるものを提供しなければ。団結の目印を。たとえば選挙中のゴムの白いリストバンドのような。」

インタビューで、スヴェトラーナ・チハノフスカヤはゴム製の白いリストバンドについて語ってくれた。「選挙運動期間中、政府の嫌がらせにあってもお互いが分かるように、私の支持者全員がゴムの白いリストバンドを着けましょう、ということになりました。日常生活でも！」「子どもでもあるまいし、と私には思えました」と、チハノフスカヤは大きな声を出して、笑った。「そんなおもちゃみたいなもの！　チャチなゴムの輪っかで、何かを変えることができるのかしら？」しかしそれ以来、おとなしく彼女はどのイベントでも、どの集会でも、この白いリストバンドを着けた。そしてチハノフスカヤが腕を上げてこぶしを作るたびに、このリストバンドは誰の目にも見えた。群衆は彼女をまねた。突然、チハノフスカヤには分かった。「ゴムの輪っかといえども、とんでもない力があるものね！」ステージから何千もの顔と輝く目を眺め、彼らがゴムの白いリストバンドの腕を高く上げているのを見て、彼女はこの〈白いゴムの輪っか〉が、人びとにとってひとつのシンボルになっていたことに気づいた。それが彼らを結びつけていたのだ。地下鉄で職場に行ったり、買い物をしたりするせわしない日常生活の中でも、自分の仲間がどれほど多数いるのかが、人びとにはようやく目に見えるものとなったのである。

アイコンとなる写真

マーシャは、通信アプリ〈テレグラム〉で、連絡用に仲間内だけの非公開グループチャットを立ち上げた。このグループは彼女が「ベラルーシの女たち」と名付け、招待された知人や友人のみ加入を許される。彼らは初め十人足らずだったが、やがてこのグループは大きく育っていく。マーシャは女性だけに呼びかけるつもりである——ルカシェンコによって見くびられている側だったからだ。「権力に貼り付いている男たちが、女たちをけっして認めようとしないと知ったとき、〈その点を私たちは利用できる〉と私には分かりました。」

OMONの警官は黒を着ているので、女たちは白を着ることを申し合わせた。あちらは闇、こちらは光。これはほぼ聖書のイメージどおりである。あちらは罪、こちらは無垢。警官は警棒を手にし、女たちは花を手にする。マーシャとカーチャは、どのシンボルが団結を可能にするか検討した。ソ連時代の旧ベラルーシ共和国のシンボルであった白赤白の旗が思い浮かんだ。しかしこれはすでに選挙の日と抗議の最初の二日間に、路上で多く見かけたものだった。また、一九九五年まで国のシンボルにもなっていた、赤色を背景に前脚を上げた白馬にまたがり、剣を振りかざした白い騎士のパホーニャ紋章*も思い浮かんだ。二つとも旧野党勢力のシンボルである。「たしかに違和感を覚える人もいるだろうし、私たちから去っていってしまう人もいるかもしれません。」しかし二人とも、これらのシンボルが何に由来し、誰が使用したかを問わないことにした。「自分たちの目的のため。とにかくマーケティングのために使う」。

彼女たちはポスター制作に取りかかった。そこには、簡潔で明快なスローガンが必要。「テーマミュージックは？　誰もが、絶対に知っている曲は何だろう」と考えた。思いついたのが『カリチ

＊中近世のリトアニア大公国の国章。ソ連解体後のベラルーシでも国章として用いられたが、ルカシェンコ体制下でソ連時代のものに似たシンボルに置き換えられた。

ャンカ』。何十年にもわたって毎晩子供が寝付くまで歌われるベラルーシの民謡風の子守唄で、祖父母から孫まで誰にでも知られている。ただし原歌詞の一節が子守歌らしく「お目目を閉じて」となっているのを、「お目目を開けて」に変えた。

女たちが初めて顔を合わせたのは、八月十二日の午前中のことである。彼女らはミンスクの中心にあるコマロフスキー市場で白いドレスを着て、それぞれが花とポスターを手にして、ばらばらに立っていた。マーシャは事前にメディアに通知しておいた。このアクションはおもにメディアを対象としている——ポーズ、写真撮影、それぞれが別行動をとる。マーシャがざっと数えたところ、集まった女はそれほど多くなくて一五〇人を越すくらい。夕方、マーシャは五〇人ほどの女たちを連れて、勝利広場の〈永遠の炎〉に行く。彼女たちは素足で一列に並び、「お目目を開けて」の歌詞で『カリチャンカ』を歌った。

女たちの行動が注目を集めたのは、まさに決定的な瞬間であった。というのは、この時点でミンスクでの蜂起は、国家暴力に直面した抗議運動の、お決まりのコースをたどることになったかもしれないのである。すなわち、穏健派が後退し、過激派が主流となる、平和的な運動が怒りの運動に代わる転換点である。二〇一四年冬の、ウクライナのマイダン抗議運動もそうだった。二〇一九年の香港もそうだった。デモに参加した若者たちが中国政府の圧倒的な介入に抵抗する。ところがその抵抗が、さらに大きな国家暴力と抑圧の口実にされてしまったのだ。

不正選挙の二日後の八月十二日の深夜に、ミンスクの路上に最初のバリケードが造られたようである。車が警察の封鎖を突破し、治安部隊が負傷した。その決定的瞬間に、緊張を緩めさせる力として救いの女神のごとく、女たちが登場したのだ。抗議運動の過激化は実際には起こらなかった。このことがこの抗議運動をきわめてユニークなものにしている。国家の暴力、迫害、抑圧にもかかわらず、注目に値するほど平和的に推移した。私と話した女たちは、切迫した状況を沈静化させたのは自分たちであると確信している。

このときから毎週日曜日に、何十万人もの人びとがミンスク、ゴメリ、ブレストの街路にあふれかえる。ベラルーシの抗議運動は、世界で最も平静で清潔な運動の一つで、本当にこの人びとはデモをしているのか、と思うようなところさえある。デモをよく見たい人、あるいは人から見られたくてベンチの上に立つ人は、その前にまず靴を脱ぐ。デモが終わると、参加者は車に相乗りして帰宅する。ガラスが割られたり、車に火が付けられたり、店が略奪されたりすることはない。ゴミのコンテナを通りに出してきてバリケードにした人もいれば、コンテナを元に戻す人もいる。ついでにゴミを集める人もいる。抗議運動に同行するボランティアの男女は、けが人に応急処置を施し、水を配る。この魔法にかかったような夏の数週間に、抗議運動の気分はきわめて高揚した。ただし、それがすべてにわたってどれほどユニークな高揚であったのか、当事者さえわかっていない。

マーシャとカーチャが自分たちでアイディアを練っているその瞬間にも、手を離れてアイディアがひとり歩きを始める。「何が起こっているのか、私たちは把握できませんでした」とマーシャ。グループ・チャットには、フォロワーがますます増えていった。初めのうちは、すべての新しいメンバー一人一人をチェックしていた。「でも、数が多すぎて……」ある時点で、マーシャはそれまで閉じていたグループを公開し、女でも男でも、誰もがフォローできるようにした。数千人が繋がった。〈ガールパワー・ベラルーシ〉などの、他の女性チャットグループも立ち上がった。それらのグループも、同じように行動を起こすよう呼びかける。以前は仲違いした二人が和解して始めた運動が、一本立ちしたのである。マーシャとカーチャが協力して作り出したシンボルとイメージは引き継がれ、拡散されてゆく。そしてまた新しいアイディアが生まれつづける。

やがて女たちは通りで、子守唄『カリチャンカ』だけでなく、哀愁に満ちた民謡『クパリンカ』も歌うようになる。この歌はベラルーシの誰もが子どもの頃から知っていて、詩人ミハシ・チャロートと作曲家ウラジーミル・テラフスキーによって作られた――ここで歌われる娘は〈夏祭りのために／ほっそりとした白い指で／バラの花壇の草むしりをして／涙を流す〉。ときには女たちが集まって踊る。または、彼女たちは伝統的な刺繍を施された白いドレスを着て、政府側が拠点を置いて封鎖している独立広場にやって来る。彼女たちは規制線の前へとカボチャを転がす――これは、求愛者に拒絶の表現としてカボチャを差し出すという、昔の習慣の名残りである。彼女たちはベラルーシ語のポスターを持っており、そこには、ルカシェンコ大統領の有名な言葉「オレは恋人ベラルーシを誰にも渡さんぞ」に対する返答が書いてある。「恋人ベラルーシはあんたが嫌い」。

世界を揺るがす大事件の多くには、アイコンがある。ときにはそれが、よく知られた〈顔〉である場合さえある。事件の詳細がわからない場合もあるだろうし、時代さえ混乱している場合もあるだろう。しかしアイコンの示すものは、「あれか！」と即座に直観的に分かる。

多くのドイツ人にとって、一九四五年五月二日に、砲撃で崩れた国会議事堂の屋根の上でソ連国旗を掲げた赤軍兵士は、アイコン的なイメージであろう。写真家の演出があったにせよ、この写真はナチスに対する勝利を象徴しているので、アイコンとなった。一九七二年に南ベトナム空爆によるナパーム弾で焼け出されて、裸で逃げ出し泣き叫ぶベトナム人少女は、おそらく誰もが知っている。または、一九八九年六月、北京の天安門広場において戦車の前に立ちはだかる一人の中国人の写真――これも世界に広まったアイコンである。彼は『タイム』誌により、二〇世紀の最も影響力のある百人の中に入れられた。私には、あるイラク人捕虜の写真もアイコンとなっている。彼はアブグレイブ刑務所で、米兵によってフードをかぶせられ拷問された。また忘れられないのは、ある若いトルコ人女性である。彼女は真紅のドレスを着て、二〇一三年のイスタンブールのゲジ公園での抗議において、武装警官と向き合い、顔に直接唐辛子スプレーを吹きかけられた。

このようなアイコンは、いわば視覚から永久機関を始動させるのである。現実がイメージを生み出し、イメージもまた新しい現実を生みだす。評論家ゲオルク・ゼースレン〔一九四八～　〕によると、「アイコンとなった写真は、現実とイメージの区別がほぼ不可能なほど凝縮されている。政治プロセスに影響を与える力を持つ写真もあれば、おもにプロパガンダ目的で使用される写真もある。

そしてさらに真実を捕らえ、それを圧倒的な力で、言葉によっては生み出すことのできない世界に持ち込める写真もある。」アレクサンドル・ルカシェンコにはそこがよく分かっている。そこでただちに、特に女性ジャーナリストだけでなく、写真家たちにも弾圧の対象範囲を広げ、数え切れないほどの人びとを逮捕し、国内外の報道関係者たちの取材許可を取り消した。写真のイメージがないところでは、注意も喚起されにくい。

　ベラルーシには、抗議する女性の写真が何千枚もある。その一枚がアイコンになる力を持つかどうかは、おそらくしばらく時間が経ってからようやく答えが出るであろう。二〇二一年二月の晩に、五人のベラルーシ女性写真家による写真が、リトアニアの首都ヴィリニュスの近代美術館外壁に映し出された。それらはすべて、抗議する女性の写真である。これらの写真のいくつかは世界を駆けめぐった――それらを私も知っていた。しかし、それを撮影したのはベラルーシ出身の女性写真家だ、ということは知らなかった。写真家の名前は、ヴィオレッタ・サフシツ、イリーナ・アラホフスカヤ、オリガ・シュカイラ、ナディア・ブシャンである。若いインナ・ザイツェヴァは、路上でウェディングドレスを着てポーズ。白い胴衣部分に地面に届くほど長いチュールのスカート。その上に夫が赤色のスプレーをかけて、太い赤い縞にした。抗議デモ参加者たちから〈白赤白〉の旗が奪われたので、彼女は自分自身を旗にしようと決めたのである。ほかの写真も見てみよう。〈クリック！〉他の女たちもインナ・ザイツェヴァのまねをする。やがて、結婚式でもないのにウェディングドレス姿の花嫁たちが、ベラルーシの路上を闊歩しはじめる。〈クリック！〉特殊部隊の装甲車の前で、花嫁が通りにひざまずく。〈クリック！〉ウェディングドレスと繊細なヴェールに、バラを手にした若い女が、特殊部隊に連行されながら、カメラに向かってにっこりする。〈クリック！〉白地に赤のドレスを着た女がＯＭＯＮの民警たちに向かって叫ぶ。「あんたたちとは結婚しないよ！」〈クリック！〉スヴェトラーナ・チハノフスカヤとマリア・コレスニコヴァのファンである若い女性が、スローガンを掲げている。「私の大統領はスヴェータ、私の女王はマーシャ」。〈クリック！〉そしてまたスローガン「ベラルーシ革命――メイド・バイ・女たち《ウィメン》」〈クリック！〉。覆面をした特殊部隊の男にしがみついて泣く若い女。〈クリック！〉別の女は、ＯＭＯＮの民警の前で赤い布マスクをする。〈クリック！〉若い女たちが横断幕を掲げる。「家父長制、ファック・ユー」。〈クリック！〉女性三人組の中で唯一ベラルーシにとどまることを決断し、当時はまだ自由の身だったマリア・コレスニコヴァは、白いブラウスを着て、黒い覆面の民警の並んでいる前で、両手でハートの形を作る。〈クリック！〉当時七三歳のニーナ・バギンスカヤ（一九四六〜　）は小柄で細身の女性であるが、彼女を連行しようとする覆面民警に抵抗して揉み合う。〈クリック！〉ニーナ・バギンスカヤは、一九八〇年代からの保守系野党議員であったが、後に『ヴォーグ』誌に載ったイタリアでの写真撮影がファッション・アイコンとして演出され、若い女性たちの憧れだった。

　女たちはヒステリックである、と言われる。それを逆手にとり、〈誰かがまた逮捕された〉となるたびに、女たちは「キャー」と金切り声を上げる。困惑した警官が、捕らえた女を放してしまうこともある。「治安部隊は、このボリュームあるドレスを着ている私をどうやって連行するのか、その方法が分からないので、まだ逮捕を免れているのでは？」とウェディングドレス姿のインナ・ザイツェヴァ。ＯＭＯＮの警官には彼女の写真を撮る者もあり、キレイだとほめる者もいた。女たちはまごつかせる。「警察官たちは警察のバスに座って私たちを見守るだけで、私たちには触れなかった。どう扱ったらよいのか、分からなかったのです」とマーシャは回想する。

やがて女たちは、火事が発生すると急いで駆けつけてくる消防隊のような存在になった。ストライキをする労働者が弾圧されると、女性たちが駆けつける。学生たちが逮捕されるとなると、女たちが人間の鎖となって、彼らの前に出て守る。あるいは、ＯＭＯＮの警官に引っ張られた男たちを、こちらに引っ張り、ときには引っ張り合いに勝つ。男たちが追いつめられているときには、逮捕されないように女たちは男たちの周りを囲んで立った。治安部隊は女たちも逮捕できず、しばしば男たちも逃がしてしまう。「男が女の後ろに隠れるとは！」アレクサンドル・ルカシェンコは嘆いた。「かつてのファシストと同じじゃないか。」〔二〇二〇年九月九日、ロシアメディアのインタビューでの発言〕

男たちが決めたことを、女たちが実行する

このような女たちの活発な動きを前にしては、家父長制側も自分の論法で批判はできないようだ。それまでは女性活動家とその関心事を笑いものにしてきた保守系ジャーナリストでさえ、突然女性の働きぶりに魅せられた。ベラルーシの経済学者セルゲイ・チャリイは以前、機会あるごとにジェ

ンダーの〈たわごと〉をあざけり、男女平等をナンセンスだと笑ってきた。その彼も、第二次大戦中と同様に女たちが男たちの代役として出てくるのを目の当たりにして、史上初のフェミニズム革命が起きていることをすぐに理解した。言うまでもなく、セルゲイ・チャリイのような男は、次のように付け加えるのを忘れない。「もちろん、良い意味でのフェミニズムだが！」はいはい、ごもっとも。

ベラルーシのフェミニズム活動家イリーナ・ソロマーティナにとって、二〇二〇年夏の出来事はすべて人の目をくらます幻想である。同年八月末に初めて話をしたとき、ソロマーティナにはある種の苛立ちが感じられた。繰り返しやって来るメディアからの問い合わせ――「路上の活動の原動力として、女性たちには大きな意味を与えられませんか？」「抗議運動は〈女の顔をしている〉と今では言われていますが、お考えは？」――これらの質問に彼女はうんざりしていた。「抗議行動も、アレクサンドル・ルカシェンコに挑戦した女性三人組も、フェミニズムとは無関係」とジャーナリストたちに対して繰り返し説明しなければならず、嫌気がさしていたのだ。ソロマーティナは、抗議が「女の顔をしている」のを、だいたいにおいて、メディアが俗受け効果をねらった言い回しだと見なす。最初に『ガーディアン・ウィークリー』誌に登場した女の像〔原著の表紙にもなった。口絵参照〕――それはソロマーティナにとっては、ベラルーシの女たちがヒロインに仕立て上げられるさらなる証拠である。彼女はそれを拒否する。抗議する女たちがしばらくの間主要メディアの見出しとトップページを占め、ベラルーシが国際的な注目の的となったが、彼女にとっては、それは政治的な勝利ではない。むしろ、行きすぎた誇大広告であるという。

　イリーナ・ソロマーティナには行動力がある。彼女はプラットフォーム〈ジェンダールート〉を立ち上げ、ＮＧＯ〈働く女たち〉を率いている。彼女は長年、自国の女性の権利平等のために戦ってきた。夫による殴打や雇用主のセクハラやパワハラについて、ぞっとするような嫌な話を彼女は数限りなく聞いている。そしてまた、ベラルーシでの平等についての議論や女性の参加の割合や家庭内暴力に関する統計を、知り尽くしている。しかし、ルカシェンコの女性排除体制に関しては、ソロマーティナの反応は鈍いとしか言えない。ルカシェンコの体制は女性を二重に苦しめている。まず独裁政治――誰にでも与えられるはずの基本的人権を人びとから奪っている。さらには家父長制――女性であるがゆえに苦しみを与えられ、女性は抑圧されているというのに。

　ソロマーティナによれば、マリア・コレスニコヴァ、スヴェトラーナ・チハノフスカヤ、ヴェロニカ・ツェプカロは、男たちがあらかじめ用意しておいた役割を遂行しているに過ぎない。それによって、この三人の女たちは「男たちが決めたことを女たちがおとなしく受け入れる」という終わりなき役割分担を継続させた、とソロマーティナは考える。「女性トリオはつかの間、頂点に立ちましたが、それはフェミニズムの表われではありません」とソロマーティナ。「三人はベラルーシの女たちの権利をテーマとして議論したこともなく、また選挙集会でも、この国で女性であることにどんな意味があるのか、それについて、ひとことも費やしていません。こうすることで、彼女たちは間接的に家父長制の共犯者になっているのです。同じように、白いドレスの女たちときたら、女は美しくか弱い性、という家父長制的ステレオタイプを補強しているほどです。」
ソロマーティナは、白いドレスの女たちが治安部隊員に抱きつく挙に出たことに最も憤慨しているようである。「このアイディアに対する批判は、非常に多くの人が共有しています。マーシャのグループでは本来却下されてしまっていましたから。昼のうちは写真に撮られるので、ＯＭＯＮの警官も、抱きつかれたままにしますよ。しかし夜になれば彼らは暴力を振るう。そんなことが正当なのでしょうか？」とソロマーティナ。

しかしどのような蜂起であっても、成功のカギは、兵士や警察官が政府側から反政府側に寝返ってくるかどうかにある。ベラルーシの治安部隊には、敵は抗議者たちであり西側の手先である、との意識が植え付けられていた。そのような状況下では、抱きつくことが意識を反転させる助けにはならないのだろうか？　それ以外にどんな方法があるというのか？

それからの数か月、イリーナ・ソロマーティナと私は、折に触れてやりとりがあった。「女の優しさを演じて見せるあのような戦術も、もしかしたら女のイメージに影響を与えることができるのでは？」と私は尋ねる。「しかし、その代償となるものは何でしょう？」とソロマーティナ。「この間に抗議行動でも、フェミニズムのスローガンが見かけられるようになりました。これは小さくても、前進なのではありませんか？」と食い下がる私。「いいえ」と答えるソロマーティナ。「女たちが抗議運動で行なっているのは、男が女に望んでいることの反映にすぎません。それが白いドレスを着て手に花を持つ、守ってあげたくなる存在、すなわちそれが美の象徴なのです。」私が立てた主張の論拠を、ソロマーティナは一つ一つ非常に巧みに論破しようとする。それが次に紹介する、彼女による三つの反論である。ただし、「彼女はもちろん正しい」と考える私であるが、心の中で大きな声で「それはそうですが……」と言っている。

ソロマーティナの反論その一――スヴェトラーナ・チハノフスカヤは演壇で、できるだけ早く台所に戻りたい、基本的政策は最終的に男たちが握っていると言った。これは解放された女に対する侮辱である。

ソロマーティナの反論その二――女たちの二重負担が一気に解消されることはない。ルカシェンコに反対する運動に積極的に参加している、約九〇〇人の女を対象とした小規模オンライン調査では、彼女たちは抗議行動に対して平日に四時間まで、週末に八時間まで費やしていることが示された。女たちは外に出て、情報を交換し、仲間を支援し、資金援助する。これについては圧倒的多数が、大きなストレスと疲労感を覚えている、と語っている。多くの女たちが政治的見解ゆえに失職し、切実にお金を必要としている。また他の女たちは、重圧感と罪悪感を同時に覚えている。自分たちは十分に活動できない、子どもたちのための時間が少なすぎる、やり残した家事がたくさんある、とも感じている。調査対象の女性の約半数は、その上、いつもどおり一人で家事をしなければならない。

ソロマーティナの反論その三――暴力は消えていない。白いドレスの女たちへの対応について、治安部隊の混乱はすぐに止んだ。九月の初めには、彼女たちも一斉逮捕された。白いドレスの女たちもすぐに黒いドレスに着替え、花は捨てた。マーシャにより作られたグループ「ベラルーシの女たち」のサイトに新しいアドバイスが投稿されている。「着替え用の下着を持って歩き、逮捕された場合に備えて人権団体〈彼女の権利《イェヨ・プラヴァー》〉などの電話番号を書き留めておくことを強くお勧めします」

夏の日の魔法は消え失せ、秋にはすべてを、あからさまな暴力が覆いつくした。花嫁衣装で抗議したインナ・ザイツェヴァは、年末にはウクライナに逃亡することになった。ＯＭＯＮの警官の盾に悪口を落書きした十八歳の少女は、禁錮二年の刑を言い渡された。二〇二一年三月までに一四一名の女たちに対して刑事訴訟が開始され、そのうち三八名は政治犯、最年少は十八歳。数千人がとりあえず逮捕され殴打され、刑務所で虐待され、侮辱されている。

○

しかし状況を変えるために、女たちは家父長制を根底からくつがえさねばならないのだろうか？　保守的な社会でも、変革を待ち望むことはできないのか？　伝統的な価値観との完全な訣別までもが必要とされるのだろうか？

ウクライナの女性社会学者オルガ・オヌフは、大規模なオンライン調査で、二〇二〇年の夏に街頭に出た男女ベラルーシ人が共有する政治的立場と価値観を調査した。一万二千人ほどが、すべて匿名で六〇の質問にオンラインで回答した。ただし、すべての活動に参加した者を確認するのは不可能なゆえ、必然的に、結果は全体を代表するものではない。せいぜい抗議者の動機や姿勢に小さなスポットライトを当てる程度である。それにもかかわらず、結果はオヌフを驚かせた。

その調査結果は次のとおり。〈女性の参加が多数であったおかげで、抗議運動は平穏を維持していた〉という項目では、抗議運動参加者は三八パーセントしか肯定しなかったが、抗議運動非参加者は、七四パーセントが肯定であった。〈結婚は男性と女性の間だけに限定される〉は、運動参加者の八三パーセントが同意したが、運動非参加者でこの意見を共有したのは、五六パーセントのみ。家族の問題に関して〈家庭内では常に夫が重要な決断を下すべきである〉を肯定したのは、抗議運動参加者の二二パーセント、これに対し運動非参加者ではわずか一三パーセントしか肯定しなかった。

したがって、「抗議運動は男女間の関係における、根本的な何かを変化させられるのだろうか」というイリーナ・ソロマーティナの疑念には、まったく根拠が無いわけではない。また、〈女性の存在感上昇〉が〈国のフェミニズムを促進させる〉という定式は、成り立たないかもしれない。

けれども、厳格で保守的な独裁政権下の女たちに、愛情深く思いやりのある母親や妻という与えられた役割を受け入れて、境界域を広げていく以外の選択があるのだろうか。一九五〇年代に南アフリカでは白人女性が、アパルトヘイトに対して暴力に訴えることなく戦うために〈ブラック・サッシュ（黒いたすき）〉運動を作った。旧東ドイツでは、〈平和のための女たち〉が黒いドレスを着て腕を組み合って郵便局に行き、兵役拒否の届出を投函した。一九八二年からは女性も徴兵されることになる可能性があったからである——当初、諜報機関〔シュタージ〕は、腕を組み合った女たちをあえて力ずくで引き離したりはしなかった。一九九〇年代の第一次チェチェン紛争中に、ロシアでは兵士の母としての特別な役割を利用して、徴兵された息子のために戦い、権力システムの主要な柱である軍隊を変革した〔〈ロシア兵士の母の会〉。一九八九年設立〕。キューバでは二〇〇三年に設立された〈白い服の婦人たち《ラス・ダマス・デ・ブランコ》〉が、政治犯の釈放に尽力し成功した。アルゼンチンにおける一九七〇年代と八〇年代の軍事独裁政権の間、〈五月広場の母たち〉は白いスカーフを着用し、〈デサパレシドス〉と呼ばれる軍事政権に誘拐され行方不明になっていた自分たちの子どもを探した。これらの女性グループのいずれもが、体制打倒を目的として活動を開始したわけではない。しかし体制が崩壊したり、少なくとも体制にヒビが入ったりするなら、彼女たちはそれに一定の貢献をしたことになる。

　私には、ソロマーティナの不信と懐疑は理解することもできる。政治的キャンペーンあるいは企業の広告キャンペーンのために、女たちを悪用するのは、昔からよく使われてきた戦略である。衣料品コンツェルンＨ＆Ｍは、「フェミニズム」とプリントされたＴシャツを九・九九ユーロで販売しているが、それを縫製しているのは貧しい国の女たちである。今年、二〇二一年の初めにＨ＆Ｍはドイツでの人員整理に際し、とりわけ若い母親には、労働時間の融通が利かないという理由で解雇を言い渡した。極右政党〈ドイツのための選択肢（ＡｆＤ）〉は、難民受け入れに反対するために、ドイツ女性に保護を与えようと動き出す。国際女性デーにベラルーシの女性たちへの連帯を求めておきながら、ポーランド政府は中絶の権利廃止に抗議するポーランド女性たちに対しては攻撃的な行動に出た。これらは、女たちを悪用したという以外に、どんな説明ができるだろう。

それにもかかわらず、私の心の中には結局、ソロマーティナの主張に対する〈しかし〉が存在している。〈しかし〉、かつてベラルーシでは、女たちがあたりまえのように政治の世界に立役者として登場したことはかつてなかった。〈しかし〉、かつて女たちは、考えうる選択肢の一つになったことさえなかった。〈しかし〉、女たちが公の場で民主主義のために、これほど目に見える形で戦ったことはかつてなかった。〈しかし〉、これまで女同士が、これほどの連帯感を持ったことはかつてなかった。〈しかし〉、女たちが自分自身の権限を圧倒的に実感し、政治的主体としての責任と女性集団としての力をこれほど持ったことはかつてなかった。これらは必然的に、あらゆるフェミニズム的運動の出発点になるのではないだろうか。

政府公式データによると、二〇二〇年八月には首都ミンスクおよびミンスク州で逮捕された人びとの六パーセントほどが女性であった。ところが九月と十月ではすでに二七パーセント、次の一月と二月には、逮捕者の三七パーセントが女性となった。その後、政権は彼女たちを男と同様に扱うようになった——同じ残忍さ、同じ辱め、そして同じ恣意性で。これは女の全面的権利回復に伴う側面である。抗議運動に加わった女たちは政権の〈反対者〉として認められ、今では男性同様無慈悲な取り扱いを受けている。

女たちの新たな存在感

何か月もの間、私はベラルーシのさまざまな都市の女たちに、抗議運動のときの体験についてインタビューした。女性医師のクリスティーナとボブルイスクのボランティアのリュドミラ。また、三三歳の女性エンジニアであるマリア。二〇二〇年秋以来亡命生活となった三八歳のアンナ。ゴメリで女性教員をしている六〇歳のスヴェトラーナ。アレクサンドラは二七歳、ミンスクの企業で広報マネージャー。彼女たちはお互いを知らないが、共通点が多い——要するに、二〇二〇年の夏がやってくるまでは、政治から距離を置いていたということだ。

マリア　八月九日の夜、私は母に電話してこう言いました。「ママ、戦争が始まったんだと思う。」私たちは何ができるか考えました。私は女たちに加わることにしました。男たちは外に行き、通りに出て、私たち女は一つの家に集まり、全容をオンラインで追って、ＳＭＳ経由でどの通りを行くべきかナビゲートしました。インターネットが遮断されていたからです。男たちを送り出す別れの時には、まるで出征兵士を送り出すときみたいに、そのつどしっかりと抱きしめました。

クリスティーナ　ＯＭＯＮの警官は動くものなら何でも殴り倒しました。私は負傷者を助け、世話をするために道路ぎわを走り回っていて、ある警官に私は医者であることを明かしましたが、

「引っ込んでろ」と言われました。

アンナ　私の友人には、二〇一〇年と二〇一五年にも抗議活動に行った人がいます。しかし私は行かなかった。それが私たちの社会の惨めなところです。つまり私たちは分かっていないのです、自分たちが政治の主体であることを。そしてすべてが何らかの形で政治に関わってくることも。私たちには政治的教養がありませんが、子どもたちには私たちの行為をとおして、政治とは何かを理解してほしい。

リュドミラ　警察が男たちにどういう扱いをしているのかを聞いて、ショックを受けました。激怒しました。どうしようもないと感じました。なので、女たちが通りに出るようになり、泣けてきました。警察が私たち女を逮捕しないとわかり、それはありがたいと思いました。私たち女が八月十二日に街に出なかったとしたら、十三日までにはすべて終わっていたでしょう。

マリア　男たちは、妻が抗議運動に参加することを決して許さなかったのは、私たちがよく知っている理由からです。「男は戦いに行く、女は子どものそばにいて、情報を担当する」。インチキ選挙後の最初の数日間に、組織に加わった多くの家庭では、役割分担はそうなっていました。これはもう完全に本能的に決まったのです。

アンナ　夫が仕事中のときは、私が抗議活動に行きました。私が逮捕されたらどうなってしまうのだろうと、私も夫も、とても恐れていました。ひょっとしたら、息子たちは養護施設に入れられてしまうのではないかと。

スヴェトラーナ　ほんとうは、私が投票したい候補者はヴィクトル・ババリコです。でも、私はチハノフスカヤに投票しました。今は女性が大統領になることが大事なのです。女の時代が始まっているのですから。

アレクサンドラ　素足で白いドレスを着て、コマロフスキー市場に立っていると、いままでになく自分のもろさを感じました。でも、これまでになく、自分に勇気が湧いてくるとも思えました。

スヴェトラーナ　ドアは開け放たれたのです。私たちが外に出ると、仲間の数の多さを、そしてその中にいる教育を受けた若者の数の多さを目の当たりにしました。私たちは団結したのです。「あなたたちは、すごい人たちです」とマリア・コレスニコヴァはいつも言いますが、そのとおりです。

アンナ　私たちは暴力に訴えることはしません。そうすることで、国家のやり方がいかにバカげているかを見せつけてやったのです。革命に男女差はありません。革命とは両性に共通のものです。しかしそれでも、この革命は女の顔をしています。

マリア　私はこういう女たちの行進に、加わりたくてたまりません。そこでは、「自分は自分らしくあれ」と鼓舞されるのです。

クリスティーナ　女たちの行進でマリア・コレスニコヴァを実際に見ました。彼女はエゴイストとは真逆の人。亡命だってできたのに、彼女は国にとどまった。彼女は私の英雄です。私の子どもたちには、もっと良い国で大きくなってほしいです。再び〔ロシアとの連合を試みて〕ソ連に逆戻りする代わりに、子どもたちに活躍の場を空けてやってください。

アンナ　私はいつも抗議運動には不安を感じていました。でも抗議運動に実際に参加すると、連帯を肌で感じることができるのです。こういう気持ちに圧倒されます。あるとき、年配の男性が私のところにやって来て、涙ながらに詫びるのです。「こんなゴミみたいなものを作って迷惑をかけちまったのは、オレたちの世代なんだよなあ。」

スヴェトラーナ　私の娘は心理学士なので、人びとが逮捕後に受けた暴力がいかにひどいものかを説明してくれます。今回、私たちの多くは、刑務所がどのようなものかを身をもって知ることになりました。与えられるのはエサ同様。嫌がらせを受け、残忍な言葉を浴びせられ、はずかしめられ、狭いところに詰め込まれるのです。——まだ、裁判も始まっていないというのに。

クリスティーナ　私は刑務所でレイプがあったことは、知っています。でも、そんなことは普通はほとんど知られていません。何週間も泣いている女性もいれば、何週間も黙りこくっている女性もいます。

スヴェトラーナ　私は三回逮捕されて、罰金を払ったこともあり、数日間収容されていたこともあります。それ以来、私は抗うつ薬を飲んでいます。こういう警察車両を見るたびに、パニックの発作に襲われるのです。つまり今では、パトカー一台見ただけでも、私のような六〇歳の女性教員がパニックになるんですよ！　ルカシェンコ政権が無くなれば、今の私たちには想像もつかないほどの素晴らしい経験を、もっとたくさんすることになるでしょう。

マリア　私は極端なフェミニストになりたくはありません。健全であれば、家父長制は好ましいものです。重い荷物を運ぶのは男と決まっていて、重いものは持ってもらえるのですから――そういう夫でも、私の選択を尊重してくれています。私がクレーンを操縦しようと、家にいようと夫は気にしません。女性は議論するとしばしば相手を攻撃してしまいがちです。でも大切なのは男女お互いのリスペクトです！　だから、しいて言えば私は部分的フェミニストですね。

アレクサンドラ　私は自分がフェミニストだとは思っていません。自分のことは、強い女だと思っています。もちろん、私は抗議活動を続けます！

マリア　今や治安部隊にとって、敵は私たちなのです。私たち抗議者の目標を、十分理解していない人が大勢います。彼らの質問はいつも同じ。「これまでなぜ声を上げなかったの？」。いつもこうなのよ！　うまく言えないけど、人びとがわかってきたからです。

スヴェトラーナ　私はかつて教師として、ピオニール〔共産党少年団〕やコムソモール〔共産主義青年同盟〕のメンバーなど、若者グループを指導していました。これらの組織は、どちらも国家への忠誠を誓わなければなりません。でも私はいつも子どもたちに、ふるさとへの愛と国家への愛は別ものだと説明しようとしました。

アンナ　私は、拘束されることになる、と警告されていました。息子を抱きかかえ、二つのスーツケースに荷物を詰めました。パスポートを持っていなかったのですが、人道上の理由でリトアニアへと出国できました。当初はヴィリニュスで、声を上げて泣くしかありませんでした。まだとても罪悪感を覚えています。私は何もかも裏切ってしまったような気がして。まだミンスクに残っている夫が言うには、「キミは心臓に持病があるのだから、刑務所に入れられたら、とても耐えられないよ。」でも、もし持病がなかったら？　もし私が実際には危険にさらされていなかったとしたら？　もし私がベラルーシに残っていたとしたら？　以前誰かがフェイスブックに書いていました。「もし、あなたたちが皆、国を去ってしまったら、いったい誰が抗議活動をするのですか。」

スヴェトラーナ　先日私の住まいが家宅捜索されました。すべてを持っていかれてしまいました。銀行カードも、コンピュータも、タブレットも。携帯電話は隠すことができたけれど。子どもたちは、新しいラップトップが買えるように、お金を出すと言ってくれています。でも、とりあえず、私が刑務所に行くことになるのかどうか、様子を見ます。さもないと、そのお金が無駄になってしまいますから。

マリア　私たち女に対する社会の意識が変わったのだ、とは言えません。けれども女としての自分を意識する、私自身の姿勢が変わりました。

〇

ベラルーシの都市の路上での出来事と、社会学者イリーナ・ソロマーティナが思い浮かべる内容の間には、大きな認識の違いがある。両者の関係は、双方とも良好な関係を作り出そうと思っているのに、逆の方向を向いてしまうカップルのようなものだ。期待が逆向きなので、一人が幸せなときには、もう一人が不満を持ってしまう。おそらくこの行き違いは、ソロマーティナがこの蜂起における女たちの関与を、フェミニストの観点から評価しているところにあるのだろう。すなわち女たちの蜂起への関与が、男女同権や差別に対する闘いを利するか否かという観点である。しかし今回の蜂起は純粋に女たちだけの問題ではないし、またフェミニズム的な問題提起もなかった。むしろこの抗議運動では、女たちの存在がこれまでよりはるかに目に見えるものになった、ということなのだ。

ベラルーシには積極的に行動する女性がつねに存在したし、現在でも多くの女性活動家や女性ボランティア、さらには政権から一線を画している女性政治家もいる。ただし彼女たちは、とりわけ目立つ存在ではなかった。ところが今回のベラルーシの抗議する女たちは、広報を担当したマーシャの言葉を借りると、間違いなく国際的に認知されたブランドになっている。しかもそれはベラルーシの文化の一部にもなっているのだ。彼女たちをテーマにした映画、詩、画像、ウェブサイト、ポップソングが生まれた。画家のシャイム・スーティンの描いた〈エヴァ〉はミームとなって、さまざまな姿に加工された。獄中の〈エヴァ〉、中指を立てて罵っている〈エヴァ〉、ＯＭＯＮの警官に連れ去られる〈エヴァ〉という具合に。ベラルーシで有名なバンド、トルベツコイが『ヴォーリャ』という曲をリリースした。ヴォーリャは女性の名前であるが、ベラルーシ語で「自由」と「意志」を意味する。この曲はベラルーシの女、とりわけ元ミス・ベラルーシのオリガ・ヒジンコヴァ〔一九八六年～〕に捧げられている〔「ヴォーリャ」はオリガのベラルーシ語ヴォーリハの愛称でもある〕。四二日間刑務所にいた彼女ほど、一人の女性の身に起こった矛盾を体現する者はいない。彼女は美の女王〔二〇〇八年、ミス・ベラルーシ〕であり、ストッキングのモデルとして知られる一方で、抗議のアイコンとして讃えられたが、刑務所での自分自身の体験を語るという具合に。

「白い服を着た女たちは女性の権利を求めて戦ったのではありません」と社会学者でジェンダー研究家エレナ・ガーポヴァはコメントする。「彼女たちは市民権の保証を要求しました。つまり、自分たちが投票した票がきちんとカウントされ、候補者たちが自由の身になるように。誰も治安部隊に殴打されないように——たとえそういうことが起きても、せめて責任を追求できるように。たぶんある時点で、市民権運動とフェミニズム運動は、一方から他方へと双方向で展開されるかもしれません。」いずれにせよ、やがて女性フェミニストたちもきっと毎土曜日の女性の行進に参加し、そこではレインボーフラッグもひるがえり、若いフェミニストたちは「くたばれ家父長制！」というポスターを掲げるであろう。ちらほらとではあるが、フェミニストのスローガンを掲げる男性の姿も見られる。たしかにベラルーシの明るい未来に、二〇二〇年の夏の日は直結しなかった。しかし変化の最初の兆しは見えている。ドイツでも初期の民主化運動と女性の同権運動とは、つながっていなかった。両者の隔たりは、大きな遠回りをして、かなり時が経過してから解消されたのである。二〇二〇年の夏にベラルーシで起こったことは——もしかしたらひとつの〈始まり〉であるかもしれないのでは？

治安部隊に抱きついたりするから、女たちは自分を残忍な家父長制の共犯者にしてしまうのだ、という非難がしばしばあった。それについて私がマーシャに尋ねたところ、彼女はこう答えた。

「何か失敗したといっては、また女たちを叱るのですね。それこそが、かなり家父長的な行動ではないでしょうか？」

6 「もし私たち女がやらなければ、いったい誰がやるの」——ヴェロニカ・ツェプカロ

ある心変わりの物語

アレクサンドル・ルカシェンコに挑戦した女三人組の中で、おそらく最も幸運だったのが、ヴェロニカ・ツェプカロである。彼女の同志スヴェトラーナ・チハノフスカヤは亡命生活を送っており、その夫はベラルーシの刑務所にいて、ルカシェンコ政権の人質になっている。マリア・コレスニコヴァは拘留されていて、二〇二一年春に裁判がある〔二〇二一年九月に十一年の実刑判決が下された〕。ところが、ヴェロニカ・ツェプカロも故郷を離れなければならなかったが、夫ヴァレリーと八歳の双子の息子ピョートルとアンドレイは彼女と一緒にいる。二〇二一年に家族全員がそろった状態は、政権に歯向かったベラルーシ人の家庭にとっては当たり前のことではない。

ヴェロニカ・ツェプカロの半生は、四半世紀前にアレクサンドル・ルカシェンコに夢中になった若い女性が、最終的にルカシェンコの敵になったいきさつである。一九九四年、ルカシェンコが大統領に立候補したとき、ヴェロニカは彼に投票してしまった。ベラルーシ語はソビエト連邦の崩壊後に復活したが、ルカシェンコはその普及や育成に重きを置かず、ロシア語の公用語への格上げを望んだ。ヴェロニカはこれにも同意した。彼女はこの若い政治家に新生ベラルーシの出発を期待した。「アレクサンドル・ルカシェンコが人びとに語りかけるとき、彼は情熱に燃えていました」と彼女は回想する。「彼は国民に近く、私たちの側に立ってくれる人のように思えました。人びとの事情や抱えている問題が何か、分かっていたのです！」

いまでは彼女は、ルカシェンコを軽蔑している。「彼は社会とのつながりをすべて失っています。厚顔無恥で、手には血がこびりついています。子どもだろうと女だろうと、彼は容赦しません。一九九四年のアレクサンドル・ルカシェンコと、二〇二一年のアレクサンドル・ルカシェンコは完全に別人です。」不正選挙とむき出しの国家暴力の後では、投票者のわずか三パーセントしかルカシェンコを支持していない、とヴェロニカは信じている。二〇二〇年の夏以来、彼女が追い求める目標はただ一つ。「私たちは一丸となって、ベラルーシをルカシェンコ政権から解放しなくてはならない」

ヴェロニカ・ツェプカロの心変わりの物語は驚くべきものであるが、そこに矛盾が無いわけではない。物語に含まれる疑問のすべてに、彼女が答えを持っているわけではない。

私がインタビューした二〇二一年一月に、彼女はすでにラトヴィアの首都リガに住んでいて、彼女の話し方はいまだ政治家風である。しかし、彼女は自分を政治家とは見なしていない。「とにかく私はベラルーシの無関心な市民ではありません」と自分自身を語る。家族の中では、夫が政治家である。ヴァレリー・ツェプカロは、一九九〇年代に外交官としてキャリアをスタート、外務副大臣、大使、政府顧問を歴任。フィンランド語と英語に堪能で、時とともに政治的野心をふくらませた。彼が打ち出す選挙公約は、主として経済改革の推進に関わるものだった。村を活性化してすべてのベラルーシ人に土地を与え、個人の土地所有を大規模に推進したいと考えている。

ヴァレリー・ツェプカロが二〇二〇年春に大統領選立候補を表明し、候補者としての承認に必要な署名を集めるために、ベラルーシの都市めぐりを開始したとき、妻ヴェロニカは彼に同行した。彼女は一か月の休暇を取り、子どもたちは祖母に預けた。彼女は夫の最初の記者会見に出席した。彼女はフェイスブックとインスタグラムで自分のアカウントを更新し、誰もが共感を覚える幸福な家庭の写真を投稿した。彼女はほんの数年前に建てた、夫婦の共有財産である家の売却に同意した――すべて夫の選挙キャンペーン資金に提供するためである。彼女は彼の選挙事務所の運営を引き受けた。

しかし、大統領候補者として認められるのに必要な数の署名を集めたヴァレリー・ツェプカロであったが、彼の希望はかなわなかった。そこで妻のヴェロニカが、夫に取って代わり登場することになった。スヴェトラーナ・チハノフスカヤやマリア・コレスニコヴァと同様に、予期せずに政治に関わることになったのだ。「私たち女には選択の余地がありませんでした。」と彼女。「もし私たち女がやらなければ、いったい誰がやるの。」

ソ連時代の解放的かつ伝統的な女性像を現在によみがえらせたのが、まさにヴェロニカ・ツェプカロである。自宅での役割分担は「古典的」である。彼女はかつてこう言った。「すべての大きな決定を下すのは夫の役目、私の担当は〈女性の仕事〉です。」しかし同時に、彼女はマイクロソフト社のＩＴ部門の幹部である。夫が家長であることに異論はないが、自分が仕事をやめようとはまったく思わない。彼女の考えでは、女たちは成功したキャリアを持つと同時に家族に尽くすこともできる、と社会に示す必要があるからだ。

スヴェトラーナ・チハノフスカヤは、夫が政治家になろうと計画していることをオンラインで知ったが、ヴェロニカ・ツェプカロは夫の計画に最初から関与していた。夫が候補者登録のための書類を送るとき、夫婦で一緒に送信ボタンを押した思い出がある。そのときの彼女には、自分がいつの日か夫の政治的キャリアを追い越したり、夫の側に仕える忠実な支持者以上の存在になる予兆はどこにもなかった。

「今の状況を作り出してしまったのはルカシェンコ本人です」とヴェロニカ・ツェプカロ。スヴェトラーナ・チハノフスカヤの夫セルゲイが拘束され、ヴィクトル・ババリコが逮捕されたとき、彼女の夫はこれ以上政治活動を続けることを望まなかった。「競争相手が刑務所にいる間に、自分だけが選挙運動を継続するのは卑怯だ、と夫は思ったのでしょう。彼はスヴェトラーナとマリアに電話し、この選挙戦で力を合わせようと提案しました。そのとき夫と私は決心したのです。これからは私が活動を続けることを。選挙に乗り出す女たちの連合は、見かけより強力であると私たちには思えました。なにしろルカシェンコは、女は台所に引っ込んでいるものと、なめてかかっていましたから。」

ヴェロニカは夫の仕事を引き継いだ。彼女の夫も刑事訴訟をちらつかされ、役人が学校で自分の子どもたちのようすを嗅ぎ回っているらしいと聞いたとき、国を去ろうと一家は決めた。夫と息子たちはロシアの首都モスクワへ。しかしヴェロニカは選挙までミンスクに留まった。その後二〇二〇年八月九日、いったん彼女は家族のいるモスクワに行き、そこで投票した。もう一度、彼女は一日だけミンスクに戻った。インターネットは遮断されていて、電話はひどく込んでつながらなかった。彼女は誰とも連絡が取れず、モスクワに戻った。そこが安全であるとも思われなかったので、家族と共にウクライナ、次にポーランドに行き、最終的にツェプカロ一家はラトヴィアに落ち着いた。

ここでヴェロニカ・ツェプカロの物語は、ひとまず終わりになる。ところで彼女の物語の始まりは、逮捕された母親エヴゲニアを訪ねたとき、すなわち四半世紀以上前にさかのぼる。ヴェロニカは、二〇二〇年七月にミンスクの演壇でこのように語った。そしてそれ以降、彼女はこの話を何回も繰り返すことになる。

「私の母は最高でした。彼女は私にとって最上の友であり、信頼できるお手本でした。労働者階級の出身で、努力によって出世しました」とヴェロニカ・ツェプカロ。最初、母親は東部にあるベラルーシ第三の都市、人口三八万人弱のモギリョフ〔マヒリョウ〕の工場で働いた。それから彼女は市政でキャリアを積み、市議会の経済担当の副主任になった。民主的な改革者だった当時の市長が、彼女を呼び寄せたのである。ここで彼女はアレクサンドル・ルカシェンコに出会った。当初、彼はコルホーズの副代表であり、次に農業企業〔ソフホーズ〕の議長であった。すでに当時から彼は、根に持つタイプで復讐心に燃え、きわめて猜疑心の強い人物であったそうである。

　最終的にヴェロニカの母親は、ルカシェンコの事業も関与していた地方銀行の重役になった――一九九七年に逮捕されるまで。母は当初、職務の乱用と詐欺で告発され、その後突然、ある地方政治家殺害のゆえに捜査を受けた。当時、地元のビジネスエリート全員に嫌疑がかけられていた。ルカシェンコはすでに大統領であった。彼はこの犯行を自分に対する「挑戦」と見なし、犯人逮捕の期限として十日間を設定した。期限が切れる少し前に、ヴェロニカの母親は――すでに重病だったにもかかわらず――逮捕された。ルカシェンコは直接この件を監視下に置き、調査ファイルは秘匿された。

「告発はでっち上げでした！」とヴェロニカ・ツェプカロは主張する。「これはほとんど証拠のないインチキな話です。いずれにせよ、二三年もたつのに、この地方政治家殺害事件は未解決です。ラジオ・スヴァボーダ〔自由ラジオ。アメリカが出資する東欧向け報道機関〕のオンラインメディアが、犠牲者の親族にインタビューしました。彼らの発言は非常に慎重ですが、いつかルカシェンコが大統領をやめれば、多くのことがらが明らかになるのではないか、と遺族は推測しています。」

○

ツェプカロの母親はステージⅣの癌に苦しんでいた。「妹と私は、母に面会を許してくれるように毎日頼みました」とヴェロニカは回想する。「やつらがついに私たちを母に会わせたとき、私は心が凍りつくような思いがしました。その時の光景は、今日まで私の目に焼き付いています」とツェプカロ。

母親は拘置所から病院に移送されていた。娘たちが面会を許されたのは、母親がちょうど再度の化学療法を受けたところであった。彼女が見たのは、ベッド脇のむき出しの床にうずくまっている母親であった。「ヒーターに鎖でつながれた母の腕は化学療法で痩せ細り、骨が浮き出していました。母は恐ろしい痛みを感じていたに違いありません。たいへんな衝撃でした。「なぜベッドで寝られないんですか。床にうずくまらせておくのは、なぜなんですか。」と病室で母と娘を見張っていた医師たちと看守に尋ねた。「しかし誰も何も言わないのです。母はまさに囚人でした。」

二五年近くが経っても、この瞬間を思い出すたびに、ヴェロニカ・ツェプカロは感情を抑えきれない。ヴェロニカは家族と共にリガにある引っ越したばかりの家にいて、私ボータはベルリンにいる。私たちを隔てるのはたった一時間半のフライトに過ぎないが、それでも旅行は困難であった。というのは、二〇二〇年一月に私が最初にインタビューしたとき、ラトヴィアはパンデミックゆえに緊急事態宣言下にあったからである。残るインタビュー手段はスカイプしかなかった。

ヴェロニカ・ツェプカロは、猛スピードで考え話す女性である。しかし突然話が止まった。顔に手をあてて涙を抑えようとして取り乱した。「私はあの光景を決して忘れない、絶対に！」と叫ぶ彼女。彼女は何十年もこの話をしていない。自分の母親の運命について話したのは、ルカシェンコと対決する選挙運動が二〇二〇年の夏に始まったときからである。彼女が長い間ひそかにルカシェンコ政権を忌み嫌っていたことの証拠であるが、それにしても、証拠として提出するには遅くないか。

なぜ彼女は今になって、こんな話をするのだろうか。そして、なぜ彼女は一九九〇年代にルカシェンコを許せない敵としなかったのだろうか。「なぜ、あなたは四半世紀たってようやく、ルカシェンコに背を向けたのですか。」

「母のケースは特別かもしれないと思っていたからです。おそらく何らかの事情があったのだ、これらすべてには理由があったに違いない、と思っていました」とヴェロニカ・ツェプカロ。「しかし実際、私にはルカシェンコ体制の本質が分かりました。そして彼が人間を蔑視していることも。」

しかしツェプカロ一家の経歴からは、夫婦が当時すでに政権の本質を見抜いていたとは考えられない。もし見抜いていたのなら、それを巧妙に隠しおおせるコツを知っていたことになる。

体制内の男

ヴェロニカ・ツェプカロの夫ヴァレリーは、かつては体制内の人間でさえあった。一九九一年、彼は在ヘルシンキのソ連大使館の外交官であった〔当時ベラルーシはソ連の一部〕。ソ連崩壊後、彼はベラルーシ外務省でキャリアを積んだ。アレクサンドル・ルカシェンコが一九九四年に大統領選挙に立候補を決意したとき、ヴァレリー・ツェプカロはルカシェンコの選挙運動に参加した。当時ルカシェンコの周囲には、この若くて野心的な政治家に、大きな期待を寄せていた意欲的な改革者の取り巻きがあった。ツェプカロはそのグループで最年少の一人であった。彼はまだ名の知れていなかったルカシェンコのために、ベラルーシとロシアのマスコミを引き連れたロシア議会訪問のお膳立てをした。この議会訪問によりベラルーシでは、ルカシェンコに対する多くの注目と尊敬が集まった。

ルカシェンコ当選後、感謝されたヴァレリー・ツェプカロは三〇歳を前にして、外務次官に任命された。ちょうど外務省でインターンシップを終えたヴェロニカに出会ったのは、そのときである。ツェプカロは外交官として最終的にアメリカに配属された。旅行で妻ヴェロニカとシリコンバレーを訪問したとき、そこの国際的企業で働くのはベラルーシ人ばかりであることを知って驚いた。そして考える。「シリコンバレーで働くためにベラルーシ人がアメリカに移住するなら、いっそのこと、ベラルーシにシリコンバレーを作ればいいではないか。」

帰国後ヴァレリーは、ルカシェンコの科学技術開発顧問になった。妻ヴェロニカは、夫のキャリアのあらゆる段階に同行した。夫が政権ではなく常に社会に奉仕してきたと自分は確信している、とヴェロニカ・ツェプカロは言う。「なんといってもベラルーシでは、体制の一部になっているときのみ、国のために貢献できるのです。」

二〇〇五年からヴァレリー・ツェプカロは、実際にベラルーシに一種のシリコンバレーを建設した。国家が彼にそれをさせたのである。ツェプカロと彼の仲間は、独立以来ベラルーシの歴史で、おそらく最も威信のかかったプロジェクト〈ミンスク・ハイテクパーク〉を設立した。二〇〇六年、ツェプカロはこのハイテクパークのトップになった。二〇二〇年に抗議行動が始まるまでに、八〇〇近くの企業が登録され、一〇万人以上のＩＴ専門家が現場で働いていた。しかし二〇一七年にルカシェンコは、ツェプカロを解任した。もし通常の仕事上の関係であれば、あれは大統領との「見解の相違」ゆえの解任なのだ、で済むであろう。ところが驚いたことに、職を辞すと決断したのはなんとツェプカロの方なのであった。

解任後一年半がたち、ベラルーシきっての著名なＩＴ専門家ツェプカロは、表舞台から完全に姿を消した。その間に彼は会社を設立し、アゼルバイジャン、ウズベキスタン、サウジアラビアで、有力者に対するＩＴ問題アドヴァイザーになった。このような状態になって、ようやく彼は体制批判を公に口にする。すでに、次の選挙でルカシェンコに挑戦するつもりだったに違いない。これは体制側から見ると、考えうる最大のルール違反である。反体制派の人物が体制批判を行なうことは許せても、かつて体制側であった人物がそれを行なうとなると、反逆と解釈され罰は倍に重くなる。

ヴァレリー・ツェプカロはついに二〇二〇年に、誰の目にも明らかな形で体制批判を行ない自分の方向転換を公表した。この方向転換が、自分の解任に対する個人的な失望と怒りに起因するのか、あるいは、遅くはあったが成熟してきた誠実な信念に駆り立てられたものなのか、それを判断するのは困難である。というのは、ヴィクトル・ババリコもルカシェンコ体制の中でなんとか生き抜いていたが、この二〇二〇年になって、彼もまた公然と政治の世界に乗り込んできたからである。いずれにせよ、女性三人組の中でヴェロニカ・ツェプカロは、ルカシェンコ体制内の政治家の妻からルカシェンコの手強い敵となるまでの、最大距離の移動を経験した。

シャガールの絵の、浮遊する人物のごとく

ヴェロニカ・ツェプカロがスヴェトラーナ・チハノフスカヤとビデオ通話をしたのは、二〇二一年二月のある日のことであった。ツェプカロは、「ベラルーシ女性財団」を設立しており、この財団は国家の弾圧と暴力による被害者女性を援助する。ツェプカロは、ベラルーシの女たちの経験や体験が世界中で見聞きされることを望んでいる。この日、彼女は二〇二〇年の夏の経験について、スヴェトラーナ・チハノフスカヤと語りたいと思っていた。

それはオンラインでの注目に値する再会であった。リガにいるのは、せっかちなヴェロニカ・ツェプカロである。彼女は何も惜しまない――感情表出も惜しまず、スヴェトラーナへのほめ言葉も惜しまず、恐怖はあったがすばらしい時期の思い出を語るのも惜しまない。一方ヴィリニュスでは、穏やかなスヴェトラーナ・チハノフスカヤがいて、背景に、ベラルーシの国章であるパホーニャの旗が掲げられている。チハノフスカヤは自制しているような印象を与える。二〇二〇年の夏、責任の重圧に押しつぶされそうなチハノフスカヤを、まるで経験の乏しい友人を支えるように抱きしめたのが、ヴェロニカであった。ステージでは彼女が常にチハノフスカヤの右をしっかり固め、マリア・コレスニコヴァは左であった。チハノフスカヤが何かを言い忘れるたびに、そのつどヴェロニカは彼女にささやいて教えた。ヴェロニカは勇気を与え、抱きしめ、そして自分の暖かさをたっぷりと分け与えた。

三人の女たちはいつもミニバスで移動していた。車の中で着替え、メイクし、スピーチの練習をした。「私たちは三人姉妹のようでした」とツェプカロは回想する。「移動中、私たちは一つの部屋で寝ました。私たちは一つの家族になった、と私は思います。」スヴェトラーナ・チハノフスカヤは、そのときまで大勢の人の前で話したことがなかった。「スヴェータには何の経験もありませんでした」ツェプカロは回想する。「普通の政治家が登壇して演説するのとは違っていました。私たちはいつもスヴェータを私たち二人の間に挟んで支え、こう言ったものです。「スヴェータ、私たちはここにいる。あなたは一人じゃない。私たちはあなたと一緒。」私たち二人はすでにスピーチご購読ありがとうございます。このカードは、小社の今後の出版企画および読者の皆様とのご連絡に役立てたいと思いますので、ご記入の上お送り下さい。

〈書　名〉※必ずご記入下さい

●お買い上げ書店名(　　　　地区　　　　　　　　書店　)

●本書に関するご感想、小社刊行物についてのご意見

※上記をホームページなどでご紹介させていただく場合があります。(諾・否)

●ご利用メディア

新聞(　　　　　)
SNS(　　　　　)
その他
メディア名
(　　　　　)

●本書を何でお知りになりましたか

1. 書店で見て
2. 新聞の広告で
(1)朝日 (2)読売 (3)日経 (4)その他
3. 書評で(　　　　　紙・誌)
4. 人にすすめられて
5. その他

●お買い求めになった動機

1. 著者のファン
2. テーマにひかれて
3. 装丁が良い
4. 帯の文章を読んで
5. その他
(　　　　　)

●内容　□満足　□不満足

●定価　□安い　□高い

●装丁　□良い　□悪い

●最近読んで面白かった本　(著者)　　　　(出版社)

(書名)

㈱春秋社　電話 03-3255-9611　FAX 03-3253-1384　振替 00180-6-24861
E-mail : info-shunjusha@shunjusha.co.jp

郵便はがき

料金受取人払郵便

神田局
承認

1124

差出有効期間
2025年9月30日まで
(切手不要)

101-8791

535

千代田区外神田
二丁目十八―六

春秋社

愛読者カード係

*お送りいただいた個人情報は、書籍の発送および小社のマーケティングに利用させていただきます。

(フリガナ) お名前	歳	ご職業
ご住所 〒		
E-mail 小社より、新刊／重版情報、「web 春秋 はるとあき」更新のお知らせ、イベント情報などをメールマガジンにてお届けいたします。	電話	

※新規注文書（本を新たに注文する場合のみご記入下さい。）

ご注文方法 □書店で受け取り □直送(代金先払い) 担当よりご連絡いたします。

書店名	地区	書名		冊
				冊

の経験を積んでいました。しかし彼女にあれこれアドバイスはしませんでした。そのときの人びとは、間違っても許してくれたので。でも一度だけ言ったことがあります。「スヴェータ、落ち着いて！　震えないでね！」って」今、スヴェトラーナ・チハノフスカヤにアドバイスを求め、彼女にあれこれ質問するのは、ヴェロニカ・ツェプカロのほうである。

「ねえ、スヴェータ。二〇二〇年の夏で、特別にステキな思い出は何かしら。」ツェプカロはカメラに向かってほほえむ。チハノフスカヤは、当時自分がどれほど不安があったかを覚えている。選挙運動員が逮捕されたり、いつも誰かに尾行されていた。「ある町で私たちがステージに立っていたら、狙撃手が屋根の上にいました。私たち、どうしたらよいか分からなかった。何が起こるか見当がつかないから。そこで私たち三人で、狙撃手に手を振ったのですね。」

「今になってみると、何も恐れる必要がなかったかのような、すべてがすばらしい大冒険だったように思えます」とチハノフスカヤ。「でも不安はいつもありました。」それから彼女は考え込み、ちょっと笑った。「人びととの出会いはとても心温まるものでした。あんなに多くの人たちが、私たちを支持してくれるとは思っていませんでした。なるほど、人とは変わるもの。人といっしょに自分も変化していくのです。」彼女は繰り返した。「そしてもちろん、私たち三人が知り合うことができてよかった。」

　彼女たちの会話を聞いていると、ずいぶん昔の時代のことを話しているような印象を受ける。子どもの頃から知り合っている二人の大人の女が、友情を振り返っているかのようだ。「ねえ、あのときのこと覚えてる?」彼女たちは、過去の特別な時間を、現在に再現しようと試みる。「私たちの最初の選挙運動、スヴェータ、覚えてる? どこだったか言ってみて! 初めてステージに立ったときの気持ちを覚えてる? スヴェータ、人がたくさん押し寄せてきて、どこに立ったらいいのか、分からなかったじゃない。覚えてる? 私たちいつもそうだった。スヴェータ。バスを降りるたびに、私たちは手をつないで、抱き合って、支え合っていた。それはとっても素晴らしかった。あなたとマーシャが私と一緒にいてくれるという自信が、心の中に生まれた。人びとが私たちをどうやって助け、支えてくれたか覚えてる? 私たちが言葉に詰まるたびに、彼らは言ったわよね。「いいぞ! だいじょうぶだ! ガンバレよ!」」彼女は笑う。「スヴェータ、教えてくれる? 道の途中で何を食べたっけ。私が言っても誰も信じてくれない!」そこでチハノフスカヤが答える。どのようにして、彼女たちがガソリンスタンドに立ち寄り、ホットドッグとポテトチップスを買ったか。そしてミニバスの後部座席に詰め込まれて旅を続けた。ツェプカロはつぎつぎと質問をくり出す。チハノフスカヤはある時点で、あふれんばかりのエネルギーのツェプカロに話を委ね、少し息をつく。

このヴェロニカ・ツェプカロの感激に満ちた話は、二〇二〇年夏の盛り上がりの理由を理解するのに役立つ。この夏に、苦痛に満ちていた多くのベラルーシ人たちは、魔法にかかったようになり解放された気持ちになったのはなぜか。なぜこの夏が何十万人もの人びとを高揚させ、その人生を変える出来事にまでなったのか。そしてまた、健康を失ったり、さらには命まで犠牲にしてしまった人まで出てしまったのはなぜか。ルカシェンコの治安当局があらゆる異論を消し去ろうとし、ベラルーシの別のもっと良い未来への見通しを曇らせてしまう現実がありながら、この夏が、人びとに慰めと力を与える思い出の時点になったのはなぜか。ヴェロニカの話は、これらの〈なぜ〉を理解するのに役立つ。それはこの夏、多くの人びとの気持ちが、女性三人組の気持ちと重なったからである。不安を乗り越えたこの三人組は、人びとの期待や確信を一身ににない、社会がときどき必要とする触媒のような作用を及ぼした。その夏、ベラルーシ人たちは、マルク・シャガール（一八八七～一九八五、現ベラルーシ領のヴィテプスク出身（誕生当時はロシア帝国領））の描く人物のように、いつもの陳腐な世界から飛び立って自由に浮遊していたのである。

「信じる、できる、勝利する！」

選挙の三週間前の二〇二〇年七月十九日、ミンスク近郊のジェルジンスク市において、高層ビルの間の小さなステージで、スヴェトラーナ・チハノフスカヤ、マリア・コレスニコヴァ、ヴェロニカ・ツェプカロが初めて一緒に登場して第一声を発したとき、聴衆は数百人であった。同日夕方、彼らが首都の片隅の公園で演説したときには、すでに数万もの人びとが彼女たちを待っていた。それから数週間、この状態は続いた。彼女たちが現れるところはどこでも、何千人もの人びとが彼女たちに対して歓声を浴びせた。政治集会なのにロックフェスそっくりになった。解放された気分で、携帯電話を高く掲げて歌う人びと。彼らはポーランドやソ連の古い抵抗歌を持ちだし、いつかは崩れる壁や、心から待ち望んでいた変化を歌った〔93頁註参照〕。

写真家や運動員や支持者の女性たちは、選挙運動期間の写真をツェプカロに送ってくれた。それらは彼女の携帯に保存されている。サングラスをかけた三人組の女たちの写真。腕を組んで、それぞれが自分のサインを見せている写真（ヴェロニカはVサイン、スヴェトラーナは握りこぶし、マリアはハートの形）。選挙運動に参加した三人の少女が、まったく同じサインをして見せている写真。群衆の写真もある。人びとの間で、女三人組の大きな肖像が高く掲げられている。三人組が手をつないで、その手を高く上げている。そのつぎは大声で応援する女たち。生活感のある女性の、ほっとしている様子。その隣では、若い娘が三人組のスローガン「信じる、できる、勝利する！」のポスターを掲げている。このスローガンは、新しくない。数年前にさまざまな抗議行動に登場していた。このスローガンはこの二〇二〇年の夏に、ベラルーシ社会全体に影響を及ぼすことになった。ある写真には、密集する群衆が写っている。第一列目には男がシルバーカーに腰掛けており、隣には各世代の女たちが立っているが、白髪の女性はしゃがみこんでいる。

ヴェロニカ・ツェプカロは最終的にラトヴィアへの亡命という袋小路に追い込まれてしまった。しかし、すべてを包み込む陶酔感に満ちたこの期間を、ヴェロニカはよく思い出す。あるとき、彼女がマリア・コレスニコヴァにこうたずねたのを覚えている。「マーシャ、この結末はどうなるのかしら。」

女三人組では、スヴェトラーナ・チハノフスカヤが主婦を、マリア・コレスニコヴァがフェミニストを具現化しているならば、ヴェロニカ・ツェプカロは両女性の統合である。選挙戦でツェプカロは、スヴェトラーナ・チハノフスカヤは伝統的すぎる、マリア・コレスニコヴァは解放されすぎている、と感じている人びとに話しかけた。三人の女たちのそれぞれが、自分の支持者をつかんだのである。「私たちは仲間であり、戦友でした」とヴェロニカ・ツェプカロ。「私たちの間に競争はありませんでした。」ベラルーシでは、かつてそのような同盟は存在しなかった。

スヴェトラーナ・チハノフスカヤは、温かい心と人の良さで際立つ。マリア・コレスニコヴァはリーダーシップが特徴である。「マーシャ〔マリア〕は組織運営がとても上手でとても強い」とコレスニコヴァについて、ツェプカロは語る。「人にやる気を起こさせる能力は、信じられないほどすばらしい。彼女は力をくれる。マーシャはいつもこんな調子。「さあ、さあ、進め、進め！　みんな来て、食べよう！　みんな、休もう！」」ときどき彼女たちは議論もした。あるときヴェロニカ・ツェプカロが「女の強みはその弱さのなかにある」と繰り返したことがある。するとコレスニコヴァは反論した。「強さを見せないなんて考えでは、私は何も始められなかった。」

スヴェトラーナ・チハノフスカヤとヴェロニカ・ツェプカロが国を去ってからしばらく時がたち、三人組のうち、覆面の男たちに拉致されたマリア・コレスニコヴァだけがベラルーシに残った。二〇二〇年九月八日、その彼女がミンスクの第一拘置所に収容されたことが判明した。

運命の日

人は自らの生に、何らかの意味を持たせたがるものだ。おそらく、自分は運命の手にゆだねられ無力である、と思いたくないからであろう。誰にとっても自分の運命を決めるのは自分自身である。これは疑いようがない人とは、最終的には自分が全能であると信じると、安心していられる存在のようだ。まとまりのない出来事であっても、それには始まりと終わりがあって、中間部分には何らかの意味があるので、人はそれを物語へと仕立てる。そのように仕立てられた物語の中では、不幸や運命の一撃や決断も、単なる偶然ではなくて、意図的で大きな物語の一部のように見えるものである。不幸な時代には、とんでもない無法な要求でも、これには何か深い意味があるのだ、いや深い意味があるはずだ、と考えて自らを慰める。人は不遜にも人生の出来事に勝手な意味づけをするのだ。こうすれば、人生における挫折は偶然ではなくて、何らかの意味を持つように思われてくる。ちょうどヴェロニカ・ツェプカロの人生において、九月八日が重要な運命の日となったように。

この日付は、ほぼ四半世紀前から彼女の人生の転機となった。九月八日はヴェロニカ・ツェプカロの誕生日である。しかし彼女はこの二〇年間、自分の誕生日を祝っていない。九月八日は母親が癌で亡くなった日だからである。政府は最終的に母を解放したので、刑務所ではなく、家で家族と一緒ではあったが。そしてちょうどその二〇年後の九月八日に、女三人組の一人、マリア・コレスニコヴァが投獄された。

ヴェロニカ・ツェプカロが設立した財団〈ベラルーシの女たち〉は、もし自分の母の苦しみとコレスニコヴァの投獄がなかったら、存在しなかったかもしれない。女性に対する暴力と抑圧の問題は、今やヴェロニカ・ツェプカロの人生のテーマとなった。彼女は、〈思想の自由に対するサハロフ賞〉の受賞で受け取った賞金を、この財団につぎ込んだ。財団は二〇二一年の初めに新しい事務所に引っ越したばかりである。彼女は三〇人近くの女性に聞き取り調査し、自らの体験を語ってもらった。その中には、レイプはまぬがれ〝ただ殴られた〟だけなのに、聞き取りに応じてしまったと自分を責めている女たちもいる。別の女たちは、国に子どもをさらわれないように亡命した。

「これらの女たちが共有する連帯感は信じられないほど強く、それに並ぶような強い連帯感は、今まで見たことも聞いたこともありません」とヴェロニカ・ツェプカロは言う。彼女は女たちの可能性を広げ、「男女同権」のために戦いたいと思っている。二〇二一年の春、彼女はアンゲラ・メルケルに書簡を送り、アレクサンドル・ルカシェンコを捜査するよう、ドイツに求めた。彼女は、ルカシェンコが人道に対する罪でハーグの国際刑事裁判所〔ＩＣＣ〕で裁かれることを望んでいる。

しかし事態の進行は、順調ではない。西側の財団を頼って資金と支援を求めてきたが、と彼女は言う。「しかしこれまでのところ、返答は拒絶ばかりでした。私はどのような援助にも感謝します。ジェンダーの公正は私たちの国にとって新しいテーマだからです。」

それは〈新しいテーマ〉だろうか。国家が政治的にアクティブな女性を処罰するのは、新しくはない。ベラルーシは以前から、政治的圧力の手段として子どもの福祉を悪用してきた〔192頁参照〕。

ベラルーシは閉じ込める――女たちも。新しいのは、政権による大規模な残虐行為、信じられないほどの数の犠牲者である。新しいのは、社会全体が暴力にさらされた点である。

それならなぜヴェロニカ・ツェプカロは、自分たちの選挙集会で、女たちの苦しみに言及しなかったのだろう。なぜヴェロニカは、女性活動家たちと会わなかったのだろう。彼女たちは、女たちの保護をもっと充実させ、女たちの権利を強化するために何年も戦ってきたではないか。小さくて目にとまらなかったにせよ、彼女たちは何年間も、抗議運動を組織してきたではないか。二〇二〇年夏、彼女の話に魔法にかけられたように聞き入った人びとに、衝撃的な数字を提示しなかったのはなぜだろう。ある国連報告によると、ベラルーシ人女性のほぼ半数が夫からの心理的暴力を経験し、四人に一人が身体的暴行をこうむっている。専門家の推定によれば、家庭内暴力の四分の三は、誰の責任か結論が出されないまま放置されている。世界的な傾向であるが、パンデミックの間に女性の状況は悪化した。これらの事実に触れないで、なぜ三人の女は家族の愛と思いやりについて語ったのだろうか。

「そのようなテーマは、選挙運動中には無視されていたからです」とヴェロニカ・ツェプカロは言う。「私たちの一番の目標は、ルカシェンコ追放でした。最も多くの人の心に響くと思っていたテーマを話したのです。」当時の彼女たちが、女たちへの暴力を〝最も多くの人の心に響く〟テーマではないと考えていたのは明らかである。おそらくヴェロニカ・ツェプカロの判断は正しくさえある。家庭内暴力や性的暴行は、ベラルーシ社会では長い間、あまり大きな共感を得られなかったテーマであり、フェミニストや活動家の女性たちが取り上げても、人びとの主たる関心事にはならないテーマであった。ニッチであると考えられていたこのテーマがベラルーシ社会で広く共感を呼ぶのは、二〇二〇年の夏より後になるであろう。このようにも言えるだろうか。亡命中のヴェロニカ・ツェプカロのような女性が、女性の権利を生涯のテーマにすれば、女たちの受けた暴力は集合的な経験となるであろう。

「今日私が女性問題に取り組んでいる理由の一つは、マリア・コレスニコヴァが刑務所にいることです」とヴェロニカ・ツェプカロは言う。「私は彼女の助けになりたいのです。」

○

ヴェロニカ・ツェプカロは投獄をまぬがれたが、彼女にも支払うべき代価がある。選挙運動のための借金がいまだ完済されていないのだ。ベラルーシにおけるツェプカロの口座は封鎖され、ミンスクの住居は差押えられた。ルカシェンコの手先は、テレビや掃除機まで没収した。ツェプカロの家が家宅捜索されるのを知った友人たちはすぐにやって来て、〈クローゼットで見つかった、麻薬で溢れんばかりの包み〉や〈ソファの後ろに隠された百万ドル〉が現れないようにしたのだという。これらは、政敵を何年間も刑務所に押し込めて行方不明にしておくために、政権が考え出した有効な方法である。スヴェトラーナ・チハノフスカヤの夫の〈山荘《ダーチャ》〉が家宅捜索されたとき、治安部隊はそこに九〇万ドルが散らばっているのを〈発見〉した〔99頁参照〕——ただし、十二時間の不眠不休の家宅捜索、さらに三回目のシフト交替のときまでは発見されなかったのだが。

　ツェプカロ家の場合、ルカシェンコの手下たちは、本来証拠探しなどに苦労する必要はない――政権は以前から逮捕状をもってヴェロニカの夫を指名手配していて、彼の引き渡しを亡命先に要求している。

　このような事情でツェプカロ一家はリガにとどまり続けており、スヴェトラーナ・チハノフスカヤや他の反ルカシェンコ派のメンバーと定期的に連絡をとっている。しかし、ツェプカロ夫妻の影響力と政治的重要性は低下している。彼らはワルシャワやヴィリニュス在住の他のメンバーから切り離されているのだ。二〇二〇年の秋に逃げたとき、一家は息子たちがロシア語の学校に通うことができるようにリガに行くという、あえての決断を下した。それはヴェロニカ・ツェプカロにとって重要である――「移住ではなくて、一時的な亡命なのです。」一家はホームシックに悩まされ、すぐにでも戻りたいと思っている。彼らは、アレクサンドル・ルカシェンコがこれ以上権力の座に留まることはないと確信している。「留まり続けることは絶対にない。おそらくない。でも、ひょっとしたら。それとも……。」

7　体制が牙をむく

我が家には
不安がある
遺産として引き継いだからには
これは私の不安——
一族の遺品として
価値ある石として
譲り渡される
親から子へと、子から孫へと

——ユリヤ・ツィマフェエヴァ
〔『恐怖の石』〕

恐怖を記録する

最初にイリーナが、あるミュージシャンから聞き取りを行なったのは、二〇二〇年十月のことだった。「よく覚えていますよ」とイリーナ。「とてもたいへんだったけど、とてもうまくいった！」まさにこれから暴力や拷問について語ろうという人が、自信にあふれているとは予想外であった。

イリーナは若い女医で、息子が一人いる。昼間は八時から十七時までミンスクのある病院で働いている。昨年の秋以来であるが、仕事が終わると、十歳の息子に隣の部屋でアニメを見せたり、おばあちゃんに預けに行く。それから彼女は、ある人たちと話す。ベラルーシの護送車や留置所で、侮辱され、殴られ心理的に苦しめられ、レイプされたが、それについて、彼女に直接あるいはオンラインで、話す気になった人たちだ。

イリーナの最初のケースは男性ミュージシャンで、「自分はまだマシ」とのことだった。彼は選挙の後、抗議運動をする人びとのところで働いた、救急活動のボランティアであった。そのとき働いていたグループは、全員一緒に連行された。彼はジョディノ、つまりマリア・コレスニコヴァがしばらく入れられていた拘置所にいたが、二〇二一年初頭には、まだセルゲイ・チハノフスキーがそこに入れられていた。そこでは、その男性ミュージシャンに手を出す者はいなかった。殴られたのは別の者たちだった。「ラッキーだ！　まるでサナトリウムみたいじゃないか！」イリーナは彼とは当時、カフェで会っていた。ミュージシャンは笑みさえ浮かべていた。「私は思ったわ。ああ、大丈夫そうね。これなら何とか聞き取りができそう！」とイリーナ。「でも、下を見たら分かった。彼の両手が震えているのよ」。このミュージシャンは、収監されている間は何とかなったのかもしれない。しかし逮捕時の暴力はそうはいかなかった。殴られて、〈スタカン〉に入れられたのだ。

スタカン〔ロシア語で「コップ」の意味〕とは囚人護送車の中にある、密閉されたガラス製の箱である。空気穴はいくつかあるが、閉じ込められると窒息しそうになる。逮捕後に警察署で、手を上げて頭を下に向け壁に押し付けられて、身動きするなと言われ、彼は三時間も立たされた。自分がこれからどうされるのか、と不安になったのが最もこたえた。「どんな酷い目に遭っても不思議はない、とこの若いミュージシャンには思われたのです」とイリーナは語る。

ほぼ毎週イリーナはそのような聞き取りの仕事をする。「拷問の記録が、今は私の第二の仕事。自分は、ある組織で働く六〇人近いボランティアの一人。組織名は伏せておいて」とイリーナ。国家の拷問の実態を明るみに出そうとする者は皆、自分自身がいつ国家的拷問の犠牲者になってもおかしくない。

聞き取り中に、内容の真実性を裏付けるための質問も混ぜる。「閉じ込められた囚人房はどのくらいの広さだった？　ベッドはいくつ？　何人が入れられていた？　便器はむき出し、それとも？　治安部隊はどんな話し方だった？　彼らは何て言っていた？　どんな道具で逮捕者は殴られていた？　殴られたり傷つけられたりしたのは体のどこ？　医師による治療を受けた記録はある？　治安部隊は記章や腕章をつけていた？　何か特徴があった？」最後はとくに重要である。拷問者はほぼ全員が、覆面しているからだ。聞き取り調査をされた人は「自分の証言と個人情報は加工され（すなわち匿名で）、逮捕の状況の詳細は伏せた形で公表しても構わない」という内容の、一ページ半にわたる同意書への署名を最後に求められる。拷問の記録には、いかなる誤りも許されない。一つでも誤りがあれば、組織全体の仕事が信用を失ってしまう。

これまでにイリーナは、証言の意思を明らかにした男女に二七回のインタビューを行なったが、この数は多くはない。百以上の証言を集めた同僚たちもいる。「全貌を知るには、これで十分」とイリーナは言う。彼女は〔二〇二〇年〕十月以来聞き取りの役を務めている。それ以前は他の医師たちとともに、ミンスクの中心のオクレスティン通りにある拘置所のかたわらで、釈放された人びとを待っていた。通称「オクレスティノ」と呼ばれるこの拘置所は、とりわけ恐れられている。何百人もの人びとが短期間に逮捕された。二〇二〇年夏には、愛する人の消息であれば何でもよい、とにかく何かを知りたいと希望する家族たちが、拘置所の塀に押し寄せた。

これらの絶望のさなかにいる人びとの光景を見たとき、私はロシアの詩人アンナ・アフマトーヴァのことを思い出さずにはいられなかった。スターリンの恐怖政治時代、彼女は何百人もの人びとと共に、レニングラード〔現サンクトペテルブルク〕の刑務所の前で、十七か月待ち続けた。自分の息子について、また何の理由もなく次々と秘密警察に連行され消息を絶った友人たちについて、何らかの情報を得ようとしたのである。歴史上の事件と目前の光景との比較は不適当と思われるかもしれないが、しかし両者にはどこか符合するところがある。待つことの不安、不確実が引き起こす心配、愛する者の身に何が起きているのか、まだ生きているのか、あるいは釈放されるのか、もしそうだとしたら、それはいつだろう？——これらのすべては、たとえ細い糸であっても、惨憺たる当時とむごい今日をつないでいる。

出所した人びとは足元もおぼつかない。彼らは待っていたイリーナのような医師たちに介抱された。多くの人びとが歩行困難であった。太ももの裏側を何度も打たれて、感覚が無かったからである。ひどい打撲傷に加え手足の関節が脱臼した人たち、体中アザだらけの人たち、頭部を負傷したり、トラウマ（精神的外傷）を負ってしまった人たち。イリーナが処置したのはこのような人びとである。その後彼女は、ベラルーシにおける拷問を記録しようと決心した。「ベラルーシでは病院に行くのも簡単ではないし、「私はオクレスティノ拘置所で殴られました、それを記録しておいてください」とも言えません。内臓を損傷していたのに、何日間も自宅にいたままで医者に行かなかった男性もいます。皆、不安なのです。患者も沈黙していますし、医者も沈黙しています。」聞き取り内容をイリーナはレコーダーに録音している。全内容を文字に起こして、同意書と共に組織に送る。

活動をしているうちに、話を聞いているだけで、自分がトラウマを負ってしまったのも不思議ではない、とイリーナは言う。秋以来、彼女は戦場からの帰還兵に見られる徴候を我が身に発見した。ＰＴＳＤすなわち〈心的外傷後ストレス障害〉である。彼女はときどき重苦しい恐怖心に襲われる。自分を連行するために民警がすぐ戸口に待ち構えているのではないか、自分の最愛の者たちが苦しむことになるのではないか。こんな作業は空しいのではないかと思うたびに、パニックに襲われる。そしてこの悪夢は決して終わらないだろうと思ってしまう。「報告を記録するとき、私は自分の個人的感情への回路を閉じてしまいます。質問は簡単で明瞭にしなくてはならない。聞き取り相手が取り乱してしまったら、支えてあげなくては。そして、そういうときこそ、私は落ち着いていなければなりません。そこでようやく分かります、この人がどのような目に遭ったのか。聞き取りが終わったあと。今度は私の番。涙を流したり、声を上げて泣くことがやっと許されるのです。」彼女は今、心療内科の処置を受けながら、報告を作成しつづけている。「助けの手を差し伸べなければ、何の解決もありません」とイリーナ。

報告書のなかには例えば、二〇二〇年十二月に〈テレグラム〉を介して連絡してきた若い男性がいた。直接面会することには、彼はあまりにも大きな不安を抱えていた。そして何度も言葉を詰まらせては泣きながらその細部をイリーナに語った。逮捕後に、どのように彼が痛めつけられたか。どのように治安部隊は彼を警棒で殴りつけ、内蔵に傷を負ってしまうほど残酷な目に遭わせたのか。あるいは、拘置所で、警棒を突っ込まれて膣が裂けてしまった女性がいたこと。レイプはしばしば行なわれている、とイリーナは信じている。

スウェーデンの日刊紙『ＥＴＣ』の編集長アンドレアス・グスタフソンは、ストックホルムに逃れてくるベラルーシ難民に注目するうちに、ある若いベラルーシ人女性のケースに行き当たった。その女性は、自分の身に起きたことを世界中に知ってほしくて、グスタフソンとビデオ通話をした。心に傷を受け、身体に怪我を負い、歯が損傷している女性の話に、グスタフソンは耳を傾けた。今、彼女の世話をしている両親とも話した。自分の話を裏付けるために、女性はミンスクで医師が出した一通は公的な、一通は私的な診断書を彼に見せた。「両方とも、その女性のかなり重度な負傷について記述している。しかし、私的な診断書のほうには、彼女が容易に亡命を受け入れられ、外国で治療を受けられるように、彼女に負傷をさせたのはOMONの警官であると、勇気ある医者が証明していた」とグスタフソンは語る。

「拷問は手慣れたものでした」とその女性はグスタフソンに話した。「拘置所でOMONの警官は、一言も発さずに目の前で助けを請う私を殴り続けました。」彼女の歯はわずか五本しか残っていない。彼女は自分の腸をもはやコントロールできなくなり、おむつを当てざるをえない。生殖器の損傷はひどく、将来子どもを産めるようになるかはわからないと医者は言っている。このような損傷は、テロリストが一般市民に性暴力をふるう戦闘地域でしか見られない、と損傷した子宮の再生治療が専門の医師はグスタフソンに言った。しかし、若い女性にそれほどの傷を負わせたのは、敵方戦闘集団の首領ではない――ベラルーシのOMONの警官、まさに同胞である。その女性は今なおベラルーシに生活している。彼女は釈放された後で、輸血を必要とし、手術を受けねばならなかった。その後歯は治療されたが、他の傷はすべて処置されないままである。その女性は歩く力もなく、精神は落ち込み、自殺の危機にある、とグスタフソンは言う。彼は定期的に彼女と連絡を取り、援助を試みている。「こういう話は頭から離れない。この女性のことは忘れられるものではありません。」

強姦の犠牲者には男性もいる、とイリーナは言う。男女にかかわらず、すべての暴行犠牲者のうち、一〇パーセントはレイプされた経験がある、と彼女は推測する。けれども被害者が性的虐待に遭ったことを申し出ないのが、ほとんどである。「こうした犯罪行為に遭って生き延びた人びとのほとんどが、即刻国を立ち去るか、可能ならば外界との接触をすべて断ち切りたいと思っているはずです」とイリーナは言う。「立ち去れない人、余儀なく留まる人は、とにかく口をつぐむしかないのです。」このような人びとの声は支援ボランティアに届かない。

イリーナが報告した二七のケースから、八名がその証言を後になって撤回した。初めのうちは、証言を促すのは比較的容易だったという。「しかし今では、多くの人が不安を抱いています。彼らの事情は理解できます。」被害者が決心して、自分の苦しみを教えてくれたり、それどころか公表さえするケースもあった。ところが、実際に捜査対象となったのは拷問した側ではなく、なんと拷問された側、すなわち拷問の被害者であった。

私がイリーナと話したのは、二〇二一年三月である。「目下、逮捕のときあるいは拘置所や刑務所で何が起きているのか、何も言えない」とのことであった。その時彼女は、二〇二〇年夏の出来事の記録を、まだ終わらせていなかったのである。ところがその半年後に問い合わせてみても、最終報告はできていない、とのことである。

組織的な拷問

八月九日の不正選挙直後の数日は、ベラルーシ独立以来の、最も陰惨で暴力的で残酷な日々であった。七〇〇〇名以上の人びとが逮捕され、そのほとんどが無差別で恣意的であった。ロシアの亡命通信『メドゥーサ』で働く、ロシア人レポーターのマキシム・ソロポフも逮捕された——報道関係者の証明を提示したにもかかわらず。彼は逮捕時に殴られ、血腫、脳震盪、裂傷を負った。囚人護送車の中で、全身の震えが止まらない十五歳の少年が隣に座った。ソロポフは少年を落ち着かせようとした。それを聞いたＯＭＯＮの警官が脅した。「お前ら、しゃべってみろ。歯を叩き折ってやる。脳ミソが飛び出すぞ。」後に書かれたソロポフの記事である。

運悪くたまたまその時に家を離れていて、連行されて気づいたら刑務所の中だった、という者もいる。外国人も逮捕された。彼らはたいていの場合、幸運であった——取り扱いはベラルーシ国民ほどひどくはなかった。

イタリア人クラウディオ・ロカテッリは、数名のロシア人、中国人、モルドヴァ人、ウクライナ人、トルクメニスタン人と共に一つの囚人房で六〇時間も拘束された。彼らはみな無差別に逮捕されたが、モルドヴァ人はなんと、ルカシェンコにより選挙監視人として招かれた人物であった。デモに参加していたのは、唯一中国人だけであった。一斉逮捕が始まると、ロシア政府に忠実な、ロシア国営テレビＲＴの記者さえ逮捕された。ロカテッリが解放された直後、私は彼にインタビューした。彼は、フリー・ジャーナリストとしても活動している人物だ。「突然路上で拘束され、オクレスティノへ連行されたよ。何百人もの人たちが同時に到着した。そこで分かった。万事が流れ作業なのだ。」

ロカテッリは、イタリア大使館への通報を許可されなかった。彼が言うには、自分には一日中食事も飲料水も与えられなかった。ついに房にある蛇口から水を飲んだが、それには血液と尿の染みたボロ布が巻いてあった。彼はすぐに体調を崩し、何度も嘔吐し、脱水症状になりかけた。呼ばれた女性医師が脈をとったが、所見は〈すべて異常なし〉。翌朝ロカテッリが廊下を通って他の囚人房に移されるとき、床や壁や毛布に、血がこびりついているのが見えた。大量のカバンやリュックのまわりには、人間の歯や、引きちぎられたピアスが散乱していた。いたるところで、何百もの携帯が鳴っている。家族が消息不明者たちを探すために、絶えず電話をかけていたからだ。「僕たちはベラルーシ人よりはるかにましだった。一番ひどい目に遭わされたのは、ベラルーシ人たちだった」とロカテッリ。

元来、逮捕者のためには、手続きが定められていた。彼らはたいていまず警察署に連行され、取り調べのための拘置所、つまり一時的に拘束されるために留置場へ送られた。そこで、その名にも値しない審理を待つが、そののち、再び拘置される――あるいは罰金刑を言い渡される。しかし、抗議運動の最初の三、四日でかなり多くの人びとが逮捕されたため、この仕組みが機能しなくなった。手続き処理が混乱に陥ったのである。直接刑務所に送られた者もいれば、釈放の手続きを経ないで数日後に解放された者もいる。刑務所はあっという間に満杯になり、どうしようもなくなった。十二人用の囚人房に、五〇人、ときには六〇人もの逮捕者が詰め込まれた。

とりわけひどかったのは、オクレスティノ拘置所だった。到着した男たちは、手を上に挙げて、頭を下に向けさせられ、両側に並んだ警棒の列で殴られ、けものか虫けらのように罵られなければならなかった。「お前らが変革を欲するだと？　バカ言え」と治安部隊たちは罵り、そして逮捕者に「ＯＭＯＮが大好き！」と叫ぶよう強要した。刑務所や、その中庭ではスペースがまったく足りず、折り重なって寝かされた者もいた。逮捕されたロシア人レポーターの報告である。あらたに逮捕された者は横たわる人びとの体の上を歩かされ、腕や足を踏んでいった。頭から血を流して倒れている者もあり、ありえない角度に手足が捻じ曲がっている者もいた。人びとは体育館に集められ、何時間も不自然な姿勢を強いられた。何日間も彼らには食事はおろか、医者の手当さえも与えられなかった。トイレに行くことは許可されず、多くの者が大小便まみれであった。

全体では、少なくとも二人が逮捕後に死亡した。抗議運動の際さらに二名の死亡が確認された。二〇二〇年八月に人権組織「ベラルーシの拷問解明のための国際委員会」という、ベラルーシ人と外国人の十二名からなる合同委員会が作られた。この委員会は、数千人が身体的にも心理的にも傷を負い、治療を必要とするのを確認し、これは平和と人間性に反する犯罪だと判断した。治安部隊に対する四六四四件の苦情申し立てがあったが、その一件たりとも刑事訴訟にはならなかった。

ルカシェンコはこの暴力をあっさりと片付けた。治安部隊は国を「ナチスの攻撃」から救ったのであり、「違反？　そんなものは、どこにも存在しない。組織的な拷問を記録した、無数の画像はどうだって？　半分以上がフェイクさ。何人かの娘っ子の背中や尻に、あざに見えるように青色を塗ったんだ。」ルカシェンコは、ロシアのプロパガンダ放送局ＲＴの女性編集長とのインタビューで言い張った。捜査は――抗議活動を行なった者たちに対する捜査は始まっている。九〇〇人以上が逮捕され、刑事訴追された。何年にもわたる禁錮刑が彼らを待ち受けている。

国民としての意識

ルカシェンコの敵、ヴェロニカ・ツェプカロとのインタビューでとくに記憶に残っている発言がある。「私は信じていたのに。そんなことをしたのが、ベラルーシ人だなんてありえない。」同国人が同国人に対してそのような犯罪をおかすことはない、と彼女が信じて疑わなかったことを示す発言である。連中は金で雇われている傭兵か、あるいは他国から派遣された兵や他国の警察官だ、と最初ヴェロニカは思っていた。彼女にはまったく考えもつかなかったのだ。ベラルーシ人が、このような犯罪をベラルーシ人に対して行なうことができるとは。午前中に挨拶したかもしれない隣人を、午後には拷問できるだろうか。他の女たちもインタビューで同様の発言をした。警察の自国民への非道という、彼女たちには理解できない事態を理解するには、外国人の介在を想定するほかなかった。インタビューでは、この発言に続いてさらに次の言葉が繰り返される。「国家は残虐になりうることは知っていた。しかしここまでひどいとは思ってもみなかった。」

だが、この拷問と暴力の暗い日々には、想像もできなかったことが起きていた。ベラルーシ社会が一つにまとまったのだ。もし団結していなかったら、抗議運動はすぐに消耗して無くなってしまったかもしれない。若者たちはもうしばらく路上に残っても、疲れ果ててしまったかもしれない。また他の者たちは、いつかはルカシェンコと折り合いを付け、心のうちでは彼を憎悪し、かつてのように閉めきった台所で、密かに恨みの言葉をつぶやいたかもしれない。ところが、すこし前にコロナ・パンデミックが社会を揺るがしながらも連帯させたように、今回は抑制のきかない国家の暴力が、社会の結束を固めたのだ。かつて多くの人たちは、〈黙っていれば国は何もしてこないだろう〉と踏んでいて、自分たちは安全だと思い込まされていた。〈暴力と抑圧はいつも他人のことさ。行儀よくさえしていれば自分たちには何も起こらない〉、というのは結局迷信であり、呪文のようなものである。これには何の効き目もないことがはっきりした。こんな呪文を唱えたところで、例外なくすべての人に、暴力が襲いかかる可能性があるのだ。

女たちは抗議した。ＩＴ技術者たちも抗議した。医療従事者たちも抗議した。市街地では普通ありえない、戦闘地域や狩猟場でしかお目にかかれない傷を負った人びとが次から次へと担ぎ込まれ、彼らではとても手に負えない状況になった。医師たちは連帯を示すため、昼休みに白衣を着たまま人間の鎖を形成し、逮捕された。集中治療医のボグダンは、自分の病院の前で連行された。彼自身が糖尿病であったが、治安部隊はインシュリン注射をさせてくれなかった、と語る。これは本当の話だと同僚たちは言う。刑務所内で命に関わる糖尿病の昏倒を起こして、ボグダンはようやく病院に運ばれた。医師たちは、暴力の根絶と責任者による釈明を要求した。

国営工場の労働者も立ち上がった。仕事をボイコットする者もいた。国営放送のキャスターの女性や撮影技師はストライキを決行し、政権の嘘を広める放送をやめようとした。学生たちは抗議行動に連なった。歴史学者、大学の教員、女性教師、ハイレベルな女性スポーツ選手も。その中には国家チームの国際的に有名なアスリートや、サッカー選手やバスケットボールの女性選手もいた。ミンスク・フィルハーモニーの楽団員たちは集合して、プロテストソングを歌いサッと解散した。芸術家たちも、女優たちも抗議活動をした。ＩＴ企業「PandaDoc」の創始者の一人、ミキータ・ミカドは、治安部隊にサイドチェンジ、つまり政府側に付くのをやめるよう呼びかけ、彼らを財政的に支援する寄付金集めのクラウドファンディングを立ち上げた——彼らが政府側に留まる理由が金銭問題であるならば、と考えて。そして実際に、ほんの数人ではあるが警官、捜査員、ＯＭＯＮ特殊部隊の警官が職を辞した。

手垢はついているにせよ、この状況を的確に表すのにうってつけのフレーズがある。「民衆が立ち上がる」——スローガンこそ違えど、毎週日曜日にはベラルーシ中でデモが行なわれた。そこでは、男性であれ女性であれ、デモの先頭に立って音頭を取る者はいなかった。何十万の人びとが、自分で道を見つけて歩いた。自主的に、かつまた平和的に。それはまるで、独裁者と独裁者の意のままに整然と動く組織に対抗するために、本当にバラバラの個人が集まって来ただけのように見えた。それに加えて、個別の組織や団体によるやや小規模な抗議活動もあった。土曜日には女たちが出てきた。月曜日には学生と年金生活の女たちがデモをした。木曜日には身体不自由者が出て来ることもあった。ミンスクの目立たぬ空き地では、通信アプリ〈テレグラム〉を介して、デジタルで

つながりあう町内チャットグループが組織された。彼らはコンサート、食事会、映画上映会、茶話会を催した。人びとは大都市の匿名性に隠れるのをやめた。赤の他人から隣人となったのである。

ミンスクの、ある中庭がとりわけ有名になった。それは、交通量の多い幹線道路に近く、灰色の集合住宅に囲まれた空き地であり、小さな遊び場があり、多くの車が駐車している。もともとは人目につかない空き地だったが、今や隣人となった人びとは、それを「変革広場」と名付けた。誰かが広場の中央にある共同通風口に、空に向かって両手を突き上げる二人の男のシルエットを描いた。それは二人の若いＤＪの姿である。彼らは選挙前に街の公式行事で、ソ連時代のロックグループ〈キノー〉の曲『変化がほしい』〔93頁註参照〕を流して、両手を空に突き上げるポーズをしたのであった。曲のテーマは変革への願望であり、ルカシェンコに敵対する者たちの非公式のテーマソングになった。その曲を流したゆえに二人のＤＪは逮捕され、有罪とされたが、二人は一夜にしてアイコンとなったのである。三日に一度は通風口に描かれたＤＪのシルエットが塗りつぶされたが、無駄だった。すぐに誰かが描き直す。同じようなことが、隣人たちが垣根に結びつけておいた、白赤白のリボンにも起きた。政府はときどき覆面の男たちをそこへ送り込んでリボンを引きちぎるのであるが、たちまち隣人たちは、新しいリボンを結びつけた。

姿を見せて抗議する人びとは驚くべき数に上ったが、彼らの多数は人生において初めて抗議行動に参加した。それをさまざまなアンケートが示している。東欧・国際研究センター（ZOiS）の調査によれば、以前に抗議行動に参加したことがあったのは、回答者のわずか四パーセントにすぎなかった。多くの人にとっては、スヴェトラーナ・チハノフスカヤが大統領候補者になったことが、抗議行動参加の決定的なきっかけになったのではないようだ。イギリスのシンクタンク〈チャタム・ハウス〉のアンケートによると、三分の一以上の人びとは、チハノフスカヤが自分たちの利益を代表するとは考えていなかった。アンケート回答者の八〇パーセントは、むしろ国家の暴力によって自分たちは結集したのだと答えた。「病院での仕事が終わってから拷問の痕跡を記録するのはなぜですか」と問うと、イリーナは答えた。「自分ができる限りのことをしているのです。この公然たる暴力、選挙結果の忌まわしい嘘が耐え難かったからです。」

白い服ゆえに逮捕

かつてベラルーシでは暴力は個人領域に限定され、存在すると分かっていても見て見ぬふりをされていた。暴力は以前からずっと目の前に存在していたし、独裁政権下で暴力は家族内だけでなく、生活のあらゆる領域に浸透していたし、暴力はルカシェンコ体制をまとめる接着剤の役割をしていたが、それでも暴力は関係者個人の領域に留まっていたのだ。ところが今や暴力を振るわれた経験は、個人の領域を越え、議論の対象となる体験になった。暴力は信頼、自信、人間関係を破壊し、服従を強いているからだ。

スヴェトラーナ・チハノフスカヤはベラルーシを「服従国家」と名付けた。暴力が、ほぼあらゆるものに浸透している。服従するように洗脳する幼稚園や学校。個人を押しつぶす治安当局。不正を隠蔽する法廷。今やすべてのベラルーシ人は、父権的な支配と独裁体制がいかに絡み合っているかを思い知らされたのだ。暴力に根ざした社会では、人間相互の信頼は困難である。暴力は、不信や不安を人の耳に吹き込む。

スターリンの恐怖の支配の時期、ソ連の最も暗かった数十年間、夫婦は互いに監視し、子どもは自分の両親を密告した。社会主義時代のポーランド、ルーマニア、東ドイツでは、誰かに密告されるかとおびえ、疑いの目を持って周囲に細かく気を配っていた。暴力は人を結びつけず、社会を断片化する。誇りを与えず、恥辱で満たす。人を質にとって、つねに監視の対象とする。平和な時代であるのに、昼夜分かたず、夫の暴力に対して身構えなくてはならない妻。家庭の平和は常に去ってしまいかねないから、たとえ待ち望んでいたとしても、家庭の平和を信じない子ども。市民たちは暴力的な政府当局に対して用心する。裏切りを常に嗅ぎ回り、裏切りに対しては、さらに大なる暴力で武装しようとするのが独裁国家である。

このヒリヒリするような不信が感じられる、と拷問を記録するイリーナは言う。「私は自国で最近起こった痛みの歴史を倦《う》むことなく記す大勢の記録者の一人にすぎません。痛みの記録は、人権侵害を明確にしようとするすべての組織にとって、きわめて大きな問題です。まだ二〇二〇年の初秋には、男性であれ女性であれ、インタビューの相手に、実際に面会できていたのですが」と彼女は言う。そこでとにかく大事だったのは、常に人通りの多い公共の場所、はやっているカフェやレストランで、面会することだった。しかし、二〇二一年三月末の現在では、もはや個人的に面会しようとする者はいない、とイリーナ。「不安が大きすぎるのです」――双方にとって。イリーナには、警察の罠にかかってしまうかもしれないという不安。拷問の犠牲者には、イリーナが治安部隊の囮《おとり》であるかもしれないという不安がある。彼女は今ではすべての聞き取りを、インターネットを介して〈テレグラム〉経由で行なう。

「それさえ難しくなりました」とイリーナ。「犠牲者は実名を明かし、顔を見せなければならないからです。あるとき、ひとりの男が電話をかけてきて、自分が受けてきた被害を話す予定でした。しかし彼は名前を絶対に明かそうとしません。自分のマスクも外そうとしないので、イリーナは彼の顔を認識できなかった。「そこで聞き取りは、取りやめざるを得ませんでした。」自分たちボランティアたちの仕事の信用を失墜させるために、もしも治安部隊当局が誰かを送り込んで、作り話を記録させられたとしたら……「不安に支配される者は沈黙し、沈黙の支配のもとでは告発はありません。」イリーナは言う。「現在のためではないのです。私の活動は未来のため、と考えています。しかしそもそも、この活動が続けられるためには、人びとは相手を見きわめ、顔を合わせて、信用しあうほかありません――そののちに、話ができるのです。」

一瞬ではあるが、二〇二〇年夏には沈黙が破られたように見えたときがあった。人びとは互いに顔を見せ、認め合い、信用しあった。仲間を形成した。まただからこそ、ルカシェンコはかくも情け容赦ない攻撃を加えて、一歩も譲ろうとしなかった。何らかの脅威が発生したのを察知したのかもしれない。人びとが全体として結集し行動に向かったとき、「ベラルーシの民が本来のベラルーシ国民となる過程」として、皆に認識された、とドイツのベラルーシ専門家のアストリート・ザームは考える。ソ連の崩壊後、長いあいだ待たれていた過程である。断片化していた人民が国民としての自覚を持つようになり、その権利を要求する――アレクサンドル・ルカシェンコにとって、これ以上に大きな危険が存在しえただろうか。

　ルカシェンコにとって権力とは、一方が得をすれば、他方が必ず損をするゼロサム・ゲームである。二〇二〇年八月の選挙に負ければ、彼以外の者がより大きな権力を持ち、彼は弱体化する。ルカシェンコの論理の中には対話もなく、妥協もありえなかった。そんなことをすれば、自分の弱さの証明になってしまうだろうから。彼に残された、あるいはまだ残っている唯一の道は暴力である。変革への願望に対して、ルカシェンコは未曾有の弾圧と残虐行為の繰り返しで応酬した。抗議した医師たちは、パンデミックのさなかでも解雇された。いくつかの法律が厳格化された。国民的な象徴〔白赤白の旗やパホーニャ紋章〕を身につけるひとは、このときから「過激派」であるとみなされることになった。政治的に有罪判決を受けた者たちの写真を掲げる、あるいは平和的に抗議する。どちらをしても過激派というわけである。マリア・コレスニコヴァが有罪判決を受けることがあれば、彼女の写真を公に示すと有罪になるかもしれない。あるベラルーシの新聞の編集長は、スヴェトラーナ・チハノフスカヤにインタビューしたことで罰せられた。

　ジャーナリストたちは、抗議活動について報道するとただちに処罰されることを考慮に入れざるをえなくなった。報道機関や人権団体の拠点が家宅捜索され、職員たちは逮捕された。最も好まれた独立系のオンラインメディア〈tut.by〉へのアクセスは遮断され、編集長の女性は逮捕された。ベラルーシ人ジャーナリストも、外国人ジャーナリストも取材許可証を剥奪され、ロシア人レポーターのなかには国外追放となった者もいた。ある小児ホスピスは、女性所長が抗議活動に加わった疑いで家宅捜索された。そして突然賃貸契約が解除され、閉所の危機におちいった。閉所で被害を受けるのは五七名の重病の子どもたちである。

以前は、赤いコートの下に白いワンピースを着た女性や、三つの並んだ窓に白・赤・白の紙を貼った男性は、十五日以下の拘留を覚悟させられたものだが、今やこのような反抗的な人物には、刑事裁判のための取り調べとさらに長い禁錮刑が課されるおそれがある。年金で暮らす七五歳の女性は、中が赤くて外側が白いパスチラを食べたことで刑事訴追された。ちなみにパスチラとは、煮つめた果物から作るロシア菓子である。

暴力に抗ったスポーツウーマンたちも捜査された。競泳女性選手のアレクサンドラ・ゲラシメニアは刑事訴追され、「国家の安全を損なった」と非難された。彼女がベラルーシの選手のための連帯組織の議長であるからである。彼女とその組織の代表は五年以下の禁錮刑が課されるおそれがある。マリア・コレスニコヴァのように政権を批判して逮捕された人びとを弁護する法律家は、弁護士免許を剥奪された——自分自身が拘留されてしまった者もいる。二人の女性ジャーナリスト、ダリア・チュリツォヴァとカテリナ・アンドレエヴァは二年間の収容所送りの有罪判決を受けた。彼女たちは、OMONの警官が抗議運動をする隣人たちに対し変革広場においてどのような行動に出たかを、ベルサット放送局のためにビデオ撮影したからである〔二人は二〇二〇年十一月に逮捕された。アンドレエヴァはいまだ服役中〕。

○

内務省次官のニコライ・カルペンコフは、かつてグボピク（もともとは組織犯罪と収賄に対して戦うはずの機関だったが、今は抗議者を弾圧している）の所長であった。このときカルペンコフは配下に対して親しく訓示し、国家権力の発動方法を指示している。「警棒は迷わず額の真ん中に食らわせろ。まっすぐ顔をねらうんだ。こいつの意識が戻って、前のようにならないように。意識が戻ったらどうするって？　それなら結構、脳の半分を吹き飛ばしてやれ、どうせもう半分は腐っているのさ。こんな奴にはそれで十分だ。」

「路上に出てくる奴らは全員テロリストと同類だ」と彼は言う。「そんな役立たずは、我が国では無用」。抗議活動をする者は、データベースに記録しろ、二度目に逮捕したら、〈収容所〉に隔離しろ、とのこと。カルペンコフがそれから詳細にわたって述べた内容は、政治犯のための一種の強制収容所での実行を目的としたものだった。その訓示を密かに録音し暴露した役人がいたが、政府はそれを捏造だとあっさりはねつけた。

国家公務員全員が、ルカシェンコに忠実なわけでもなくなってから、すでに久しい。平和的な人びとに対して振るった容赦ない暴力ゆえに、辞職した者もいた。しかし他の者は、ルカシェンコに疑念をいだいてもあくまで忠誠を誓っている。独裁のあとには何が来るのか見当がつかなかったからである。また非人間的な組織の駒ではあっても、少しは人間らしく生きようと試みた者もいた。拷問の報告者イリーナは、収容者にトイレに行くよう促した看守がいたことを述べている。トイレに行く途中でこの看守は、この収容者から親戚の電話番号を聞き出し、居場所を連絡してやった。というのは、自分の愛する家族が見つかるまで、偶然を頼りに病院や監獄を訪ね歩いて、日を過ごす者が少なくなかったからである。そのようなケースはめったにない。それはイリーナも認める。それでも個々のケースは重要である。ほんの一瞬でも、希望を与えてくれるからだ。

子どもを抑圧手段に

今回の暴力がこれほどまでに大規模な衝撃を与えたのは、いまだ総括がなされていない、前の世代が受けた暴力の歴史と結びついたからでもある。それは、スターリンによる恐怖政治と第二次世界大戦中のドイツ軍による絶滅作戦である。これらは、ベラルーシの人口のおよそ三分の一に当たる、ほぼ三百万人の人間の生命を奪った。九二〇〇の村を荒廃させ、二〇九の都市を破壊した。第二次大戦中のベラルーシ人たちは、ナチスに抵抗する側に回った。森や沼で、彼らは不利な条件ながらパルチザンとして闘った——ちなみに、そこには多くの女たちも加わった。しかし彼らの苦しみや運命は、戦後に公式に悼まれることはなかった。ソ連全体の英雄物語に無理やり組み込まれてしまい、自分たち独自の悲しみや苦しみのための余地は残されなかったのである。ルカシェンコが現在行使している国家的暴力は、歴史的なトラウマを呼び戻した。散歩や買い物に出かけただけの人の恣意的な拘束。黒ずくめで覆面のＯＭＯＮ警官が乱暴にドアをノックする音。彼らは、身を守るために建物に逃げ込んだ抗議運動参加者を見つけるため、家宅捜索しに来たのだ。この覆面の男たちに連行されるのが、つぎは誰なのか分からない不安。

　かつては希望に満ちていた〈変革広場〉を窓から見ていた五〇代の男性は、二〇二〇年十一月に、悲しみに心乱れた口調で電話口の私にいろいろ語ってくれた。黒衣の覆面の男たちが強硬に押し入りすべてを持ち去った。手当たり次第に住居にやってきて、人びとを逮捕していった。「昼も夜も、やつらは広場をパトロールしていた。窓から広場を眺めていたら、白赤白のリボンを垣根に結びつけた隣家の若い女性が、すぐに連行されていった。かつて聞いた、一九四一年にファシストたちがやってきたときの話を思い出すよ。どの家のドアを叩くのか、その後何が起こるのかも分からなかった」と電話口の男。彼のしわがれ声を聞いていると、仲間と釣りをしたり、あるいは工場で作業しているときの彼の姿が思い浮かぶ。しかし語っているうちに声を詰まらせた。沈黙。それから彼は泣いた。

　子どもがいると、弾圧の対象になりやすかった。それも特別なやりかたで。彼らは逮捕後に起こることを恐れなくてはならなかった。児童福祉局が玄関のドアをノックしに来るかもしれないからである。匿名の苦情が届くとしよう。するとすぐ国家機構が動きはじめる。もちろん、公的には児童福祉が目的であるが、実際は反抗的な市民への脅迫だった。二〇二〇年九月末までだけで、つまりほんの数週間のうちに三〇〇もの警告が、子どもを抗議行動に連れていったり、あるいはティーンエイジャーを一人で抗議行動に行かせたりした両親に宛てられたものだ。警告書は、学校や幼稚園で両親に渡された。そこには、抗議行動に加わると養育権剥奪の恐れありとの内容が記されている。当局が手続きを開始するために、ときには両親のどちらか一方が逮捕されることもある。もちろん子どもの福祉ゆえの措置である。

　この脅迫的な措置適用の根拠は、ベラルーシ刑法典八〇条、通達十八号「機能不全の家庭の子どもたちのための、追加的国家保護について」にある。この通達にルカシェンコが署名したのは二〇〇六年のことである。それは両親が「非道徳的な生活様式」を営む結果、子どもが「社会的に危険な状況で生育するおそれがある」ゆえに、そのような両親から子どもを引き離す権限を国家に与えている。〈非道徳的〉および〈社会的に危険〉の意味するところは、言うまでもなく国家が定義する。民主主義国家では、児童保護の法律は少なくとも良心的に制定されるが、独裁国家ではつねに政治的圧力の手段にも使われる。どれほど多くの家庭がそのような抑圧の被害者になったかは不明であるし、統計も存在しない。しかし両親に圧力をかけるために子どもがどのように利用されるか、スヴェトラーナ・チハノフスカヤも自ら体験することになった。

「あんたのお子さんの身に、何かが起こるかもしれないよ。」脅迫電話を受けた彼女は、ついに息子のコルネイと娘アグニアを国外に出した。チハノフスカヤの共闘者、ヴェロニカ・ツェプカロはその例にならい、二人の息子たちを用心のため外国に出しておいた。まだ選挙戦の最中で動きが取れず、突然当局が彼女の子どもの健康について尋ねてきたときのことだった。インナ・ザイツェヴァはウェディングドレスを着て抗議した女性であるが、夫婦のどちらかでも抗議活動で逮捕されたら家族で国外に出る、と夫と決めていた。国家に子どもたちを取り上げられることを、彼らは恐れていたのだ。そして実際に夫が逮捕されると、ただちにインナの家のドアを当局がノックしたのである。一家はいまウクライナで一緒に住んでいる。

「監獄にぶち込まれたことがなければ、ベラルーシ人ではない」

あなたの国の刑務所の様子を教えてくれれば、あなたの国ではどのように人が取り扱われているのかを当てて見せよう〔サヴァランなら、こう語ったかもしれない〕。アメリカ合衆国では、制度によって罰が与えられ、報復も制度によってなされることになっている。北欧諸国では、罪を犯した人間も基本的には社会復帰が可能との見解が広まっている。ドイツでも、少なくとも理論的には、社会復帰を求める権利が存在する。それにひきかえベラルーシでは、ソ連時代の遺産がまだ効力を持っている。その目指すところは、人間の破壊と非人間化である。強制労働収容所が、ベラルーシでは今日でも普通に存在する。もちろん形の上では収容者一人につき、何平米かの空間が割り当てられることになっている、とベラルーシの社会学者アリミラ・ウスマノヴァは書いている。しかし現実にはこの規定は無視されている。収容者から個人空間は剥奪され、絶えず監視され、管理される。人を人たらしめている物はすべて取り去られる。こうして人間はモノ化される、とウスマノヴァは考える。これ以上恐ろしい威嚇があろうか。

　次に紹介する忌まわしいフレーズを、どこで最初に聞いたのか忘れてしまった。たしか、それを小耳に挟んだのはベラルーシのIT企業のCEOマクシム・ボグレツォフのところであった。彼は野党の調整委員会の委員で、ババリコのチームに参加している。ボグレツォフは冗談を飛ばした。「監獄にぶち込まれたことがないのかい。それじゃあ君はベラルーシ人ではないね」。このジョークはベラルーシで二〇二〇年に広まった。逮捕常態化の状況をうまく言い表しているからだ。男女を問わず自分自身が逮捕されたことがある、あるいは、少なくとも、親戚、パートナー、友人、知り合いには誰か逮捕された人がいる。ベラルーシは九五〇万人の人口がある。二〇二一年初頭までにわずか数か月のうちに三万五千人以上が逮捕されたのだった。

　拘留体験が集団で共有されるというのは、どんな社会なのだろう。ベラルーシで私が聞き取りをしたのは、多くの支援ボランティアや逮捕者の苦痛を記録し、塀の外から支援している人びとである。ハスキーな声で赤茶色の髪の勇敢な女性、アンナもその一人である。

　アンナはミンスクに暮らす四〇歳の女性実業家であり、収容者のための差し入れ小包を作っている。収容者には必要な衛生用品を最低限支給することが、法律で定められている。しかし現実にはすべて、ほんとうに何もかもが不足している。歯ブラシ、石鹸、衣服、下着、トイレットペーパー、生理用品など。二〇二〇年夏にアンナは交代で警察署や刑務所の前に立ち、他のボランティアたちと共に活動した。彼女たちは、逮捕された人数を記録し、名簿を作り、釈放された人びとの世話をした。その当時、ボランティア全員がひとつのネットワークを形成した。タクシー運転手は釈放された人びとを収容施設から家まで無料で送り届けた。イリーナのような医者たちはテントを設営して、負傷者の手当をした。刑務所の塀ぎわで待っているボランティアたちは、夏以降もその仕事を継続した。ミンスクでまた逮捕があったという情報がテレグラムのタイムラインに流れると、いまでも彼らはすぐに駆けつける。

　逮捕者の家族は、その多くが今まで国家権力と関わったことがない。家族の誰かが突然刑務所行きとなると、家族だけで対応するには荷が重すぎる。アンナは彼らに説明した。最初の差し入れ小包には下着と保温性のある衣服、ウェットティッシュ、ボディソープ、靴下、生理用品、歯ブラシ、歯磨きを必ず入れなさい。頼る親戚のない女たちには、アンナ自身がそのような小包を作った。そして係員にそれらの小包が本当に届くよう頼み込んだ。そのとき彼女が耳にするのは、抗議運動などにかかわって行政拘禁〔司法手続きを経ずに拘留されること〕に処せられた、まったく普通の女たちの話である。それは十五日以下の短期戒告刑であり、それほど大したことではなさそうな感じがする。しかしアンナが聞いた話によれば、そうではないことがわかってくる。

　治安当局のやり方はあの夏で変わった、とアンナは二〇二一年二月に語る。「逮捕されてしまうと、その期間は短くても、心理的にも精神的にも破壊されてしまう印象があります。」〈ベラルーシにおける拷問に関する国際調査委員会〉も、アンナのことばを肯定する。夏のタガの外れたような暴力の波状攻撃の後で、二〇二〇年から二〇二一年にかけての秋冬には、人間の尊厳を損なう状況が意図的に留置場内で作られた、と様子を見ていた彼女には分かった。「権力者たちは人びとを怯えさせたかったのだ、と考えています」とアンナ。「独裁者への忠誠を不安によって強化するために、教訓を与えているのです。しかし連中は肝心なことを忘れています。世間でも〈無理強いされても好きにはなれぬ〉と言いますよね。」

女たちがアンナに打ち明けた中には、ベッドが無かったゆえに、冷えたセメントの床、あるいは机の上で寝たとの話がある。シーツを与えられた者もいれば、与えられなかった者もいた。月経血の染みたマットレスの上に横になった者もいたが、それもマシなほうで、マットレスすら与えられない者もいた。そうすると、二人ずつ金属のむき出しのベッドの床板の上に横たわるしかなかった。日中は、ベッドに横になることも許されない囚人房もあった。女たちの報告によると便器には目隠しがされておらず、満杯の囚人房の床に開けた穴でしかない。機能する洗面台のある房もあったが、そうでない場合もあった。

歯を磨いたり、シャワーを浴びたり、体を洗ったり——そんな贅沢は、あるときは許可されたが、されないときもあった。それは看守次第であった。病気にかかったりダニのたかった女たちと、政治活動家たちが意図的に同一房に入れられた。政府が以前から用いていた、意気阻喪させる戦略である。ただしこの時は、まったく意図的に、新型コロナウイルス感染症に対する防護策が取られなかった。「自由を奪う場が、新型コロナウイルス集団感染の場になった」と〈ベラルーシにおける拷問に関する国際調査委員会〉は、二〇二〇年十二月の仮報告に書いている。

一月初めの正教の降誕祭〔いわゆるクリスマス。ユリウス暦にもとづき一月七日に祝われる〕のことである。オクレスティノ拘置所は、短期間の収容者への小包の差し入れ禁止を決めた。その直後にジョディノ拘置所がそれに追随した――理由は感染症拡大防止である。馬鹿げた理由である。というのは、その同じ時期には、四人房が定員オーバーを繰り返していたからだ。アンナによると、まさにこの禁止措置が重大な影響を及ぼした。なぜならその措置は、まったく普通の女たちに対して広範囲に適用され、屈辱を与えたからだ。四人房はしばしば寒くて隙間風が入る。多くの女たちが冷えから女性特有の病気――生理不順、無月経、感染症、膀胱・腎臓の炎症に罹った。アンナは怒り狂っている。なぜ自分が女性の衛生、について常に話題にするのか、「その理由を多くの人びとがわかろうとしません。もちろんタブーのテーマです。けれども、それについて語るのではなく、声を大にして叫ばなければならないのよ！」アンナには分かっている。「女たちの健康、それにこそ、この国の未来がかかっている！」およそ三〇人の女たちがアンナに申し出て、自分の体験を語る。最年少は二〇歳、最高齢は六四歳。差し入れ禁止措置は二月末頃に廃止されたが、その時点まで、何百人もの女たちが罰として必需品を入手できないという屈辱的な取り扱いをこうむっていた。

歯ブラシや歯磨き粉がなくて、女たちは何日間も歯を磨けなかった。これは比較的頻繁に報告された。いくつかの拘置所では一週間に一回のシャワーが可能だった。他の所ではそれさえ拒否された。ときには満杯の女性囚人房で、何日間もほんのわずかの生理用品が与えられるだけで、まったく無かった房もある。一週間自分の経血にまみれていた女たちがいる。トイレットペーパーは普段から不足していて、替えの下着は無い。差し入れ小包がもう届かないからである。「それは拷問に他ならない」とアンナは言う。「警棒で殴られれば、皮膚に青あざができます。しかし人間をそういうやり方で精神的におとしめると、何年間も心に傷を残しかねません。」

皆がそのような目に遭ったわけでもなく、いつでも、そのような状態であったのではない。もっとましな場合も、もっとひどい場合もあった。多くが看守次第であった。親切な者もいたが、残酷な者もいて〈くそったれ〉〈あばずれ〉〈売女〉と罵った。「看守一人ひとりが、とてつもない影響力を握っています」とアンナは言う。差し入れ小包が禁止される前には、ボランティアからの小包を受け付けた看守もいた。上司との摩擦が生じるおそれがあっても、逮捕者に渡してくれた。そうかと思えば、女性看守たちの中にさえ、逮捕者を苦しめて喜ぶような者もいた。

そのような経験を与える社会では、人びとは経験から学ぶ。抗議運動を続ける女たちは、下着を重ね着している——逮捕されても着替えの服が手元にあるように。ベラルーシのメディア〈tut.by〉の女性ジャーナリストの報告によれば、抗議の女性たちが家を離れるときは、弁護士の電話番号を腕に書いておき、常に水や歯ブラシや予備の清潔な下着を身から離さない。

そのような経験を与える社会では、不安ばかりがつのる。誰もトラウマになるような経験を繰り返したがらない。それゆえ多くの人は家にいる。たとえ自分たちが、引き続き政権に対する抗議運動に加わるとわかっていても。五人の子どもを持つ、アンナの同僚が逮捕された。「とんでもなく多くの人びとが、ベラルーシを去るでしょう。私がまだこの国に留まっているのは、子どもがいないから、ということに尽きます。自分自身に責任を取ればいいだけですから」とアンナは言う。

二〇二〇年の晩秋には大きな抗議運動は下火になっていったが、そのかわり小規模で安全な行動が起こされるようになった「パルチザン作戦」とスヴェトラーナ・チハノフスカヤは名付けた。こちらに〈白赤白〉の旗が出ると思えば、あちらのショッピングセンターでは人びとが集まって歌を歌い、すぐまた姿を消す。こちらでは近隣の小グループでデモをして映像を撮ったと思えば、すぐに解散して後にネットにそのビデオを上げる。あちらではマリア・コレスニコヴァの巨大ホログラムが建物の壁面に映し出されることもあれば、たまたまビルの何階かが照明で、〈白赤白〉の旗になってしまう。抗議行動は消滅してはいないと証明されたが、それが大衆規模の運動であると見せつけるのは不可能になってしまった。

そのような体験を共有する社会は、連帯する社会になる。刑務所で差し入れを受け取った多くの女たちは、他の女たちと分け合う。女たちは落ち着くために語り合う。互いに慰め合う。女たちは仲間はずれを作らない。そこでの経験を書き留めてアンナのところに送ってきた、トランスジェンダーの女性もいた。トランスジェンダーの人たちが、保守的な社会で生きるのは困難であり、父権的な独裁政権下ではなおさらである。当該者の窮状に対して、公的配慮というものが存在しない。

このトランスジェンダーの女性は、収容されて何日かたってから男性器を有していると知られたときに、看守たちがどのように本人に苦痛を与えようとしたか、そのようすを書いてくれた。殴るのではなく、言葉で自尊心を傷つけたのである。身分証明書の性別は〈女性〉と書かれているのに、名前をその男性形で呼んだ〔例えば「アレクサンドラ」なのに男性形「アレクサンドル」と呼ぶように〕。そして男性用囚人房に押しこめてやると脅した。そして本人の意に反して何日も独房に入れた後、ついに看守たちは彼女を女性用囚人房に戻した。同房の女性たちに「房に〈男〉を入れるから、おまえら覚悟しろ」と言い放って。しかし看守たちのもくろみは失敗した。この被害者は報告している。女たちは愛情を持って対応してくれ、苦しめられた自分を抱擁し気遣い、男性器の有無を気にすることはなかった、と。

○

十年以上前に、ベラルーシでは見慣れないカレンダーが現れた。女性人権活動家のグループが発行したものだ。月ごとに若い女性の写真が載っていて、全員が三〇歳以下の女たちだった。そのプロジェクトは「イゾリャーツィヤ――鉄格子の中の夢」と称した。〈イゾリャーツィヤ〉とは一般的には「孤立」を意味するが、ロシア語の口語で「拘置所」を意味する「絶縁《イゾリャートル》」に引っ掛けてある。カレンダーの女たちは心理学者、図書館員、学生、ウェブデザイナー、ジャーナリストである。彼女たちは皆、逮捕歴がある。二〇一〇年に、不正選挙に反対してデモを行なったため、刑務所に行くことになった百人以上の女たちのうちの十二人である。

　カレンダーには、その女たちが当時夢にまで見たものが月替わりで載っている。食事、日光、暖かさ、シーツ、新鮮な空気、散歩、プライバシー保持、貶められたと感じないですむこと。清潔感を感じられること。体を洗える機会。自分の健康に気を使い、身だしなみを整えられること。今起きている事件の情報を得られること。家族に会うこと。自分の信仰を実践できること――女たちのうちの一人はイスラム教徒で、囚人房ではどの方角に向かって、いつ祈ったらいいのかわからなかった。時刻やメッカの方角を測るための、時計や磁石や携帯電話が逮捕され取り上げられたからである。

　これが十年前のベラルーシの囚人房におけるささやかな夢である。事情は、今日でも何も変わらないであろう。見る夢は同じだ。ただ、夢を見る人の数が増えているだけだ。

　三月になってついにボランティアのアンナは、最小限の荷物をトランクに入れ、小さな犬を連れて出発した。ポーランドへの道を。新天地での住まいや仕事はまだ見つけていないが、構わない。肝心なのは、ベラルーシを去ること。支援活動ゆえに彼女もまた刑事訴追される恐れがあった。彼女がポーランドに到着してまず行なったのは、携帯電話のパスワード解除である。今や警官から携帯電話を守る必要はなくなった。そして彼女は外出した。一日に五回、犬を連れて長いこと歩く。不安に怯えることもない。散歩をただ楽しむことができる。想像もできなかった、なんとすばらしい贅沢なのだろう。

8 「自由には、戦い取る価値がある」――マリア・コレスニコヴァ

「私は留まります」

ここはシュトゥットガルト。暗い舞台の上で、細身の女性が何枚かの原稿を手にしている。本来ここにいるのは彼女ではなく、姉のマリア・コレスニコヴァでなくてはならなかった。この日は、マリアにとって特別な日のはずである。ドイツの自由民主党FDPのゲアハルト・バウムとその妻レナーテが、自身のバウム財団の〈人権賞〉をマリア・コレスニコヴァに授与して、彼女の勇気と自由のための戦いを表彰するつもりであった。しかしマリア・コレスニコヴァは自分自身の表彰式に出ることがかなわなかった。これに先立つ十二年間、彼女はシュトゥットガルトに住み、音楽大学で学び、コンサートを催した。しかし九月の初めから彼女はベラルーシの拘置所に入っていて、

今までに成し遂げてきたことのすべてから、切り離されていた。

　マリア・コレスニコヴァのような人間にとって、それは二重の懲罰にも等しい。スポットライトが明るく照らしても、彼女は舞台に立てない。音楽を演奏することも、公の場に出てくることもできない。どんなに音楽に焦がれても、聴くことすら許されない。そして人びとに向かって語りかけ、士気を鼓舞することもできない。今それをするのは妹のタチアーナだ。彼女はマリア・コレスニコヴァの代理人になった。タチアーナが語るときには、マリアが話しているのだ。それほど二人は一心同体となっていた。

　姉妹が二人で二〇二〇年初頭に、銀行家ヴィクトル・ババリコの選挙チームに加わったときには、自分たちが今後どうなっていくのか、分からなかった。「振り返れば素朴な思い込みに過ぎませんでしたが、私たちはババリコがルカシェンコへの対抗馬として立候補を許可されるだろう、と期待していたのは事実です」とタチアーナは語る。とにかくまだその時点でババリコは、起訴されてもいなかったし、拘束されてもいなかった。それは後になって起こったことだ。ババリコがフェイスブックへの投稿で、出馬の意図を明らかにするやいなや、すぐさま何千もの人びとがボランティアで協力を申し出た。さあ始めるぞという気分が充満していた。「信じられない光景でした。年齢も、性別も、帰属する集団も異なる人びとが、何かを変革しようとしているのです」とタチアーナ。姉妹には、これから何が起こるのか、まったく予想もつかなかった。しかしまた、自分たちの身にこれから何が起こりうるのかも見通せてはいなかった。夏が近づいてくると、予防措置を講じた。マリアはベラルーシに残るが、タチアーナは大統領選前に国を離れる。妹は最終的にはポーランドへ亡命した。今、マリアは囚われの身となり、タチアーナは自由の身だ。

二〇二〇年九月七日の午前中、マリア・コレスニコヴァが消えた。ミンスクの大通りで、彼女は覆面の男たちにミニバスに引きずり込まれた。選挙スタッフであるアントン・ロドネンコフとイヴァン・クラフツォフは、彼女を探しに二人で彼女の住まいまで行き、そして同じく拉致される。すべては仕組まれていた。彼ら三人が抗議運動に背を向けて、卑怯にもスタッフたちを見捨てて逃げ出す、という筋書きがあり、そのように見せかけるための三人一緒の国外追放である。ロドネンコフが私に語るには、コレスニコヴァの国外退去が、秘密警察の最優先事項だった――彼とイヴァン・クラフツォフは、この猿芝居の脇役に過ぎなかった。マリアの追放が「国内の事態沈静化にはどうしても必要」と役人が言っていたという。問題はただ一つ。マリア・コレスニコヴァ本人が、この計画に乗ろうとしないのである。彼女を尋問した秘密警察やグボピク（対組織犯罪、対汚職特別部隊）は、殺してやるぞ、あるいは死ぬまで監獄にぶち込んでおくぞ、とさんざん脅した。「結論は、国外追放となりました――生きたままか、バラバラにされているかは別として。」後にマリアは、自分の弁護士にこう述べた。

しかしコレスニコヴァは、自分が助かるために国外に出ようとはしなかった。そこで役人たちは、彼女に頭から袋をかぶせて車に連れ込み、ウクライナとの国境に運んだ。がっちりと車列を組んで、ついにベラルーシとウクライナ国境の、無人地帯で停車した。すでにクラフツォフの古いＢＭＷ

は国境まで運ばれてあり、クラフツォフとロドネンコフの両人が運転席と助手席に座らされ、最後にマリア・コレスニコヴァが後部座席に押し込まれた。両人が思い出すには、彼女は激しく抵抗し、「私はどこへもいかない」と叫んだ。車の中には彼女の名前が記入された航空券とパスポートが置いてあり、彼女はウクライナから、ドイツへと飛ぶ手はずになっていた。しかし彼女はパスポートを掴むや、それを引き裂いて窓から投げ捨てた。それから後部座席の窓から這い出して、故国ベラルーシの方へ堂々と歩き出す。置き去りにされた男二人は茫然としたまま、ウクライナの国境検問所まで車を走らせた。この二人は今もワルシャワで生活している。マリアはそれ以来、ベラルーシで捕えられたままである。

○

今や妹タチアーナがマリアの代弁者となった。シュトゥットガルトの劇場でタチアーナが姉の言葉を読み上げたのは、二〇二一年二月初旬の雨の日であった。彼女の弁護士が、刑務所から持ち出したものだ。

　九月八日、私は自分のパスポートを破り捨てました。強制国外退去に対する絶望的な抵抗の試みです。彼らが私を少なくともずっと閉じ込めておくこと、いやほんとうに殺しかねないことに、疑いの余地はまったくありません。しかし、私は自分の約束を違《たが》えることはできませんし、かえがえのない友人や、仕事仲間、大切なベラルーシの人びとを苦境の中に見捨てることもできません。私たちはすべてを共にやり抜いてきたのです。私たちは一丸となって、不安に打ち勝ち、未来の自由のために想像もつかないほどの代償を払ってきたのです。ちょうど五か月前、私は拉致され、投獄されました。私は自分の決断を後悔していませんし、不安もありません。何千人ものベラルーシの人びとが、同じ気持ちを分かち合っていることを知っているからです。自由は私たち一人ひとりの胸の内にあります。それを今私たちは、はっきりと分かっています。刑務所であれ、法律であれ、鉄格子ですら、自由を無きものとすることはできません。自由には、戦い取る価値があるのです。

家族は彼女に面会できず、彼女と話すこともできない。残された手段は手紙のやり取りだけだ。家族は、マリアがどうなってしまったのかとても心配だった。マリアは喘息持ちなので、刑務所では、呼吸器や肺や血圧にも問題が生じていた。囚人房では女性喫煙者と一緒にならざるを得ない。タチアーナ宛てには、彼女は面白おかしくこう書いている。「バカみたい。高度に発達した文明の中で、私が新鮮な空気を求めるなんて。ヨーロッパのど真ん中で。」捕えられていようと彼女の文面からは、絶望や断念の言葉は少しも読み取れない。

——二〇二〇年九月二八日、第八拘置所、ジョディノ

愛する妹へ、

元気ですか？　親戚の皆さんもお元気かしら。皆さんに心配をかけてしまい、こちらこそ心配になってしまいました。私はいたって元気です。今、やる気満々で、ストレスなんか感じていません。スポーツウェアを差し入れてくれてありがとう。二日間ずっと着たままです。レギンスが最高（洗濯が簡単で、すぐ乾くから）。まだ寒くはありませんが、十月十五日にはここに暖房が入ります……入るはずです。私は窓を開けて寝ていますが、新たな女友だちには、そのことを納得してもらいました。あなたが、クリスティーネやナターシャやヴィーカと話し合ってくれて、とてもうれしい。支援と見守りをしてもらい、彼女たち皆に大いに感謝しています。皆から学ぶことが多かったことを、とくにクリスティーネには知ってほしいのです。私は学びました。自由・正直・ぶれない原則にいかに価値があり、最後までそれらを高く掲げていることがいかに重要であるかを。

私が初めてマリア・コレスニコヴァと電話で話したのは、二〇二〇年八月初旬、大統領選の数日前だった。秘密警察が彼女にずっと付きまとっていたので、会話は盗聴を前提としていた。彼女は一度逮捕されたが、すぐに釈放された。身辺警護をマリア・コレスニコヴァは断っていた。ボディ

ーガードや〈緊急時対応マニュアル〉等は、無法国家では役に立たない。

二〇二〇年八月九日の投票日の翌朝、私は約束どおりマリアにインタビューした。彼女は緊張しているようであり、こちらが気圧されてしまうほどの確信や自信に満ちあふれていた。前の晩、八月九日から十日にかけては、彼女はヴィクトル・ババリコの選挙事務所で過ごし、寝ていなかった。そのためミンスクの路上で起きていた事態について、彼女は想像するしかなかった。人びとの叫び声とスタングレネード〔爆音と閃光により相手を無力化する武器〕の炸裂音が聞こえた。しかし国中で起きていることに、彼女の理解はほとんど追いつかなかった。選挙後の最初のこの日だけでベラルーシじゅうの十九の都市で人びとが抗議運動を起こし、そしてそれに対して治安部隊が信じがたい暴力で攻撃したのだ。ルカシェンコは三日間インターネットを遮断させた。「権力の側に立つ連中は、起きていることの本質を理解していない」とマリア。「彼らはベラルーシ人が大きく変化し、市民社会ができていることが分からないのです。私たち一人ひとりが責任を負っています。今まさに起きていることに対しても。」インタビューの最後に彼女は言った。「私は留まります。」

タチアーナは回想する。「選挙前に私たちは、マリアが出国すべきではないかと話していました。しかし彼女はそれをきっぱり断りました。そんなことをしたら、姉は自分が裏切り者であるかのように感じてしまったでしょう。」ベラルーシに留まることが、マリアにはもっとも重要だった。いかなることが自分の身に起きようとも。

——二〇二〇年九月二八日、第八拘置所、ジョディノ

私は家族、友人、仲間をとても誇りにしています。そしてたえず元気を与えられています。皆さんが時には、恐ろしさを感じることは分かっています。けれども、私たち全員が危険の中にいると感じているのに、あなた方は誰も怯えていません。あなた方は皆、それぞれの勇気と大胆さのおかげで、私たちがどれほどすごいかを世界にも、そして私たち自身にも示しているのです。困難は増えるでしょう。目の前にはまだやるべきことが山積し、スタート地点にやっとたどりついたところです。諦めないでください。手をこまねいていないでください。意気消沈しないでください。あなた方は本当にすばらしい。あなた方は強い。私の大事な人たち、くじけることのない人たち。ともに勝利しましょう。私はあなた方を固く抱きしめたい。

マーシャより

「このスピードで生き抜いてきたのは奇跡」

私がマリア・コレスニコヴァに最後にインタビューを試みたのは、前回のインタビューのほぼ一か月後、二〇二〇年九月八日だった。その時すでに、彼女の姿は街から消えていた。私は携帯で彼

女にメッセージを送った。「マリア、そちらはどうですか？　どこにいるの？」もちろん答えはなかった。今になると、われながら間の抜けた質問であったと思う。

人は何によって、自分の人生や幸福を顧みないところまで自分を追い込むのであろうか。マリア・コレスニコヴァはドイツ行きの航空券を手に入れることもできたのだ。シュトゥットガルトに行くこともできた。そこでは以前の生活が彼女を待っている。コレスニコヴァはドイツ語が堪能だ。シュトゥットガルトには自分が満足できる仕事があり、大切な人たちがいる。友人のヴィーカとユリアは芸術家で、一人はウクライナ、一人はロシア生まれ。シュトゥットガルトには友人のスペイン人歌手ナターシャもいて、かつて〈トリオ・ヴィザヴィ〉として一緒に演奏した仲だ。シュトゥットガルトには〈エクラ現代音楽祭〉の芸術監督クリスティーネ・フィッシャーがいる。彼女は親友であり、メンターである。シュトゥットガルトには、ジャンルを超えた女性芸術家連盟がある。マリア・コレスニコヴァがウクライナの友人ヴィーカと設立したものだ。シュトゥットガルトには彼女の音楽企画もあり、さまざまなフェスもある。彼女の活躍の糸は、ドイツとベラルーシの間、アートプロジェクトと音楽と政治の間に縦横に張り巡らされていた。彼女の生活はきわめて充実し、猛スピードで進行していた。だから逮捕直後であるのに、彼女が拘置所でもたちまち元気を取り戻したのも不思議ではない。「私がこのスピードで生き抜いてきたのは奇跡」、と妹タチアーナに宛てた手紙に書いている。

○

私はマリア・コレスニコヴァが拘留されている間も連絡を保とうと、手紙形式でインタビューを継続しようとした。しかしマリア宛の手紙は、届くこともあれば届かないこともあった。何週間か沈黙が続くこともあった。理由は誰にもわからない。彼女の妹、父アレクサンドル、友だち、支持者の女たちは誰もがそんな体験をしている。そして私も。これからマリアから送られた手紙のパッセージをいくつかお目にかけるが、それはいわばメッセージのメドレーである。妹さんや父君に宛てた手紙からの抜粋もある——お二人はマリアからの手紙を、私が自由に取り扱うことを許してくださった。また何週間も遅れて私に届いた唯一の返答の一部もある。マリア・コレスニコヴァの弁護士が、私の質問を刑務所でマリアに手渡し、彼女の回答を外へと持ち出すのを手伝ってくれたことが数回ある。しかしあるとき、この女性弁護士もマリアとの接見を禁じられた。彼女は弁護士資格を剥奪されたのである。コレスニコヴァの男女四人の弁護士は、ある者は拘束され、ある者は自宅に軟禁され、あるいは仕事を続けていけなくなった。

——二〇二〇年一〇月二九日、第八拘置所、ジョディノ

皆さん

このような弁護士資格剥奪の事態に至ったことは、私は自分と弁護士への、前例のない不当な圧力と位置づけます。やがてベラルーシには、政治犯として逮捕された人びとを弁護する気構えの弁護士が、払底するかもしれません。事実上の就業禁止だからです。

私はすべてうまくいっています。調子は良く、見通しは明るく、やる気に火が付いています。ベラルーシの人びとの絶大な支持と愛を感じます。人びとの安全と健康について大いに心配しています。お互いに気をつけてください。人間らしい生活と健康――これにまさる富なし！　皆を抱きしめ、第八拘置所から皆さんに心からの挨拶を送ります。あなた方はすばらしい。

マーシャより

マリアと同時期にジョディノ拘置所に入っていた、ある若い女性がいる。抗議行動に参加したゆえに逮捕されたのだが、今は保護観察という厳しい条件で拘留が解けたところであった。それゆえ本書では、彼女の個人名すら明かすことは許されない。ジャーナリストの取材に応じたことが知れてしまうと、政府は彼女により厳しい罰を負わせかねないからだ。そこで彼女を保護するために〈ニーナ〉という偽名を用いることにする。このニーナがマリア・コレスニコヴァと同房だった時期についても伏せる。

ニーナとコレスニコヴァが同房であった期間は長くなかった。というのは、コロナ・パンデミックのさなかでも、女性収容者は房を定期的に交代させられていたからである。女囚同士で互いに慣れ親しんだり、友情を育んだりするのを防ぐためだ。ニーナによると、彼女たちの囚人房には、四つの二段ベッドがあり、両側の壁に二つずつ、その間に机があった。入口の右に洗面所とむき出しの便器があり、覗き窓からいつも看守に丸見えだった。毎朝流れる耳がおかしくなるほどの大音響のベラルーシ国歌で一日は始まり、朝食、中庭歩行、そして一四時に昼食。それから手紙を書く。一番嫌なのは、することが何もなかったことだ。拘置所での生活は恐ろしく単調だった、とニーナが語る。収容者は一日一度だけ、中庭での歩行のため囚人房から出ることが許された。

ニーナによると、マリア・コレスニコヴァは世界中から、とても多くの手紙を受け取っていた。それらは女たちに気晴らしになった。互いにはがきを読みあげては、どれに返事を書くべきかを、メモした。「マーシャは非常に多くの人びとから支持を得ていました。そのことは彼女ばかりでなく私たちにも、とても多くの力を与えてくれました。刑務所では外からやってくる手紙が最も貴重です」とニーナが言う。

一八時頃に夕食、二〇時には徹底的な身体検査があり、二二時に就寝。シャワーは一週間に一度。

「私たちの囚人房では、互いに支え合おうとしました。とくにマーシャは。彼女はすばらしかった。彼女は見知らぬ人にはあまり心の内を明かそうとしませんでしたが、しかしつねに助けたり元気づけようとしていました。人びとの気持ちをいつも引き立て、前向きに考え、たくさん笑い、つねになにか新しい、面白いことを考えて、私たちのために、また出所後のためにアイデアを持っていました。本について語るのが好きでした。芸術や音楽について語るのも。夜には、ラジオでクラシック音楽が流れることもありました。それを彼女はとても楽しんでいました。もちろんさまざまな人がいたのですが、私たち収容者の間の関係は友好的で、互いに助け合おうとしました。良いことがあれば感謝し合い、悪いことは気にしないようにしました。」

　多くが看守の気まぐれに左右された、とニーナは言う。親切で丁寧だった人もいたが、こういう人たちは、とりたてて何も言ってくることはなかった。他の看守たちは粗暴で、収容者たちの自尊心を傷つけた。「彼らは私たちの心を挫《くじ》こうとしたのです。私たちはゾッとするような印象を持ちましたが、内面的には強くなりました。最後まで戦うつもりであり、五年間収容されてもかまわない。その間ずっと治安部隊のシャツの縫製作業をする覚悟はできている、とマリアは言いました。彼女にとって最も重要なのは、ベラルーシが自由な国になり政治犯が解放され、最終的には自由選挙が行なわれることでした。彼女が、自分が拉致されたときの話を語ったとき、私たちは尋ねました。「あなたにまた国外に出るチャンスが与えられたとして、刑務所に入るのが分かっていても、今回と同じようにベラルーシに残ろうとしますか」と。「自分はまったく同じことをすると思う、味方してくれる人びとを裏切るわけにはいかないから」と彼女は言いました。彼女は、私の理解を越えた素晴らしい人です。彼女から信じられないほどのエネルギーが湧いてきます。彼女は最後まで戦う気でいます。彼女がどのくらい勇気があるのか、同房の私たちには見当もつきません。自分が釈放されたとき、涙を抑えられませんでした。彼女と共に過ごせたのがそれほど喜びだったのです。マリアのような人に出会えば、あなたも分かってくれるでしょう。あなたの発言や、あなたの権利や、あなたの気持ちや、あなたの愛する者たちのために戦うのは、価値あることなのだ、と。」

「私もフェミニスト！」

スヴェトラーナ・チハノフスカヤ、ヴェロニカ・ツェプカロ、マリア・コレスニコヴァの女性三人組のうちでも、コレスニコヴァは最も自立していて、最も妥協がない。二〇二〇年七月に共に闘った三人の女たちに、フェミニズムの物差しを当ててみよう。まずチハノフスカヤ。彼女は主婦であり、愛情深い妻という位置付けになるだろう。つぎに、ヴェロニカ・ツェプカロは母でありかつビジネスウーマンであると自分を見なしていて、結婚生活の伝統的な価値観を大事にしている。そしてコレスニコヴァは、この二人をはるかに引き離して、フェミニストの物差しではてっぺんに来そうである。彼女は東ヨーロッパ社会の広い範囲で忌まわしいとされているフェミニストのレッテルを自らに貼ることを躊躇しない。女性解放の話になると、フェミニストの女性たちは身だしなみの悪い醜い生きものだと中傷される。やつらは男を一人も捕まえられず、同性愛者《レズビアン》になり、それ以来男たちを憎むようになったのだ、と。しかし、賢明で、才能に恵まれ、勇気があり、カリスマ的で、かつまた魅力的な女性が「私もフェミニスト！」と宣言するとしたら、その影響は大きい。

ベラルーシにおけるマリア・コレスニコヴァは、ベラルーシでは自分のメッセージ発信をオブラートに包んで表現していたが、けっして隠してはいなかった。すでに何年も前に、彼女はＴＥＤで講演を行ない、それはインターネットで配信された。オーケストラが女性も参加できる場になったのはようやく近年になってからである、と彼女は語り、そしてそれが重要である理由を指摘した。彼女はシュトゥットガルトで友人のヴィークと、あるプロジェクトを立ち上げて、女性に対する差別や暴力の問題に取り組んでいた。〈ヴィーカ〉とは、ヴィクトリア・ヴィトレンコの愛称。彼女は歌手で、ヨーロッパじゅうの各種の舞台に登場している。プロジェクトのタイトルは『女の三人に一人』。世界の女たちの三人に一人が暴力の被害者であるという思いが、コレスニコヴァの念頭を離れなかったからである。当時彼女は、ベラルーシの女たちの状況について言及することが多かった。

それから数年して、拘留中のマリアはいくつかのメッセージを公にした。妹タチアーナを二〇二一年三月八日の国際女性デーに派遣し、そこで妹は偉大な姉の言葉を読み上げた。「いまだにフェミニズムについて語らなくてはならない時代です。フェミニストという語は、人をおとしめる言葉ではありません。その意味を知り、男女同権にたどり着くまでに、まだ乗り越えるべき長き道のりを思えば、なおさらそれが分かります。誰もがいつでも人びとの手本になれるのです。そして、一人ひとりが私たちの権利を得るために戦い、他の女性を支援することによって、小さくても大切な一歩を踏み出すことができるのです。そうすれば〈フェミニズム〉という語から否定的なニュアンスは消え、社会の規範となるのです。」

このようなメッセージは、保守的な考え方に囚われつつも今やマリア・コレスニコヴァの勇気を賞賛する何万ものベラルーシ人の心を動かすに違いない。

○

コレスニコヴァの政治への道も、ヴェロニカ・ツェプカロやマリア・チハノフスカヤの場合とまったく同じく、表面的には偶然のように思える。主婦のチハノフスカヤさえ、政治の世界に足を踏み入れるご時勢である。フルート奏者のコレスニコヴァも、政治の世界に身を置かない理由があろうか。コレスニコヴァのシュトゥットガルトの友人たち、ミンスクのアートコレクティブ〈ＯＫ１６〉の芸術家たち、共に歩む仲間たち、ミンスクの工場の敷地での革新的な芸術のプロジェクトへの参加者たち、そして何より妹タチアーナの話を聞けば、マリアが政治への道を歩み始めたことに驚く者はいない。それはむしろ首尾一貫していて、ほぼ不可避であるように思える。「マリアが夏にベラルーシで演壇に立ったとき、私たちは、彼女のこのような姿は見たことがない、と思いました。しかし実は、私たちが知っているステージの上の彼女と同じ姿です。以前手にしていたのはフルート、今はマイク。違いはそれだけです」と友人のヴィーカ。二人は知り合ってわずか四年だが、マリア・コレスニコヴァが政治に進んだのは、ヴィーカには「驚くほど自然な歩み」に見える。

マリア・コレスニコヴァをよく知っている人たちは異口同音に、彼女がとてつもなく強靭で決然とした人物である、と私に言う。周囲のすべてを吸収し、つねに自分を発展させようとする、ともいう。ベラルーシとドイツを、同時代文化を古典的文化と、伝統的な演奏をパーティでの演奏とミックスする。視覚芸術を音楽と、音楽と政治を交差させ、芸術家とＩＴの専門家をコラボさせる。

「マリアの内面は驚くほど強くて、啓発的です。悩んでいるときでさえ、決してそれを表に出さないでしょう」とヴィーカが言う。「彼女は、自分の内面の輝きを他人に与える人物です。彼女は他人の言葉に耳を傾け、いつも新しいアイディアに心を開いています。そして彼女は低い評価を与えたりしません。私たちがシュトゥットガルトでコンサートをしていたとき、「いや、これは私は気に入らない」と私は言ったのですが、彼女は否定をせずに、自分に気に入ったことだけを挙げるのです。「どんなガラクタにも、彼女は何かポジティブなものを見つけられます。それは大きな才能です」とヴィーカは友人マリアについて言う。

「ソ連式の厳格なエリート的かつ古典的な音楽教育を受けていた音楽家にとって、コレスニコヴァのメソッドはまさに革命の端緒です。弟子を不安で駆り立てるのではなく、人間として強くする。人間性を破壊して職人的名人を作るのではなく、自らの才能を自由に発揮させるのです。」

「彼女は正しいやり方を、けっして口では言いませんが、手本を示してくれました」と、コレスニコヴァの同僚で、ミンスクのアートグループ〈ＯＫ１６〉の一員であるインナは言う。このようにしてマリアは皆の心を奪ったのである。コロナ・パンデミックの始まりは、このアートグループにとって、かなりの痛手となった――コンサート、パフォーマンス、パーティや個人収入源なので、人との接触が制限されるパンデミックは、おそらく最悪の事態を招く。しかしマリアはすぐに、プランニングに取りかかり、新しいコンセプトを出してくれた、とインナ。「現金や財源が不足する中で無理やり運営していくのは大変でした。それでもパンデミックでやる気を削がれた者はいません――これはマーシャ〔マリア〕の功績です。」

アートグループ〈ＯＫ１６〉は、オンラインで多くの催しを開いた。暖かくなったら広場の中庭を利用して、映画の上映、コンサート、パーティを行なうつもりだった。実験的試みであるが、枡席のように四角に区切ったスペースが各人に与えられる、枠の中でのパーティ。「しかしやがてそこに、選挙キャンペーンがやってきたのです。」ヴィクトル・ババリコが候補者として名乗りをあげたとき、マリアに続いて、彼女より十歳も若いインナも選挙戦の仲間に加わった。迷わず行動し、人びとの心を奪う才能を持つ人物こそが、ひょっとしたら、アレクサンドル・ルカシェンコにとっての最大の危険人物なのかもしれない。

ルカシェンコのショック

――二〇二一年二月二二日、ミンスクの第一拘置所に移送された後私がルカシェンコとその一味を個人的に怒らせたのは明らかです。政権は八月九日以来自分のお気に召さないものを、すべて私の責任にしています。政権の見解によると、経済的、政治的、社会的危機の背後にいる黒幕はこの私なのだそうです。

アレクサンドル・ルカシェンコとマリア・コレスニコヴァの間の敵対関係は、個人と個人の対決となった。ルカシェンコは、権力と恐怖の上に自分の立場を築いている――選挙前には「娘っ子たち」として歯牙にもかけなかった三人の女たちが、よりによって彼にとって危険な存在となった。ルカシェンコの伝記作家ヴァレリー・カルバレーヴィチが言うには、独裁者は「三回ものショック」を受けた。「最初のショックは選挙における敗北、第二のショックは自分を負かした相手の存在、第三のショックは、自分に替わりうるのが三人の女性であったこと。これはアレクサンドル・ルカシェンコにとっては、屈辱的経験でした。」自分を万能だと信じ切っていたルカシェンコに、それに加えて第四のショックで追い打ちをかけたのが、マリアのとった行動だ。国家が彼女に殺害、拷問、長期拘留で脅しても、彼女がびくともしなかったとき、彼は自分の権力の限界を知らされたのである。

今までのパターンでは、アレクサンドル・ルカシェンコが対立候補者たちを破り、彼らに敗北宣言を公式に出させて「めでたし、めでたし」であった。しかし、マリア・コレスニコヴァは譲らない――するとルカシェンコは報復する。彼女の起訴理由をどんどん増やして、プレッシャーをかける。最初は抗議運動へと人びとを扇動した罪であった。その後二〇二一年二月には起訴理由が拡大された。憲法に違反して権力奪取をもくろむ反乱を扇動した罪、そして過激派形成の基礎を作り、先頭に立ってベラルーシの国家としての安全保障を脅かした罪。彼女に突きつけられる量刑はますます膨らんでいった。審理開始以前ではあるが、これは彼女が譲歩しないことへの罰である。二〇二一年春には、すでに最大で十二年もの禁錮刑が課されるおそれがあった〔二〇二二年九月に十一年の禁錮刑とする判決が言い渡された〕。

――二〇二一年二月二二日、ミンスク第一拘置所

待遇はスパルタ式です。三・五×二・五メートルの小さな四人房、トイレ、冷たい水しか出ない洗面台、二段ベッド、机、ベンチ、監視塔と空の見える格子窓、朝六時には起床のサイレンの轟音で起こされ、二二時には消灯。お湯の出るシャワー――そんな贅沢は一週間に一度しかできません。私たちは簡易湯沸かし器で水を温め、体を洗い、洗濯します。日課になっている中庭への外出。そこは三メートル四方の大きさ。そこで走り、スポーツをし、個人記録を更新しています。マイナス二五度での四〇分間のジョギング、すばらしい気分です。
最大限の耐乏と屈辱に曝された時にも、狭い場所でのジョギングや、温かいシャワーでどうにか

持ちこたえることができる。周りのすべてが汚らしく、不安の中に沈み込むとき、赤い口紅が尊厳を与えてくれる。ノーベル文学賞を受賞したヘルタ・ミュラーが社会主義独裁時代にルーマニアの秘密警察セクリターテに尋問のため出頭を命じられたとき、常に彼女はいつもより濃いメイクをしていた。「私にはわかっていました。自分がもう化粧をしなくなったら、化粧を重要なことと思わなくなってしまったら、諦めてしまうということなのだと。」ヘルタ・ミュラーの回想である。コレスニコヴァは拘留期間も、毎日赤い口紅を塗った。これが彼女のトレードマークである。彼女は元気な姿を見せてくれる、とかつての同房者ニーナやコレスニコヴァの弁護士は私に語る。彼女は、元気で闘志に溢れ、自身の体調に気をつけていた、とも。彼女は自分の美容クリームを、一緒に囚われた人たちに分けてくれました、とニーナは語っている。

　このどうにも救いがたい場所では、美をすべて奪い去られることで、人間性も破壊されていく。毎日体を洗ったり、手入れをしたりすることが禁じられたこの場所では、女たちもコーヒーの滓《かす》でスクラブ洗顔をしたり、湿らせたパンでヘアパックをする。これらの女たちには、美を保つ以外に関心がないのだろうか。いや、もちろんある。しかし周囲にはびこる醜さのただ中にあっても美を保つことは、政治的な行為にも、単調さからの脱出の試みにも、抵抗の行為にもなりうる。自己の尊厳の保持は、この囚人房で戦い抜くために何よりも不可欠である。ときには、パンを使ったパック、コーヒーの滓や口紅も。

「私たちは自由であることとは何かを一歩一歩学んでいます」

――二〇二一年二月二二日、第一拘置所、ミンスク

今でも私は確信を持っています。未来を背負うのは自分たちだけなのだ、と。もちろん、私たちの世界じゅうの友人たちの支援と連帯を感じることが重要であるのは、言うまでもありません。しかし、誰かがやってきて、私たちに自由と民主主義を恵んでくれるのをあてにするのはまったく馬鹿げています。私たちベラルーシ人の内側から自然に湧き上がってくることが、変革に必要不可欠なステップなのです。私たちは自由であることとは何かを一歩一歩学んでいます。我が国の法や権利を理解することを、学んでいます。私たち個人でも、また皆で一緒にでも。私たちはこれらの権利を上に差し出す、つまり大統領やEUやロシアへゆずるのではなく、まずそれが自分たちのものであると主張することを学ぶのです。私たちベラルーシ人は、今、自分たちを高く評価することを学んでいます――私たちの無限の可能性、私たちの尊厳、私たちの才能、私たちの生活。この変革は私たち自身の内にあります。――これは苦難の道ですが、これこそが私たちの勝利なのです。

何か月にもわたる拘留の後でも心の強さを保っていられる人間がいる一方で、逮捕で脅されると心が折れてしまう人間もいるのはなぜか、その理由を理解するのは困難である。なぜマリア・コレスニコヴァ、あるいはアレクセイ・ナワリヌイ〔一九七六年〜、ロシアの反体制活動家。二〇二一年一月にロシア当局に拘束され、懲役九年を言い渡されて服役中〕のような人物は安全なドイツに留まらず、懲役刑が待ち構えているのを知りながら故国に戻るのか。それに対し、コレスニコヴァやナワリヌイと価値観を同じくしながら、路上に出てくることを恐れる人びとがいるのはなぜか。心理学には〈レジリエンス〉〔精神的抵抗力のこと。極度の不利な状況でも、それに耐えて跳ね返す精神力〕という概念がある。ある者はこのレジリエンスが優れていて、きわめて耐え難い生活状況でも持ちこたえることができる。レジリエンスはどこから生まれるのか、それについては多くの推測が可能であるが、マリア・コレスニコヴァの場合には、家族が重要な役割を演じていると思われる。父親アレクサンドルや妹タチアーナの支援や愛情がそれである。

——二〇二一年三月四日、第一拘置所、ミンスク

大好きな世界一の妹へ！

あなたと、パパが私のためにしてくれたこと。とても素敵で感謝しています。二人のことが大変誇らしく思います。世界中探したって、これほどの人たちはいないでしょう。強くて、

恐れ知らずで、私をすばらしく支えてくれる家族。

「私たちは家族はどんなときも心が通じあっていたと思います」と言うのはマリアの妹のタチアーナである。家ではいつもよく話していたという。マリアは家族でただ一人の芸術家である。早くから両親は、マリアが自分の道を進むよう応援していた。娘たちと仲のよかった母親は、数年前に亡くなった。今は父親がミンスクで一人暮らしをしている。母の死後、マリアはよく父の家に立ち寄った。ミンスクに泊まるときには、父の様子を見に行った。父アレクサンドルは、自分の人生がこうなるとは想像もしていなかったにちがいない。六五歳の引退したエンジニア。心からの望みはただ一つ、娘たちを再び抱きしめること。二人とも、今は会うことができない。一人は拘置所に、もう一人は外国にいる。「二人は自慢の娘です」と彼は言う。

アレクサンドル・コレスニコフは、言葉に対するセンスが繊細である。私とはオンラインで、ビデオを介して話す。彼が自分の家族のどうにもできない状況を言い表すときでも、彼は慎重でそれにふさわしいことばを選ぶ。けっして直接に非難することはしない。ルカシェンコは全体主義の暴君、私の家庭も含めて何千もの家族を崩壊させた怪物である、という代わりに、彼は言う。「政権はすべての民主的な発展を邪魔しているのです。私たちはそれを見て、感じ取っています。とても残念に思います。」または、「私たちには自分の意見を言う権利があります。しかしこの権利を、政権は私たちから取り上げてしまいました。」アレクサンドルが話すときには、自分に降りかかった運命について、激怒や絶望に駆られて不満をぶちまけるようなことはしない。たとえ、かけがえのない家族が奪い取られ、一人暮らしを余儀なくされているとしても。

マリアからの便りが届いていないか、毎日郵便受けを二度も三度も見る。彼は三月六日付の一八六番の手紙を私に見せてくれた。マリアは毎日父に手紙を書いているが、父にはほとんど届かない。三月には、娘から五通の手紙しか届かなかった。自分が書いた手紙が娘に何通届いているのか父にもわからない――二〇二一年三月には、娘に一通も届かなかったようである。

ベラルーシによくある嫌がらせであるが、逮捕者を孤立させ、世間で忘れ去られてしまったと思い込ませる。「人とのコミュニケーションを遮断してしまうのは拷問です」とアレクサンドル。「私には二重の苦しみです。娘マリアが囚われたうえに接触できないのですから。」やがてマリアは自分の手紙に通し番号を打つというシステムを作った。今では各ページの右上、日付に続けて番号が振ってある。

娘マリアが逮捕されたとき、父は引きこもった。彼は目が悪く、取材にもほとんど応じず、臆病になっていた。しかしその後、父は自分に打ち勝ち、娘の助けになると思えることを実行する。彼は娘や娘の戦いについて、自身の希望や願望について公の場で語るようになった。マリアの戦いは今や、家族の戦いとなった。「これが、ささやかながら私が自分の家族のためにできることです。もうこれは私の家族だけの話ではないのです」と父は言う。

ときには人びとが路上の彼に気づいて、敬意を表す。マリアの友人、支援者、そして共闘者が彼を訪ね、彼と話し、支援し、援助の調整をする。「こんなにたくさんの、すばらしい若い人たちが……！　彼らはいわば私の子であり、孫でもあります」と彼は語る。若い女性写真家が、ある企画を彼に申し出たという。彼女は、愛する人が欠けてしまった家族、政治的理由で拘束された人の不在が残した痛ましい空白を撮りたい。それをその写真家は表現しようと思うが、「アレクサンドル・コレスニコフさん、協力していただけませんか。」

　彼は同意したものの、「家でポツンといるところを、写真に撮られたくありませんでした。全員が揃うことがないのに、どうやったら、かけがえのない人間の不在を写真に撮れるのでしょうか。」アレクサンドルは、今ミンスクで一人暮らしだ。妻は亡くなり、娘たちはいない。そこで写真家と彼は、娘マリアにとって大事な場所を一緒に歩き回った。〈ＯＫ１６〉の広い敷地、そこはマリア・コレスニコヴァが夏までアート・ディレクターをしていた場所だ。そして彼が毎週訪れても、けっして入ることのできない拘置所。自分の娘に近づくために、彼が塀の外でほんのひととき、たたずむことしかできない場所だ。

　マリアについては、担当の女性弁護士から伝え聞いたことしか、父は知らない。今ではマリアはもう金髪ではなく、茶色の髪になっている。けっして彼女は落ち込んだりないし、負けた姿を晒したりもしない。彼女は〈獄中の光〉である、と弁護士は言う。訪問すると、マリアの明るい笑い声が廊下じゅうに響いていることがある。そして時には他の収容者たちも、それに応えることがあるそうだ、と父は語る。彼はこういった情報の断片を、娘の新たな暗い世界から拾い集めていく。拘留が半年以上に及ぶというのに、父には彼女と話すこと、訪問することが禁じられている。収容者が面会を受けられるか否かは、捜査官が決める。十一回申請したが、マリアの捜査官はすべての願いをただの一度も聞きいれない。電話も不可能だ。

それで父親は差し入れの小包を送る。ひと月に三〇キロまでは彼女に送ることが許されている。彼は彼女の大好きなドイツ製のコーヒーやチョコレートを手に入れた。さらに、いくつかのシュトゥットガルトの思い出の品も、そのうち送るつもりである。三月分の割当重量はすぐに一杯になるだろう。スニーカー、暖かい服、化粧品、マスカラも送った。とりわけマリアのトレードマークとなっている赤い口紅は、忘れてはならない。今では、彼女はまた読書も許可された。初めのうち、まだジョディノに入れられていたとき、書物は取り上げられていた――彼女はイギリスの物理学者スティーヴン・ホーキングとイスラエルの歴史家ユヴァル・ノア・ハラリを読んでいた。彼女が最も欲しいのは音楽だ。

――二〇二〇年九月二八日、ジョディノ第八拘置所

最愛の妹へ、

私にモーツァルトの楽譜を差し入れてくれた人がいます。なんとすばらしいアイディア！ 楽譜を送るのは許可されているのです。頭の中ですてきな音楽が鳴っています。バッハの

『ゴルトベルク変奏曲』。〔『マタイ受難曲』ＢＷＶ二四四の〕第二〇曲〔「われはわがイエスのもとに目覚めおらん」〕の冒頭、そして「主よ、憐れみ給え」〔同第三九曲〕、ＢＷＶ三九〔教会カンタータ『飢えたる者にパンを与え給え』〕、ヴェルディ『ナブッコ』の合唱曲〔「行け、わが想いよ！」〕。まだ他にも。ハンナ・アーレントの『悪の凡庸さについて』は読んでくれたかしら。その本はここにはないけれど。あなたの感想を聞くのが楽しみ。

ウクライナの歌手ヴィーカは、インタビューの最後に友人のマリア・コレスニコヴァのことばを語ってくれた。「芸術に捧げる時期もあれば、自分の生き方を勝ち取る決意を固める時期もあるのです。」私はこの言葉を思い出さずにはいられない。

——二〇二一年三月三日、ミンスク第一拘置所

最愛の妹へ

たしかに勉強の場としては変だけど、けっしてサボってはいません。先週は、四冊読了しました、二冊は英語、『華麗なるギャツビー』と『マーティン・イーデン』——これらは私の好みにぴったり合いました。並行して読んでいた二冊はドイツ語ですが、難しいのでゆっくりとしか読み進めません。私の場合、こんなやり方で、多くの時間、エネルギー、気力を

要するけれど、分かっているはず、気分は燃えていて、高揚しているのです！　あなたがいないと寂しくて、あなたのことを大いに考えます。あなたを本当にしっかりと、固く抱きしめます。すべては良くなります！　体に気をつけて！

マーシャより

マリア・コレスニコヴァは、刑務所から政治的な戦いを続ける。新たな政党の設立に参画する。党名は〈共同〉。数日のうちに党員は何千人にもなっていた。そしてコレスニコヴァは、自分の裁判の準備をしている。今、新たな法定代理人を見つけた。五番目の女性弁護士である。この弁護士はさらに、自分もシャットアウトされてしまうような場合にそなえて、自分の代わりを務めてくれる弁護士チームを探している。週に一度、この女性弁護士は依頼人であるマリアに面会する。それから二人は、目前に迫る裁判のための戦略を考え抜く。マリア・コレスニコヴァは不正な政権に対して、正義を法治国家の手段をもって示そうとする。絶望的で、無謀な企てのようにも思える。しかしこの暗黒時代にさえ、一筋の光が差し込み、彼女は自分と繋がってくれる人びとを見出していく。本当にすばらしい人びとを。

9 未来を語る言葉

「私たちを救うのは愛だけ」

スヴェトラーナ・チハノフスカヤ、ヴェロニカ・ツェプカロ、そしてマリア・コレスニコヴァが政治について語るとき、とりわけ頻繁に出てくる二つの言葉がある。その一つは「自由」。それは当然だ。この三人の女性は、「自由」を求めて二〇二〇年の夏以来戦っているのだから。「自由」が目標であるが、目標に至るためには、ステップを踏まなくてはならない。二〇二〇年の八月の大統領選挙の前にこの女たちが、自分たちの力を結集すると決めたとき、重要な中間目標を確認し合った。政治犯たちの釈放、そしてその後に国家的暴力の終焉である。たしかに〈自由への願望〉は選挙公約の代わりにならないが、将来、選挙公約を生み出す前提となる——公約は、複数かつ競合して有権者がその中から選べるのがベストだ。

二つ目の言葉はむしろ意外であろう。それは「愛」である。「私は夫への愛と、ベラルーシへの愛からすべてを行なっているのです」とスヴェトラーナ・チハノフスカヤ。「ステージに立つと、人びとの愛を感じます」とヴェロニカ・ツェプカロ。「私たちを救うのは愛だけです」とマリア・コレスニコヴァ。

愛が政治の基本概念でありうるのか、あるいはあらねばならぬのか。これについては、多くの女性哲学者、神学者、社会学者が取り組んできた。愛することが政治的行為であり、愛があってこそ人びとを共感させ、さらに政治的行動を取ることを可能にする。その理由を論じたすぐれた論考がいくつか存在する。今日でも、政治思想史に取り組もうとする者が無視できない神学者アウグスティヌスにおいては、中心的役割を果たすのが愛である。若きハンナ・アーレントは、この愛の概念について論じ、博士号を取得した。テオドーア・アドルノによれば、正義は核心において、愛の政治形態の一つであると定義される。そして女性哲学者マーサ・ヌスバウムは『政治的な感情——なぜ正義には愛が重要なのか（*Political Emotions: Why Love Matters for Justice*）』の中で、政治的範疇として感情の復権を試みる。すべての政治的な原則には情緒的な下支えが必要である、とヌスバウムは考えている。彼女にとって、まさに愛は正義の保証として政治に欠かせないのである。

しかしスヴェトラーナ・チハノフスカヤ、ヴェロニカ・ツェプカロ、そしてマリア・コレスニコヴァが政治の舞台にあがったのは、政治思想史や哲学論文の世界ではなく、過酷な現実世界である。

彼女たちは、今までベラルーシに存在しなかった状況を体験する。まずベラルーシ独立以来、歴史上初めて女たちが独裁者アレクサンドル・ルカシェンコに挑戦し、彼に脅威を与えた。この女性三人組の存在は巨大な一般大衆に、政治集会や記者会見や動画によって伝わった。何十万人の人びとがこの女たちの言うことに耳を傾ける。では、何を彼女たちは語るのか。愛、心遣い、共有、共存について。すなわち、政治の世界に迷い込んだ女たちに期待される典型的な言葉とほぼ同じである。権力奪取を目的とする彼女たちが最初に行なったのは、なんと女性ならではの情緒的な決まり文句の復活であった。しかし単純にそのように考えてしまうと、とんでもない見当違いだ。

ルカシェンコの恩顧を受ける国家装置

ベラルーシの隣国であるリトアニアでは、住民十万人に対して、治安当局の協力者が二〇九名である。ところがベラルーシでは、〈東欧・国際研究センター〉によると、協力者はその約二倍もの数にのぼる。エリート意識によって結びついたほぼ閉鎖的な組織、独自の連帯意識と依存のネットワークを通じて、とりわけ治安部隊の特殊部隊の組織はトップに立つアレクサンドル・ルカシェンコに忠実に仕える。大多数は地方や小都市出身の若い男性で、特権の魅力に引かれて雇われる。ＯＭＯＮ警官であれば中級職であっても、俸給はＩＴ専門家の給料と肩をならべ、さらに上の幹部は、指導者階層《ノーメンクラトゥーラ》の党員幹部の収入に届くほどである。

低い階層の者たちにも、この依存関係が働いている。民警においてさえ、その組織員の収入は経験を積んだエンジニアより約三分の一以上多く、数学あるいは情報学の教員の二倍にもなる。警察官と捜査官には国家に仕える義務年限があり、長く勤めるとより多くの報奨金が与えられる。二〇二〇年八月の国家的暴力行為のあとで何人が早期退職したが、彼らは報奨金を返還しなくてはならなかった。それは換算するとほぼ約二〇〇〇ユーロ〔およそ三〇万円〕に相当し、ベラルーシではちょっとした財産で、一般家庭であれば長期にわたって貯蓄しなければ届かない額である。

ルカシェンコは、治安当局が自分に従順に従うように、可能な限りすべての保証が与えられるよう配慮してやる。幹部や特別部隊のトップは、ひとりひとり大統領が親任する。警察長官や最高裁の裁判官も同様である。それに加えて、大統領からの恩顧を得る競争をさせるため、役職の並列構造を作り出した。誰も権力を持ちすぎてはならないのである。しかしルカシェンコが権力を保つ最強の仕組みは、治安部隊がルカシェンコ体制下で享受する事実上の不処罰である。治安部隊は殺人を犯しても、通常、法的責任を恐れる必要はない。国家は、自分の仲間であれば殺人犯であっても保護する。ドイツの政治学者ナジャ・ダグラスは自著『不処罰の文化』において、体制への依存関係を強化するため、ルカシェンコ政権がOMONの警官の犯罪を意識的に容認していることを前提に議論を始める。

一九九九年、ルカシェンコが大統領の座に着いた五年目に、〈死の部隊〉〔非合法の暗殺部隊〕が要職にある野党政治家を三人も抹殺した、とされている。その犯行はベラルーシの社会に深い傷を残した。この事件は今日まで解明されておらず、遺体すら見つかっていない。その痕跡をたどると国家当局に行き着く。アレクサンドル・ルカシェンコが暗殺に関与したか、事情を知っていたのか、あるいは命令を下したのかさえ、立証されていないままである。もちろん犯人が徹底的に捜査されることがないように、個人的に気を配っていた、とルカシェンコの伝記作家ヴァレリー・カルヴァレーヴィチは振り返る。当時ルカシェンコは本来親しい友人である検事総長を叱責し、ついには休職させた。「君ってやつは、いつもクソを掘り返しては、俺にひっかけやがる。掘って、掘って、掘り返してばかりだ。」ルカシェンコは捜査を自分に対する脅しと見なしていた。

「生まれついての大統領」

ルカシェンコが公的な場で話すときは常に、自分の子どもを見守るような、気さくな〈国父〉然として振る舞う——というのも、彼の頭の中では、国民は成人した人間といえども、関心を何に向けたらよいか、どのような信念をもつべきかを、自分で決められない子どもだからである。何が国民のためになるか分かっているのは、ルカシェンコだけなのだ。「私と君たちの国、およびその権力者を愛するように、君たちに強制するつもりだ」と彼は言う。「その代わりに約束する。祖国は君たちを決して悲惨な目に遭わせることはない。」

必要とあればルカシェンコは、国際会議において仲介の労をとる偉大な外交官としての役割を果たすことができる。二〇二〇年八月の不正な大統領選の二年以上前のことだが、私は外国の賓客グループの一員になったことがある。国際会議という枠組でアレクサンドル・ルカシェンコの豪華な宮殿に招かれたのだ。大理石、何百もの部屋、何トンもの重さのシャンデリア――そして寒さ。穏やかな秋の日でも、この馬鹿でかいシロモノをまともに暖房することは明らかに不可能だった。

招待されたのは、外交官、ジャーナリスト、外国の有力政治家たち、大臣、ほぼ男性ばかりだ。客の前には席ごとに、ベラルーシの菓子とベラルーシ産のアップルジュースの小瓶が置かれていた。そしてアレクサンドル・ルカシェンコ登場。彼は皆に愛想よく挨拶を述べ、話し始めると止まらない。話が聞かれているかどうかは、彼には問題ではない――巧みに語り、教えを垂れることを楽しむ。インタビューや挨拶は、ときには数時間に及ぶ。彼の話には、少しばかり口の悪い、対象となる人物を軽蔑しているかのようなエピソードがふんだんに盛り込まれている。

ウクライナのゼレンスキー大統領についてはこうである。「彼はもちろん馬鹿な人間ではない。政治とは違う分野の出身ではあるがね。経験を積んだ大統領である私を信じなさい。――人は大統領になるのではなく、大統領に生まれるのだ。」付け加えていわく「彼を気の毒に思うよ。」ウラジーミル・プーチンに関しては「プーチンと最初に会ったときのことは思い出せない。しかしプーチンのほうは覚えているはずだ。」ルカシェンコは大統領に選ばれてすぐに、サンクト・ペテルブルクに出向いた。当時の市長のアナトリー・サプチャークに会うためだった。「そいつの子分が、使いっ走り時代のウラジーミル・プーチンだったのさ。」

ルカシェンコがやって見せているのは権力の誇示であり、それは巧みに仕組まれている。彼は他のいかなるヨーロッパの大統領や首相よりも長く権力の座にいて、プーチンさえ、彼に六年も遅れてようやく国家元首になったのだ。ルカシェンコは鼻であしらうような態度を巧妙に織り交ぜて、外交活動を確実なものにした。ときには突拍子もない言動でコントロール不可能に見せるのは、十分に考え抜かれた戦術である。この戦術を使って、彼は国際的な権力の中で自分の位置のバランスを取っている。しかし将来の交渉の可能性を閉ざすようなことは、けっして行なわない。抜け目なく振る舞う交渉相手であり、あちら側にもこちら側にも、ロシアと欧州連合の双方の側に、自分が不可欠な仲間であると思わせる役者である。ただしその戦術が効果をあげていたのは二〇二〇年の夏までであり、その後は破綻した。以来ルカシェンコは、プーチンに自分の運命を預け、その厚意にすがっている。自分を偉そうにも気さくにも見せられるルカシェンコは、西側の人びとの目には、素朴、あるいは滑稽、あるいは虫が好かない人物のように写るかもしれない。しかしルカシェンコは、聴衆に自分を巧みに合わせられる才能ある能弁家である。彼が私たち国際的な賓客に自分の宮殿で演説をしたその日には、地域の安定を保証し、東欧の平和と繁栄を心に抱く、思慮深い仲介者のように自分を見せていた。戦争の脅威という暗いシナリオを描き、自分が平和の立役者であると自賛する。彼は首都ミンスクを、国際的な外交政策の首都と評価されるよう変えてみせよう、と言う。「私ルカシェンコがいるこのベラルーシで交渉すれば、ロシア対ウクライナの〔クリミア半島をめぐる〕戦い〔二〇一四年〜〕であれ、アルメニア対アゼルバイジャンの戦いであれ、紛争は調停してさしあげよう。諸君、もし君たちが私の統治のやり方を受け入れるなら、諸君に平和と安定を保証する」というのがルカシェンコのメッセージであった。

　これはアレクサンドル・ルカシェンコの一つの顔である。何か問題があって部下に命じたり、民衆に向けて語ったりするときには、ルカシェンコの別の顔が露わになる。そうなると父性的温情主義は、軽蔑や罵りの口調にすっかり変わる。パンデミックの死者を嘲笑するとき、国家権力の犠牲者を侮辱するとき、女性を笑いものにしたり同性愛者あるいは失業者を貶《おとし》めるとき、脅迫や暴力により従順を要求するとき。このとき、人民・国家・権力は一体化し、ルカシェンコ的三位一体となる。

「私は我が国民、我が国家、大統領権力を死守するつもりだ。必要とあれば、武器を手にすることも辞さない。そうせざるをえないならば、一人でも戦う。私はこれらを守り、恐れるものは何もない。」ルカシェンコは二〇〇五年にすでにこう言っている。二〇二〇年の不正選挙の後で抗議行動が展開されると、緊急事態に備えて軍隊をポーランドやリトアニアの国境地帯に配備した。末の息子のコーリャと共に防弾チョッキ姿で、カラシニコフ自動小銃を持ってポーズを取り、戦場の将軍のように首都の上空をヘリコプターで飛んで見せる。国営メディアは、抗議活動をする人を「ドブネズミ」や「毒虫」と呼び、西側に操られている〈敵〉の画像を流す。ルカシェンコが欲するままに、彼のテレビ局は映像を流す。スヴェトラーナ・チハノフスカヤが対話を提案する——するとアレクサンドル・ルカシェンコは、あたかも戦争中であるかのような画像で応答する。

暴力の代わりに愛

ベラルーシ人を偉大にするのはこの言葉である。言葉によって、政治的文化の基調をあらかじめ規定するのである。〈愛〉とか〈思いやり〉とか〈一体感〉を語るのは、女たちのお決まりの話題ではなく、むしろ政治的転換を考え抜いた上での試みである。これを理解するためには、マリアやスヴェトラーナの演説場面を思い出す必要がある。マリア・コレスニコヴァはあらゆる演説を締めくくる際、いかにベラルーシ人が偉大で、いかに彼女がベラルーシ人を愛しているかを確認し、聴衆に向かって手でハートの形を作る。これは、それまで人びとに向けられてきた政治的演説のスタイルからの方向転換である。スヴェトラーナ・チハノフスカヤのスピーチは、心遣いや心優しさに満ちている。これらはお決まりの女らしさの表現、と思われるかもしれない。しかし彼女たちの言葉や手振りは、アレクサンドル・ルカシェンコがほぼ三〇年間の長きにわたり力で押しつけてきた、攻撃的かつ威圧的な父権的権威主義の対極となるやり方である。

「スヴェトラーナは、一般の人びとに語りかけてあんなに素晴らしい結びつきを作るなんて、彼女はどうやって自分の言葉を見つけたのだろう！　これには選挙前の私もびっくりしました。だって、それまでの彼女の視界にあったのは、自分と周りの世界、彼女の家族だけだったのですから」とヴァレリー・コヴァレフスキーは言う。彼はチハノフスカヤのチームで外交政策を担当し、彼女の選挙スタッフを率いている。「彼女の人びとに語りかけるやり方が気に入りました。すべての人を軽蔑するルカシェンコとは、明らかに対照的でした。」

この対照は、偶然ではない、とスヴェトラーナ・チハノフスカヤの重要な顧問の一人であるアレクサンドル・ドブロヴォリスキーは語る。彼は三人のすべての候補者の選挙事務所に足を運んだ。ヴィクトル・ババリコが語ってくれた話をドブロヴォリスキーは思い出す。あるときババリコは、抗議運動をする年配の女性に出会った。彼女は叫んでいた。「私たちが欲しいのは国民に対する思いやりと愛！」彼女からハート形を作るというアイディアをもらって、ババリコの陣営では全員が手でハートを作ることにした。それ以来ババリコは、しきりに愛について語るようになった。「私はベラルーシの木々や人びとを愛する」とベラルーシのメディア〈kyky.by〉の女性編集長に語った。「苦しみのすべての原因はルカシェンコにある。それでも自分はルカシェンコのことも愛しています――結局ルカシェンコもまた、愛が欠けていた子供時代の産物に過ぎないからです。」

「愛とは、心を掴むストーリーです――それは人びとを結びつける可能性を与えます。私たちが手で作ったハートの形が、人びとを結びつけたように。単純すぎるとお考えですか。でもそれが、皆の心を奪ったのです」、とババリコはベラルーシの新聞『ナーシャ・ニーヴァ』で語った。もともとこのハートに関するあれこれは、マーケティングの戦略だった。「普通ならマーケティング業界のアイデアを、そのまま政治の舞台に持ってきても機能しません」とドブロヴォリスキーは言う。しかし今回の選挙の場ではマーケティング戦略が力を発揮したのだ。愛と思いやりが、二〇二〇年にルカシェンコの対立候補の中心的な政策となりえたのは、ベラルーシの社会ではその必要性が大きかったからだ。そして、ルカシェンコや彼の政策、彼の言葉への対照性を最も明確な形で体現したのが、ほかならぬこの三人の女たち、スヴェトラーナ・チハノフスカヤ、ヴェロニカ・ツェプカロ――そしてマリア・コレスニコヴァであった。

ルカシェンコ政権の脅迫vs.女性三人組の約束する未来、父権的罰則vs.優しい配慮、暴力vs.愛、厚かましさvs.思いやり――今やこのような対象がはっきりとしてきた。

「恐怖の体制が生んだ罪なき犠牲者」

二〇二〇年十一月十二日のことだった。変革広場に通常の市民に偽装した警官〈ティチャリ〉たちが出動したのは。彼らは、近所の人たちが広場の垣根に結びつけた、白赤白のリボンを引きちぎった。広場はミンスクの真ん中の簡素なひっそりとした空き地だったが、二〇二〇年夏以来アレクサンドル・ルカシェンコへの抵抗の象徴的な場となっていた。何が起きたか、青年ボンダレンコが知ったのはこの時である。彼は町内チャットで隣人にこう告げた。「俺が行ってくる」。彼は変革広場に行き、見知らぬ男たちに詰め寄る。「何やってんだ、おまえら。」すると彼らはボンダレンコを押し倒し、袋叩きにし、ついには手足を掴んで覆面警察車両に引きずり込む。ボンダレンコはミンスクの中央地区の派出所へ連行された。

それから二時間もたたないうちに、彼は集中治療室に搬送される。医学的な診療報告は以下のとおり。硬膜下血腫、脳幹損傷、圧迫による頭蓋脳圧亢進、下顎脱臼、顔面及び脚部の内出血および外傷、外傷による気胸。ローマン・ボンダレンコ死亡。三一歳であった。

変革広場は哀しみの広場に変わった。全国から弔意を表す人びとがやってきて花やろうそくを捧げ、ローマン・ボンダレンコ追悼の場となったのだ。政府ははじめ二、三日様子を見ていた。そしてスタングレネードと大量逮捕で応じた。追悼の花やろうそくは片付けられた。撤去後何週間かは覆面の男たちとOMONの警官が日夜パトロールし、家宅捜索し、自宅を離れる人すべてをチェックした。哀悼の場は恐怖の場に変わった。

ローマン・ボンダレンコの家族、隣人、女友だちの話を聞くたびに、素晴らしい若者の姿が浮かび上がる。ボンダレンコは早くに自分の芸術的才能に気づき、十五歳でロシアからミンスクの親戚のもとに引っ越してきた。ミンスクのデザイン専門学校に入学するためである。クラスに男子生徒は彼含め数人しかなかった。「気が優しかったから女子には好かれてました。引っ込み思案で、思いやりがあって」とかつての女友だちは口を揃える。「彼は辛抱強く、私たち女子の話につきあってくれました。」このエピソードを語ったとき、泣いていたひとりの顔に一瞬ではあるが、明るさが浮かんだ。

彼は専門学校を出て芸術大学で学び、続いて特殊任務部隊《スペツナズ》で軍務についた。ベラルーシ軍のエリート戦闘部隊である。二〇二〇年の不正選挙後に大きな抗議運動が始まったとき、ボンダレンコはまだ消極的で、抗議への参加を避けてきた。しかし変革広場は彼にとって、ちょっとした政治世界となった。地域住民と知り合い、仕事が非番のときは、子どもたちに無料で絵画教室を開き、絵の具や紙を買い与えた。彼はドラッグストアの店長であった。死の前日、彼は退職を申し出ている。「彼はほっとしていました」と女友だちの一人が言う。「彼はこれからの生活をとても楽しみにしていたから。芸術のための時間がもっと欲しかったのです。」

ローマン・ボンダレンコの死は、ベラルーシで衝撃を引き起こした。葬儀はミンスク市のはずれで行なわれたが、そこには何千人もが参列した。この若者の死は、彼を知らぬ者の心さえ揺さぶったのだ。一つには、ボンダレンコの医学的な検査報告から想像される残虐性ゆえに。もう一つには、彼の死が他人事ではないからだ。彼のような若者の身に起きたということは、男女を問わずベラルーシの誰にでも例外なく、このようなことは起こりうる。

ローマン・ボンダレンコの死を知って、スヴェトラーナ・チハノフスカヤは、ヴィリニュスでカメラの前に立った。喪服を着た彼女の前には、ろうそくが灯《とも》してあった。ゆっくりと静かな声で、彼女は語った。最初の言葉はボンダレンコの母親に向けてだった。「自分の子どもの埋葬をする母親がどんなに辛いものか、想像ができません。けれども、ローマン・ボンダレンコ氏のお母様にお伝えしたいのです。どうか私の心からの弔意をお受け取りください。あなたの息子さんは恐怖の体制の罪なき犠牲者となったのです。私たち全員にとって、彼はこの国の英雄となるでしょう」とチハフスカヤ。「私はローマン・ボンダレンコ氏と会ったことがありません。しかし、彼の殺害は、捜査が必要であることはわかります。関与した者全員が罪に問われるべきです。」そして、彼女はボンダレンコ追悼のデモ行進を呼びかけ、政権を弱体化させるためにどんなことでもする、と約束する。――「ローマン・ボンダレンコ氏のために。政治犯として囚われている人びとのために。自分たちの身内のために、自分自身のために、そして新生ベラルーシに生きたいと願ったゆえに殺された、すべての人のために。」

　チハノフスカヤの言葉は、ルカシェンコすら動かした。ボンダレンコの死に対する反響は大きくなりすぎて、黙殺できなくなったからである。ルカシェンコは解明を約束するが――いつもの反論を付け加える。犯人に対してしかるべき措置をとる代わりに、体制とかかわりのない二人の人物を訴追した。医師アルチョム・ソロキンには二年間の禁錮刑とする有罪判決が下る。ボンダレンコの医学的検査報告の結果を、ジャーナリストのカテリーナ・ボリセヴィチに漏らしたからである。ボリセヴィチはその報告書を公にしたゆえに、半年間の禁錮ならびに罰金刑を言い渡される。ボンダレンコの死に対して責任のある実行犯が、ルカシェンコ政権下で責任を取らされることはけっしてないであろう。不処罰が実行犯を保護しているからである。

「この人物は負傷していた。彼は素面《しらふ》ではなかった。これは確認済みだ。捜査委員会から本日提出された彼の死に関する最終報告書によると「彼は泥酔していた」のである」。ルカシェンコはジャーナリストたちの前で、ボンダレンコについてそう言い放った。「もちろん彼を警察署に連行した。途中で彼は気分が悪くなった、と聞いている。そこで救急車を呼び、彼を病院に連れて行った」と事件の経緯を説明する。「ついでに、当日の死亡統計に目を通しておいたよ。二名が車の事故で死亡、さらに一人の重傷者が死に至った。この他に死亡事故がさらに四件ある——その人たちは死者ではないのかね？」とルカシェンコがジャーナリストたちに質問する。「もちろん彼らも死者さ！　今日は誰もそれらの死者について語らないのは、いったいなぜだ。関心がないからだよ。抗議活動のやつらは、死者から誰か一人を見つけ出して、騒ぎ立てているだけさ。」

○

何かが変わる。ベラルーシでは、その時まで政治の領域と個人のそれが厳しく分かたれていたが、この二つが一つになった。かつては、家の台所の中で政治的な不満を吐き出していても、外では服従を見せていた。しかし今や、個人的問題が政治的問題になった。逆もしかりである——それまで固定していた政治と個人の境界線を、スヴェトラーナ・チハノフスカヤほど、すっかり取り払った者はいない。彼女は家族の幸せを求める戦いを、ベラルーシの未来を求める戦いと結びつけた。彼女は残酷な言葉や過激な言い方を避ける。彼女の夫セルゲイはルカシェンコを〈ゴキブリ〉呼ばわりしたが、彼女はそのようなひどい言葉は決して使わない。ただ一つ口にした過激な言葉は、ベラルーシ人民への「ジェノサイド（大量殺戮）」について話す機会に、ルカシェンコの手先に向かって、「ファシスト」という言葉に引っ掛けて「ルカシスト」と言っただけだ。

彼女は未来に寄り添い、彼は過去に寄り添う

二〇二〇年が過ぎ去り、新しい年はもっと恵み深い年になってほしいと、人びとが希求するそのときに、スヴェトラーナ・チハノフスカヤは、ベラルーシ社会に向けて公式の新年のスピーチをおこなった——初めてベラルーシ語で。これは小事ではない。言語はアイデンティティを明確にし、人柄を特徴づける。彼女はベラルーシにおける政治的な位置づけや人間の価値について、しかるべく語る。

ベラルーシ語は独立ベラルーシの言語とされている。伝統的でどちらかというとナショナリストの野党政治家たちが、ロシア語からのベラルーシ語の独立に大きな価値を置いている。しかしまた芸術家、作家、市民社会の活動家も意識的にベラルーシ語を使う。ルカシェンコのもとでは、ますます隅に追いやられているにしても、ベラルーシ語には、ルカシェンコ政権と一線を画す役割がある。ベラルーシ語を使う人びとは減少しつづけている。一九九五年にルカシェンコが、大統領に選出されて一年足らずで、国民投票によりロシア語を第二の公用語にしたからでもある。今日では圧倒的多数のベラルーシ人は、自分の家ではロシア語を話している。

東欧・国際研究センターのアンケートでは、抗議運動参加者のなかでさえ、回答者の四〇パーセント弱は、ロシア語もベラルーシ語も自分の母語であると感じている——しかし、仕事であれ家庭であれ、日常生活で使われているには圧倒的にロシア語が多い。ユネスコの言語データベースによ

れば、ベラルーシ人でベラルーシ語を積極的に使う人は、半数に満たない。マリア・コレスニコヴァはしばしばベラルーシ語を使い、ヴェロニカ・ツェプカロもベラルーシ語を習得する努力はしたが、難しい言い回しに悩まされ、母語であるロシア語に戻っていった。スヴェトラーナ・チハノフスカヤもベラルーシ語が達者ではない。それでも彼女はベラルーシ語を学んでいる。

チハノフスカヤのスピーチはオンラインで、ルカシェンコのそれとほぼ同時に公開されたが、それは彼女のアドバイザーたちの計画による。新年の挨拶をするにあたり、彼女は赤い上着と白いセーターでクリスマスツリーの前に立ち、ツリーは白赤白の色のガラス球で飾られていた。彼女は社会の団結と共通の未来について訴える——完璧なベラルーシ語で。「私たちは、変革に票を投じていただくために、八月に団結しました。私たちはオクレスティノ拘置所のようすを聞いたときには、痛みを感じて共に泣きました。何十万人の人びとが、自由を求めての行進をしたと知ったときには喜びで泣きました」とチハノフスカヤはカメラに向かって言う。「もはや私たちは、分裂したり、停滞したり、立ち止まったりしてはならないのです。」

「スヴェトラーナのスピーチは、できるかぎりルカシェンコの対極を行く必要がありました」と新年のスピーチについて、顧問ドブロヴォリスキーは言う。「彼女がどう見えているのか、人びとは彼女と何を結びつけるのか。彼女には未来を連想させる人物、という印象を与えてほしいのです。」過去——それはルカシェンコに任せておこうではないか。

もちろん演出においては、ＰＲ効果をよく考えることが大切だ。だが、愛や団結について語るこの三人の女たちの言葉は「本物だ」と心に響く。ただそれだけの理由で信頼性があり、ＰＲ効果が上がる。彼女たちは、敬意と尊厳を表す記号になった。別の社会に変わろうとしているベラルーシ社会が、長いあいだ明らかに待ち望んでいたのが、まさにこれである。

ルカシェンコが権力の座に着いたときの「旧ソ連時代の威信を取り戻す」という彼のスローガンは、十分に成功が期待できた。彼は過去の思い出を持ち出して人びとに媚び、とりわけソ連崩壊後の社会を襲った混乱に不安を抱えていた大衆にアピールした。そのようにして、ルカシェンコは長きにわたって自分の権力および自分への信頼を確固たるものにした。典型的なルカシェンコの支持者は、田舎に住んでいて高等教育を受けていない年配の女たちである。しかし今日では、ほぼ八〇パーセントのベラルーシ人は都市部に住み、もはや田舎には住んでいない。人口の四分の一は二五歳以下である。これらの人びとはソ連が崩壊したときにはまだ生まれていなかった。四五パーセントは五四歳以下で、ソ連はせいぜい子ども時代、あるいは二〇代前半のこととして知るのみである。彼らにはソ連の国旗や国歌も、とうに憧れの対象ではなくなっている。彼らの両親にはまだ通用していた美意識や言語も、若い世代には影響力を持たない。

中流層は、移動に慣れている――二〇二〇年には、すべてのベラルーシ人の七パーセント近くが、国境検査なしで国境を越えられるシェンゲン協定国間の査証を許可された。若年層は自分の幸福を自国外に求め、ポーランドやリトアニアの大学に行き、ウクライナでの生活を知り、あるいはロシアで働く。そして彼らは比較するようになる。複数のアンケートによると、ベラルーシ人男女の十八歳から二三歳までの三分の二は国を愛しているものの、抗議運動以前でさえ自国での生活に生きる価値を見いだせなかった。二〇二〇年八月の不正選挙の後では、十八歳から四五歳のわずか四分の一しか、国の方向が正しいとは思っていない。六〇歳以上はそれでも半数以上が、国では物事がうまく進んでいると考えていた。〈東欧・国際研究センター〉のアンケートによると、十八歳から二九歳のグループは、抗議運動でもとくに積極的であった。

社会学者エレーナ・ガーポヴァは、ベラルーシの中で「新しい階級」が形成された、とさえ言う。これらの人びとはＩＴ部門や、芸術関連分野またはサービス業界に属していて、自営で安定性を欠く労働条件で働くことも多いが、その代わり、ある程度自由に慣れてもいる。彼らはやっかいな状況にはあるが、中流層の要求や価値観や理想を持って暮らしている、とも言えようか。それに加えて、大衆メディアとなったインターネットがある。二〇〇六年にベラルーシでは、一六パーセントの人びとがインターネットを利用しているにすぎなかった。しかし二〇二〇年には八三パーセントもの男女がネットサーフィンをしている。またそれゆえにルカシェンコは不正選挙後の第一日目に、巨大な経済的損失を覚悟の上でインターネットを遮断したのである。

しかし変化が、リベラルで現代的な社会への目覚めを必ずしももたらすわけではない。変革を要求し、革命さえ呼び起こそうとする者が、必ずしもリベラルや進歩的であるわけではなく、保守的な精神に深く根ざしているのかもしれない。これまで、いくつかのシンクタンクのアンケートが示したのは次のとおり。ルカシェンコに反対する人びとは、さまざまな価値観を有している。〈東欧・国際研究センター〉のアンケートによると、四二パーセントの人びとが民主主義を好ましく思っているが、二〇パーセント以上の人びとには、どのような体制のもとで生活しようと関係ない、あるいは独裁体制のもとでも生活していけると考えている。そして回答者の三分の一は、何を望むべきなのかわかっていない。

人びとを結びつけるのは、変化への切なる願望である。しかしその変化がどのような形になるのか、誰がルカシェンコの後継者になるのか、どのような国に住むことになるのか。これらを、これから議論して決めていかねばならない――今後、どんなことが起こりうるのか不安を抱いている人たちと共に。

政治的言語や日常生活に〈残虐〉や〈暴力〉が入り込んでしまっているとき。また変革を渇望しても、それに伴う変化に同時に不安を覚えてしまうとき。そういうときには、フランス革命の「宮殿に戦いを！」や中国近代化の「大躍進！」を唱えるよりも、愛と団結の力について人びとの耳にきちんと届くように語りかけるほうが、革命へと向かう気分を醸成するには効果的なのだ。

10 ヨーロッパの空白地帯

関心を持ってくれたことに感謝！

たえず彼女たちは感謝する。スヴェトラーナ・チハノフスカヤは国際的な支持に、マリア・コレスニコヴァは獄中で多くの手紙を受け取ったことに、ヴェロニカ・ツェプカロは世界中の支持に、とりわけまたドイツの連邦議会議員の支援にも感謝している。もちろんベラルーシ人たちは、自分たちだけでこの戦いに決着をつけなくてはならないことを、分かりすぎるほど分かっている。自分たちからこの労苦を取り除いてくれる者は、他所にはいない。しかしまたこの戦いは、外国との連帯や関与なしでは、持ちこたえられないことも分かっている。政権が振り回す暴力と自分たちの持つ力。彼我の差はあまりに大きすぎる。国際的な注目が必要である。さもないとルカシェンコはとうにベラルーシを、どのような不平や悲鳴も漏れ出さない、防音室に変えてしまっていただろう。

過去数か月間に行なったベラルーシ人とのインタビューは、いつも感謝されて終わった。世界の誰かが、自分たちの国の運命に、自分たちの戦いや苦しみに関心を持ってくれたこと、自分たちが忘れ去られていないことへの感謝である。そして彼らは知っている。この蜂起がどのような形で終わろうと、とにかく世界中の人々がルカシェンコの犯罪の目撃者なのだ。命を賭けて戦っているのに、誰もそれに目を向け耳を傾けてくれないとしたら……。そのような気持ちほど、心を萎えさせ、士気を削ぐものはない。

私は、彼らの感謝のことばに、ほとんど恥じ入ってしまった。ベルリンからわずか一〇〇〇キロ足らずの場所である。そこでの出来事に関心を持つのが自明であると、ベラルーシ人たちは考えていない。この点を彼らは、感謝のことばで表した。何か月間も屈辱と弾圧を受けてきてなお、人びとは一般に「ヨーロッパ的」とみなされる価値のために戦っている。そんな国がEUのすぐ隣にあるのだ。そこで人びとはひたすら非暴力をつらぬき、報復も越権行為もせずにいる——外国人ジャーナリストである私がそれに関心を持つことが、ことさら感謝されるに値する行為であろうか。

ロシア政府がルカシェンコとその体制を支持している限り、ベラルーシにおいてEU諸国ができることは限られる。それならば、ヨーロッパのコンツェルンがビジネスの契約を結ぶ相手国について、また国際的スポーツ連盟がオリンピックの冬季大会の参加国について、当該国がいかなる体制下にあるのかを言明するのは最低限なすべきことではないのか。どのような犯罪が、自国民に対して行なわれているのかを糾弾することも。

私の取材相手の口から謙虚な感謝の言葉が聞こえるのは、メディアが見出しやトップニュースで騒ぎ立てる世界の悲惨な状況があってなお、自分たちの運命がじゅうぶん注目に値すると思ってもらえたことへの感謝からかもしれない。ミャンマーにおける抗議者たちの処刑、アレクセイ・ナワリヌイの活動禁止、ハマス〔パレスチナのイスラム抵抗運動〕とイスラエル間の紛争など、たしかにこれらすべてに関心を持つのは、誰ひとりとしてできることではない。いや、少し待って欲しい。ベラルーシの人びとが感謝を示すのは、純粋な謙虚さからばかりではなく、自分たちがヨーロッパの空白地帯にいるという実感からかもしれない。

『ヨーロッパの空白地帯』――これが歴史家トーマス・ボーンがヴィクトル・シャドルスキーとの共著で数年前に出版した、ベラルーシに関する書物のタイトルである。「ベラルーシ」と聞いても西側の大多数の人には、それがどこにあるのか思いつくのに、おそらく長い時間がかかるであろう。しばらくして、〈チョルノビリ〉〔チョルノビリはベラルーシとの国境に近いが、ウクライナ国内にある。ただし放射能汚染による被害はベラルーシ側のほうが大きかった〕、あるいは人口に膾炙した「ヨーロッパ最後の独裁国家」を思いつくのが関の山である。ヨーロッパ西側の人びとは東側に特別の関心を持っていない――東側出身者にはよくある経験である。そして東が西からはるかに離れていると感じている人が少なからず存在することに、いつも驚かされる。「ブラウンシュヴァイクのすぐ向こうには、アジアのがらんとした大草原が広がっている気がする」と西ドイツ初代首相コンラート・アデナウアー〔一八七六〜一九六七、首相一九四九〜六三年〕が言ったとされる。ドイツ西端のラインラントが世界の中心であり、その小都市ボンがドイツの永遠の首都であると信じていた人物である。彼には東が彼方の辺境に思えるのも、仕方ないのかもしれない[*]。

　西ドイツの戦後エリートたちの多くは、まさしくその東において、一九三九年から一九四五年の間に最悪の犯罪を犯した連中と同世代なのである。彼らはアデナウアーのように考えれば、東を意識から排除できて自分の罪と責任の相克から逃れられ、ひょっとすると、気が晴れたのかもしれない。一九八九年のベルリンの壁崩壊まで、この東は一枚岩のソビエト陣営に属していて、ロシアと同一視されていた。その結果、ドイツにおいては、東に対する知的関心は失われていった。今日に至るまで、東はかつてのソ連で今のロシアであると考えられ、何世代にもわたりこの考え方は受け継がれている。

　今日でも、マルク・シャガールがベラルーシ出身であることに関心がなくても、誰も問題視しない。それでは、〈ポーランドの強制収容所〉[†]という概念が、不当である理由は何なのか。ウクライナの〈バビ・ヤールの谷〉という地名を、ドイツの教科書に探しても見つからない。そこではドイツ軍が一九四一年九月の二日間で三万三七七一人のユダヤ人男女を殺害し、遺体を投げ込んだ谷だというのに。リュドミラの住む街ボブルイスクの残虐の歴史、あるいはミンスクで行なわれた、いやベラルーシ全土でのドイツ軍による暴虐を極めた破壊行為は教科書に書かれているだろうか。ところがそれについての記述はない。少なくとも専門家には知られている事実ではあるのだが。そして、第二次世界大戦ではロシアだけで二七〇〇万人もの死者を出したのではなく、これは、とりわけウクライナやベラルーシも含めたソ連全体の戦死者数なのだ。戦死者数にウクライナ人とベラルーシ人を含めるか、含めないか。これには重大な違いがあるが、今日まで徹底した議論はない。

ドイツ人たちが東に対して、とりわけそこにおける自分の歴史的責任に対して、目をつぶる。これに対して覚える違和感を、私はドイツ人の東欧史家フェーリクス・アッカーマンと話したことがある。そのときアッカーマンは次のような推測を述べた。ドイツ人が自分の祖父に、第二次世界大戦中に正確にどこで何をしたのか尋ねていれば、ウクライナやベラルーシについてまた違った認識を持てたのかもしれない。しかし、彼らは尋ねなかったし、尋ねてもたいていは答えを得られなかった。兵士や将校は、ポーランドやウクライナやベラルーシでも殲滅戦を行なったが、このベルリンとモスクワの間の空間は、「ロシア出兵」という概念のもとで記憶と共に消え去ってしまったのではないか。

＊ブラウンシュヴァイクは、かつての〈西ドイツ〉東端にあった町である。ソ連の影響下にある〈東ドイツ〉は、ブラウンシュヴァイクのすぐ向こう側に存在していた。

†ドイツの放送局ＺＤＦが、ドイツ占領下のポーランドの地に作られたアウシュヴィッツ等の強制収容所を、「ポーランドの強制収容所」と表現した（二〇一三年）。これに対し、ポーランド人元収容者から強い不快感の表明と告発があり、ドイツの裁判所は告発の正当性を認めたものの、ドイツ連邦最高裁は二〇一八年にＺＤＦの謝罪は不要との判決を下した。

私の身内では、一方の祖父がドイツで強制労働させられたポーランド人であった。またもう一方の祖父はドイツ国防軍の兵士で東部戦線にいた。このドイツ人おじいちゃんは捕虜になったが、一九四九年に、ポーランド領になっていた上部シレジア地方の故郷に帰還した。おじいちゃんの戦争体験はタブーではなかった。その残酷さを語ってくれたこともある。しかし、おじいちゃんが五年間〈ロシアの戦争捕虜〉になり奇跡的に生還したことに、少し引け目を持ちつつ私は成長した。ようやく二〇一四年になって、私が報道記者としてウクライナ東部における戦争を取材する途上で、おじいちゃんの戦争捕虜体験を自分の肌で実感できた。彼はロシアの地ではなく、東ウクライナのドネツク近郊で捕虜になったのである。何十年間も私はそのことを知らなかった。私も尋ねなかったし、彼も語らなかった。おじいちゃんは一年前に亡くなったが、今や私の人生と彼の人生が、巡り巡ってかなり接近したことが分かった。私が二〇一四年に記者として訪れていたのは、一九四四年に彼がソ連の戦争捕虜となっていた場所だったのである。

十年前の話になる。私は友人たちのために、ワルシャワ旅行を企画した。参加者全員が何年も前からベルリンで生活し、偏見もなく、好奇心も関心も旺盛である――ところが、ほぼ全員が生まれて初めて、〔ドイツとポーランドを隔てる〕オーデル川の国境を東へと越えることになるのだった。国境はベルリンから鉄道でわずか一時間の距離である。こんなことが、あるのだろうか。東ドイツ出身の一人を除くと、友人たちは子ども時代に、休暇をデンマークやオランダ、イタリア、あるいはギリシャ、オーストリアで過ごし、社会主義の支配する東側に行くことはなかったのだ。なるほど、そういうことだったのか！

東というものは当時、灰色で、薄気味悪く、行くことのできない場所であった。世界が東西のブロックに分かれていたことは、人びとの頭のなかでは明白だった。一九八八年に非合法にポーランドを後にしてきた私の家族にも、九〇年代の間は休暇をポーランドで過ごそうという考えはけっして浮かばなかった。私たちがほんの少し前に、密かにそこから逃れてきた場所なのだから。私がウクライナ、ロシア、ジョージアに初めて訪れることになったのは、二〇代半ばを過ぎてからのことだった。そのときはジャーナリストとしての訪問であり、休暇に行ったのではない。観光客として友人たちに会いに行く旅行――それは、異質のものに親しさをおぼえ、暖かく歓迎されていると感じ、醜いと誤解していたものの中にも美を見い出せた後で、ようやく可能になった。

オデーサは息を呑むほど美しかったが、バルセロナのように輝くには、あまりに貧弱で、朽ちたところがあった。キーウにはワクワクしたが、パリのように魅惑的ではない。ミンスクがすばらしいと思えたのは、ベラルーシの同僚女性がなじみのバーに連れて行ってくれてからのことだ。たいていの場合、異質なものに親しむ手助けをしてくれる人物がとにかく必要であった。私が当時ワルシャワで友人たちのために、初めのうちだけではあるが、仲介者の役を果たしたように。仲介されてしまえば、友人たちはただちに自分からワルシャワとの付き合いを始めた。

○

今日ベラルーシはもはやヨーロッパの地図上の空白地帯ではない、と私は信じる。灰色かもしれないが、真っ白ではない。私がベラルーシで起きたことを集中的に二〇二〇年の夏に報じたとき、助力を申し出る読者からの便りが私に届いた。記事で取り上げた人物への寄付の申し出もいくつかあった。他にも、ベラルーシとの個人的な結びつき、あるいは旅行や心に残る何年も前の個人的な出会いについて語る読者も、次週の新聞にベラルーシ・リポートの続編が見当たらないときは、残念がる読者もいた。十年前であったら、読者からのこのような共感は得られなかったであろうと、私は確信する――そしてドイツの新聞編集部の共感も存在しなかったであろう。とりわけこの『ベラルーシの女たち』のレポートは、遠くにある存在、馴染みのない存在を近くに引き寄せ、親しみを持たせる助けになったと自負している。記事で取り上げた女性たちはベラルーシと世界を結ぶ仲介者になった。しかしひょっとすると、彼女たちもメディアによって、グローバルな仲介者に仕立て上げられたのかもしれない。振り返ってみると、ベラルーシの女たちと、メディアは不可分の関係にある。

　このような共感は、二〇二〇年夏に世界中に拡散した画像から切り離せない。それらの画像はいわば視覚化された言語として、複雑な政治的過程を本質的なものに還元した。というのは、状況が視覚化されると、二〇二〇年夏の事件が単純な二項対立で理解できるからである。あちら側は独裁者と配下の暴力的な男たち、こちら側は平和的に抗議運動をする女たち。あちらは不正、こちらは正義。あちらは全体主義的権力へのむき出しの欲望、こちらは控え目にも思える願望――公正な選挙、すべての政治犯の釈放そして暴力の終焉。

もちろん大きくて複雑な問題は残っている。民主主義社会への移行は、どのような形をとるのだろうか――ルカシェンコに保護されていると感じていた人びとを見殺しにすることなく。そして、平和的な権力移譲はどのような形になるのだろうか。ルカシェンコが去るときに、政治組織は残るのか。どのようにしたらルカシェンコ側の人びとに（報復ではなくて）責任追及ができるのか。どのようにして、九〇年代のロシアで起きたような国営企業の叩き売りなしに、ベラルーシを近代化し、民営化を促進できるのか。そして将来、この国ベラルーシは国際社会にどのような位置を占めるのか。

西側のためらい

ベラルーシ情勢に対する、バルト三国やウクライナやポーランドの関心はきわめて高かった。ロシア国民においてさえ連帯の心は大きかった。ベラルーシからの亡命者たちは受け入れられた。ラトビアやリトアニアでは人道ビザが発給された。バルト三国は、欧州連合が課したよりも大きな制裁を、ベラルーシのエリート層〔ルカシェンコやベラルーシの政府高官〕に加えた。ポーランドではスヴェトラーナ・チハノフスカヤに、「ワルシャワの自由なベラルーシ人」のための〈ベラルーシの家〉の鍵が象徴として贈呈された。ヴィリニュスの現代美術館では、ベラルーシの女性写真家たちによる、抗議する女性たちの写真が展示された。それに引き替えドイツではどうか。ドイツ人にベラルーシの状況を伝え、ベラルーシを身近に感じてもらうことがいまだにどれだけ大変か、カーチャ・アルチョーメンカは思い知らされている。

アルチョーメンカは、ケルン大学のジャーナリズムとコミュニケーションの教授で、ベラルーシ出身である。二〇二〇年八月の不正選挙の後で、彼女は二、三人の政治問題に関心の高いベラルーシ人たちと共にドイツ社会を説得しようと試みた——ベラルーシでの抵抗運動はドイツ社会にも無関係ではない。そして、思いつくかぎりのドイツ人たちに片っ端から電話をかけた。組合、連盟、政治家、著名人、ジャーナリストたちに。「多くの人たちは努力してくれたのですが……」とアルチョーメンカ。政治家たちは、政治犯として囚われている人びとの身元引受人になってくれた。ドイツ労働総同盟は力を貸そうとしたし、ジャーナリスト連盟はベラルーシからの離散民《ディアスポラ》〔もとの居住地を離れて暮らす集団ないしコミュニティ〕を支援した。しかし女性フェミニストたちは何をしただろうか。アルチョーメンカはケルンで出版されている雑誌『エマ』に投稿し、ベラルーシの抵抗運動との連帯のデモを呼びかけた。——屋外で、許可も得て、コロナウイルス蔓延防止義務を遵守するデモである。その返事は「参加しません」。パンデミックのせいで、協力できないのだそうである。

抗議運動参加は、ジャーナリストの使命ではない。彼らは別の手段が使える。調査報道、分析記事の執筆、論説による弾劾、世論の喚起。しかしよりによって、まぎれもないフェミニズムの諸メディアが沈黙した。不正選挙の三か月後にようやく、『エマ』にはマリア・コレスニコヴァについてのほんの短い記事が載った。それ以外の女たちの抗議運動については、『エマ』では何も見つからなかった。

フェミニズム左派のオンライン・マガジン『ピンクスティンクス』でも、ベラルーシの蜂起についての声明を探したが見つからなかった――女たちの抗議活動に言及した記事はあったが。フェミニズムとダイバーシティの雑誌『ミッシー・マガジン』では、ベラルーシがテーマになった記事はひとつもなかった。『ブリギッテ』はフェミニズム的側面こそないが、おもに女性向けの雑誌である。ところが年末に記事が一本掲載されただけである。この状況は注目に値するのではないか――事実に即して考えると。抗議行動が起きたベラルーシはドイツからさほど遠くないという事実、抗議行動を特徴付けたのは女たちであるという事実、抗議行動の決定的な主役は女たちであったという事実。ちなみに、主役のスヴェトラーナ・チハノフスカヤ、マリア・コレスニコヴァ、ヴェロニカ・ツェプカロの三人は国際的にも知名度が高く、有名な賞をいくつも受けているのである。

このようなジャーナリズム的空白は、部分的には日常的制約から説明できることは確かだ。すなわち、小規模メディアには巨大メディアほどの資金がない。しかしこの説明だけでは不十分である。影響力の大きいフェミニストで、『エマ』の編集長のアリス・シュヴァルツァーは、二〇一四年のロシアによるクリミア併合の直後に、ある詳細な記事の中でプーチンに対する理解を示した。西側諸国はロシアに対して借りがあるとの考えにこだわり、いずれにしろドイツはかの国を襲撃し「二五〇〇〇万の人びと」を殺したのだ、と述べた――ああ、またなのか！　彼女は、ロシアがソ連全体であると思い込んでいたのであった。

　ベラルーシ人たちが自国での基本的人権を求めて戦っていた二〇二〇年、それに関するアリス・シュヴァルツァーの言及は一つもなかった。第二次世界大戦中のベラルーシにおける殲滅作戦にたいする、ドイツの歴史的な責任についても。

　ベラルーシの女たちへの連帯を表明したのは、〈自由のための女〉や〈平和と自由のための国際女性連盟〉のようないくつかの組織であり、数は少ない。かつて東ベルリンで「平和と自由のための女性たち」として活動した〈東ドイツ女性公民権運動家〉たちは、ベラルーシで戦う女性たちに向けて、感動的な文章を公にした。「皆さんが赤と白の海となって街を平和のうちに埋め尽くし、治安部隊の暴力的な黒と対峙している。そのようすを写真や映像で見ると、私たちにも皆さんのパワーが伝わってきます。」と書き、八〇年代東ドイツでの自分たちの戦いを想起する。「かつて私たちのうちの何人かが逮捕されたとき、西ドイツおよび西ヨーロッパの政治家や、平和団体の連帯と支援が圧力となって、六週間後に釈放されました。あなた方もそのような影響力の大きい、民主主義勢力の多くの支持や支援が得られますように。」

　しかしこれらの組織の力の及ぶ範囲は狭く、「平和と自由のための女たち」の手紙はロシア語の翻訳を付けたにもかかわらず、ベラルーシにおいてさえ十分には読まれたとはいえない。援助、いや救助を可能とする幅広い連帯を西側から得たいという願望は、一部しか実現しなかった。いくつかの、数少ない努力があったことは確かである。しかし、連帯は大衆を巻き込む運動にはなっていかなかった。それはまるでベラルーシが何千キロも離れていて、欧州連合の直接の隣国ではないかのような状況である。女性向けメディアのみならず、有無を言わせず押さえつけるような沈黙であった。ツイッターやインスタグラムのようなソーシャルメディアの論壇においても、影響力のある左翼やフェミニズムの女性論客たちは腰が引けていた。

　ところがポーランドで、同国憲法裁判所の判決により国内での中絶が事実上不可能になったとき、ソーシャルメディアのポーランド語のハッシュタグが、ドイツで一大トレンドになった。巨大なフォロワーの群れを率いた女性インフルエンサーたちは、ポーランドの女性たちがドイツで中絶できるよう寄付を呼びかけた。そして二〇二〇年の夏にアメリカ人ジョージ・フロイドが人種差別主義者の警官に殺されたとき、ハッシュタグはまるでウイルスのように増殖した。パンデミックにもかかわらず、一万五千人もの人びとがベルリンのアレクサンダー広場で抗議行動に参加した。その際、前面に立ったのが、左翼、反人種差別主義、リベラルなフェミニストの女性たちである。「とにかく、〈ブラック・ライヴズ・マター〉運動は、何かを変えようとする気持ちが共通する三人の女たちの協力によって作られました」とメアリー・ビアード〔一九五五年生、古典学者、歴史家、フェミニスト〕はみている。しかしそのすぐ後のことである。ベルリンからわずか一一〇〇キロしか離れていないミンスクで、マリア・コレスニコヴァが拉致されたとき、ドイツでは、何の問題にもされなかった。

トレンドになるようなフェミニスト女性たちのハッシュタグもなかったし、ベルリンでは大規模な連帯デモもなかった。マリア・コレスニコヴァがフェミニストを自認し、長い間ドイツで生活してドイツ語を話すにもかかわらずだ。

ベラルーシの状況に対して、ドイツのフェミニストの女性たちが行動を起こさないのはなぜか、その理由を、カーチャ・アルチョーメンカは熟考の末、ある種の傲慢さのせいではなかろうか、と推定する――もしかしたら、ベラルーシの抵抗運動にフェミニズム的な行動計画があれば、違ったかもしれない。「しかし、フェミニズム的実行プランの有無がそれほど重要だろうか。すべての人びとの権利が踏みにじられているときこそ、フェミニズム的な価値が真に問われるのではないだろうか。」

ベルリン在住の学者で文化研究を専門とするマリア・ダヴィチクは、二〇二〇年に創設されたベラルーシからの亡命者《ディアスポラ》による連盟〈ラーザム〉〔ベラルーシ語で「一緒に」の意味〕で活動をしているが、憤懣やるかたなく語っている。「そのような消極的な態度が、私にはどうしても理解できません。民主主義を手に入れるために戦うことは、十分にセクシーではないのでしょうか。それが男性からの開放を問題にしていないから十分ではないというのでしょうか。ベラルーシでの運動では、それ以上の問題がはるかにたくさんあるのに。あるいは、女たちがフェミニズムの枠組みから離れてしまったことが、まさに問題なのだ、とでも言うつもりでしょうか。」

ヴェロニカ・ツェプカロは、二〇二〇年夏以来、亡命先からベラルーシの女性のために活動している。もちろん彼女は、すでに行なわれた支援に対して感謝をしていないわけではないが、次のように言う。「当の女性たちから支援がもっとあると、すばらしいのですが。もちろん私の言っているのは、財政的支援のことではありません。」

○

世界のありとあらゆる女たちの問題に、フェミニストの女性たちが力を尽くすよう期待するのはナンセンスである。しかしベラルーシの蜂起を好機ととらえないのは、機会損失に等しい。というのは、ベラルーシでの基本的人権を求める戦いは、公の場での女たちの存在感を勝ち取るための戦いであり、政治や宗教や文化の境界を超えたはるか昔からの戦いでもあったからだ。

忘れられてしまった女たちは、どれほどいるのだろうか

ヴァイオレット・アルビナ・ギブソン〔一八七六～一九五六〕について耳にしたことのある者はいるだろうか。彼女はある集会で発砲し、イタリアのファシスト党の党首ムッソリーニに擦過傷を負わせた〔一九二六年〕。レフ・ワレンサ〔ヴァウェンサとも。一九四三～ ポーランド大統領在位一九九〇～一九九五。一九八三年ノーベル平和賞〕はポーランド民主化運動の際の労働組合〈連帯《ソリダルノスチ》〉の指導者で、世界中にその名が知られている。しかしポーランド国外で、アンナ・ワレンティノーヴィチの名を知

る者がいるだろうか。あるいは国家権力の家宅捜索で暴力を受け、自分のお腹の中の子を失った、ヘンリカ・クシヴォノスを知っている者はいるだろうか。

右に名を挙げた女たちは〈連帯〉の創設メンバーだった。この組合は、ポポヴォ出身の電気工レフ・ワレンサの「ワンマン組合」ではなかったのだ。それは一千万人が属する巨大な組合であり――その半数は女性である。二〇〇〇年代に、アメリカ人シャナ・ペンが〈連帯〉の運動の中で女性の貢献について書いていなければ、女たちの革命での役割は、勇気ある電気工にして高名なカトリック教徒ワレンサにまつわる英雄伝説の影に隠れて、ずっと埋もれていたままだったかもしれない。

ヴィクトル・クレンペラー〔一八八一～一九六〇、東ドイツの文学者〕が世界的に有名なのは当然である――彼はユダヤ人であり、第三帝国〔ナチスによる支配〕の期間中、日記を書いていた。しかしアンナ・ハーク〔一八八八～一九八二、西ドイツの文筆家、政治家〕による、二〇巻もの日記〔一九四〇～一九四五〕を知っている者はいるだろうか〔部分的にはレクラム文庫等に収録されている〕。そこに彼女はナチス支配下の日常生活をしっかり書き留めていたのに。そして、ソ連側の前線で戦った百万人を越す女たちの話のうち、いくつが集合的記憶〔ある集団のアイデンティティにかかわる記憶〕に刻み込まれているだろうか。ベラルーシのノーベル賞受賞者スヴェトラーナ・アレクシエーヴィチは著書『戦争は女の顔をしていない』〔一九八五年〕で集合的記憶の掘り起こしを試み、数多の埋もれてしまった話を、ようやく目に見えるものにした。

誰か「夜の魔女」について聞いたことがあるだろうか。ソ連第五八八夜間爆撃機連隊を、ドイツ軍はこう呼んでいた。この連隊の兵士たちはおもに女性で、彼女たちを殺すのは不可能だ、とドイツ兵は言ったものである。ところが彼らは間違っていた。実際には何十人もの女性たちが出撃で負傷し、あるいは命を落とした。そのうちの一人に二一歳のリディア・リトヴャクがいる。彼女は髪を脱色してプラチナ・ブロンドにするために、機械工にたのんで過酸化水素水を近隣の病院から運ばせたのだった。こうした女たちの話を小説家エリザベス・ウィーンがノンフィクション『千人の姉妹』で明らかにしたのは戦後七〇年以上経った二〇一九年のことである。

　女たちが空爆を行なったのは、ナチスに勝利するためばかりではない、とウィーンは考えている。女でも、男たちと同じように戦えることを示す目的もあったのだ。アメリカでも女性戦闘機パイロットが認可されると、ハリウッドでは映画『勇気ある女たち（*Ladies Courageous*）』〔一九四四年〕が撮影された。映画内では、女性パイロットたちが、操縦ミスや男を誘惑する傾向があるヒステリー患者のように表現された、とウィーンは書いている。女たちが男性優位の環境で存在感を示すと、とかく平凡な決まり文句でひと括りにされるのだ。

　ミャンマーで抗議運動に参加する者の半数以上は女性であるという。彼女たちは軍事政権との戦いに命を賭けている。二〇二一年に彼女たちが、女性ならではの象徴である民族衣装や下着を掲げて自らの権利のために立ち上がったことを、後世の誰かが思い出すだろうか。ベラルーシの女性たちが抗議運動に参加した写真の何枚かは賞を獲得した。それらの賞以外に、この抗議運動で、後世に残るものがあるのだろうか。彼女たちの経験が、グローバルな集合的記憶に刻みこまれることはあるのだろうか。

女性のために女性の話をしているのではない。これは歴史の補完なのだ。ほぼあらゆる局面で、女たちは政治のなりゆきに影響を及ぼすが、歴史を書くのは男たちである。フェミニストの女性たちにとって大事なのは、男性歴史家による記述を補完し、女性の関与を目に見えるようにすることではないだろうか——できれば世界規模で。

「世界規模で」と言ったのは、今日の抗議運動がそれぞれ個別の出来事だと考えるのは誤った思い込みだからである。抗議運動は編み目のように繋がり合い、さまざまなレベルで影響し合う。アメリカで、当時の大統領ドナルド・トランプに対してデモをした白い服の女たち。この白は二〇世紀初頭に女性参政権を唱えた女たちが選択した色であり、また以前キューバの女たちが着た白い服にも関係する——そして二〇二〇年には、意図の有無は別として、ベラルーシの女たちも白を身にまとった。ロシアではベラルーシの抗議開始から数か月後、女たちはベラルーシの例にならった。アレクセイ・ナワリヌイのための全国規模の抗議運動で数千人が逮捕されたとき、前に立ったのは男たちより女たちであった。

人は互いに学び合い、互いを手本とし、刺激を与え合う。ベラルーシとロシア、ウクライナと香港、香港とベラルーシ、ベラルーシとポーランド。ポーランドでは女たちが中絶の権利を求めたが、それは明らかにベラルーシの女たちにも関わることだった。香港発の「水の如くあれ*」作戦はベラルーシでも二〇二〇年に実践された――水が石を避くるが如く、国家権力から逃れよ。組織に中心を置くべからず。

ベラルーシの蜂起は我々の認識を変えてしまう。それは社会に、社会の遺伝子に、社会の眼差しに、社会の価値に影響を与える。どのような抗議行動も、それが世界のどこで起ろうとも自己完結してしまうことはもはやない。そしてもう一つ、気づいた点。フェミニズムの問題は、国境線の内側だけで議論されたことはいままで決してなかった。

ベラルーシでは、逮捕された夫の代理で妻のスヴェトラーナ・チハノフスカヤが大統領選に出馬した。その後、ロシアではユリア・ナワリナヤが自分の夫であるロシアの野党政治家ナワリヌイ（二〇二一年一月以来当局に拘束）の代理をした。すぐにロシアに伝播したのである。ユリア・ナワリナヤに何か伝えたいことがあるかとチハノフスカヤに尋ねると、彼女は即答した。「親愛なるユリア、あなたのやっていることはすべてを正しい！　もっと続けて！」

＊香港を代表するアクション俳優ブルース・リー（李小龍）のセリフとして有名。『老子』易性第八にも同様の語句がある。二〇一九年の香港民主化デモでスローガンとなった。

11　すでに敗北したのか、勝利はかなたに去ったのか

チハノフスカヤの希望は抗議活動にある

亡命先から、本国の独裁制打倒が可能なものだろうか。ほんの一握りの人びとだけで、オフィスビルの八階から、遠く離れた故郷の革命を推し進めることができるのだろうか。

スヴェトラーナ・チハノフスカヤには、やってみる以外に道はない。さまざまな会議で発言し、ＯＳＣＥ（欧州安全保障協力機構）や国連の代表者と話す。ヨーロッパ中に出張し、各国政府要人に会う。彼女の旅行日程は、ドイツ外相のそれよりも詰まっている。携えて行く要求はつねに同じ――ルカシェンコとその周辺に対する、より厳しく、より広範囲の経済制裁である。「独裁者を政治的に孤立させ、経済協力は当面停止させること」を要求する。「不当に得た権力は高くつく」と

スヴェトラーナ・チハノフスカヤ。まさにそのとおり。ルカシェンコは、自分の権力機構の中で結束を固めるために、資金を必要とし、公安組織のさらなる強化を続けていかなくてはならない。そのための出費で、ベラルーシの経済状況はますます苦しくなる。

経済がルカシェンコのアキレス腱である。それゆえチハノフスカヤは、政権を安定させる資金の流れを止めるよう要求する。その代わりに、西側にはベラルーシの市民社会を援助してもらいたい、と。彼女はＥＵ拡大委員と話し合い、ＥＵ委員会委員長のウルズラ・フォン・デア・ライエンに書簡を送った。その中で、ＥＵ加盟国がルカシェンコにさらに圧力をかけるために、国際会議を催すことを要望する。さらに、ベラルーシのために、一種のマーシャル・プラン〔第二次世界対戦で戦禍を受けたヨーロッパ復興のための、アメリカによる援助計画〕を要請する。ベラルーシ人に、ルカシェンコの去った後の時代に来るであろう混乱は恐れる必要はなく、他の可能性もあることを理解してもらいたいからである。この書簡には、調整委員会の顧問たちやパヴェル・ラトゥシュコ、ヴェロニカ・ツェプカロ、そして――「民主国家ベラルーシのリーダー」と書かれたスヴェトラーナ・チハノフスカヤの署名がある。

スヴェトラーナ・チハノフスカヤは、自分の政治家としての役割を見出したようである。これまでの全期間を通じて、彼女はまだ決定的な失敗をまぬがれている。彼女の影の内閣は育っている。準備は整った。それでも、始動するには困難な状況にある。

チハノフスカヤのスタッフは何か月もかけて、ベラルーシ全国規模の投票案を練り上げてきた

――〈欧州安全保障協力機構あるいは国連のような国際的機関を介して「国家的危機の打開策」について、現政権と対話をすべきか否か、全ベラルーシ人がオンライン投票により匿名で意思を明らかにしてほしい〉というのである。チハノフスカヤは、それについて決定的な進展を期待し、承認を求めた。結果、インターネット上の投票者は、ほぼ全員が政権との対話に賛成だった。ただし、ネットで投票したベラルーシ人の数は、一〇〇万人よりもはるかに少なかった〔ベラルーシの総人口は二〇二〇年時点で九五〇万人〕。これでは少なすぎる。それ以来、何も動きがないのに等しい。ルカシェンコを退陣に追い込むため、チハノフスカヤは政権との対話を求める。しかしルカシェンコは以前にもまして権力にしがみつく。あるときは、アテネ発ヴィリニュス行きのライアン・エアー旅客機にベラルーシへの強制着陸を命じた。なぜならその機には、ルカシェンコが嫌う活動家ロマーン・プロタセーヴィチが恋人ソフィア・サペガと搭乗していたからである。そこからはお決まりのコース。二人は自白を強要され、それが録画されることになる。また、ルカシェンコは多数のジャーナリストを拘束し、数年間の禁錮刑という重罰を科す。その上、彼はスヴェトラーナ・チハノフスカヤをテロリストとして指名手配し、追跡している。「依然として、政権とは対話も接触もありません。暴力以外、ルカシェンコには新しいものは何もないのです」とチハノフスカヤの顧問、アレクサンドル・ドブロヴォリスキーは語る。

抗議運動も、もはや目に見える圧力を生んでいない。小さな運動はあっても、規模の大きな運動は消えていった。「最大の危機があるとしたら、抗議活動が止んでしまうことでしょうね。そんなことになれば、いままでの努力は水の泡になってしまいますから」とチハノフスカヤ陣営の参謀ヴァレリー・コヴァレフスキーは二〇二一年二月に言った。二〇二一年三月二五日に、チハノフスカヤのチームは大規模な全国的な抗議運動を望んでいた。その日は一九一八年の、ベラルーシ人民共和国独立宣言記念日である。一九一八年にベラルーシはいったん独立したが、それは長続きしなかった。*ルカシェンコの支配のもとでは、ほぼ毎年、この日に野党が路上に出て抗議し、白赤白の旗が掲げられ、そして何百人もの人びとが逮捕されていた。チハノフスカヤは今回も抗議行動が燃え上がることを願った。しかしそのような動きはほとんどなかった。「いったい、どうしたことだろう？」

　その日、ルカシェンコはミンスクの中心街で事実上非常事態を宣言し、道路を遮断し、バスを待っていた人びとや、赤白の服を着た通行人を、手あたりしだいに拘束させた。九歳の孫を病院に連れて行く年配の女性さえ逮捕された。アントン・ロドネンコフとイヴァン・クラフツォフ（二〇二〇年九月、マリア・コレスニコヴァと一緒に、車で国外まで連行された。〔二〇七ページ〕）によれば、「勝利まであと何週間、いや何か月、などとは言えなくなっていますが、これはすでに、二〇二〇年一二月の段階でわかっていたことです。マリア・コレスニコヴァとヴィクトル・ババリコは、とにかく刑務所に何年間か収容されることになってしまいました。」彼らからこの話を聞いて私は言葉が出なかったが、ロドネンコフたちは驚いているようには見えない。「独裁国家では、抵抗運動のリーダーともなれば、ほぼ全員、いつかは刑務所に入ることになるのです。」とイヴァン・クラフツォフは語る。

　非日常の出来事は人びとに注目される。だが人びとの注目は、容赦なく断ち切られる。その出来事に動きが見られなければ、報道陣はつぎの現場に行ってしまう。つぎのカタストロフィーへ、さらにつぎの危機の場へと。報道陣が去ってしまうと、耐え難い政治的状況でもそれが常態となる。

　ＥＵは二〇二〇年十月に第一回目の制裁措置を採択し、およそ一か月ごとに、第二回、第三回と制裁措置を決めたが、第四回目は何か月もかかって論議され、先延ばしにされた。そうなると、悲劇が常態化してしまう。もはや抗議運動の人目を引く写真がニュースにはほぼ載らなくなってしまった現在、ベラルーシは西側の人びとにとって重要性を失っている。「あなた方の政策が、報道写真の画像ばかりではなく、価値観に基づいて構築されることを望む」とチハノフスカヤはＥＵ諸国に対して言う。「あふれていた画像は、人びとが戦うことを止めたから消えたのではありません。ニュースとして取り上げられる場を失ってしまっただけです」。そしてババリコの参謀だったイヴァン・クラフツォフは、一連のＥＵの経済制裁について、二〇二一年五月半ばの段階では、まだうん

＊第一次大戦中の一九一八年三月二五日、「全ベラルーシ大会」の執行委がベラルーシ人民共和国の独立を宣言。しかしドイツ軍の撤退に伴い当地の実権は再びボリシェヴィキの手に渡り、人民共和国の幹部は国外に逃れ亡命政権化した。一九一九年一月一日にボリシェヴィキにより白ロシア・ソビエト社会主義共和国（ＢＳＳＲ）の創設が宣言された。服部倫卓『不思議の国ベラルーシ』岩波書店、巻末年表より。

ざりとした笑みを見せるしかない。「EUの人びとが、今それを第四回目と言おうが、第十回目と言おうが、このような経済制裁措置には何の効果もないのです。」

「私たちは、もしかしたらロマンチックすぎたのかもしれない」

チハノフスカヤのスタッフは、リトアニアの首都ヴィリニュスを拠点としている。ヴィクトル・ババリコとマリア・コレスニコヴァのチームは、その大部分がワルシャワで生活している。かつての文化大臣パヴェル・ラトゥシュコは、二〇二〇年夏に解任されるまで、ミンスクでヤンカ・クパーラ劇場を率いてきたが、今はポーランドで、野心的な計画を練っている。反ルカシェンコ派の調整委員会（市民社会の幅広い層のベラルーシ人で構成された委員会）の一部は、不正選挙のあとでルカシェンコと国民の対話を可能にしようと、ババリコとコレスニコヴァのチームと同じくワルシャワで頑張ってきた。他にも、ノーベル文学賞受賞者のアレクシエーヴィチのようにベルリンに住む人びともいるし、ツェプカロ一家はラトヴィアで生活している。二〇二〇年に野党勢力だったこれらの人びとは皆、当時、張り合おうとしていなかった。〈ルカシェンコに権力を手放させ、退場させる〉という一つの目標のもとで結束したからだ。

しかしこの目標は、はるかかなたに去ってしまったように見える。ルカシェンコは政治的な妥協をする気がない。彼は命の危険を感じており、テロで暗殺されるかもしれないというシナリオを描いている——そうなった場合には、権力は〔国連の〕安全保障理事会に移譲され、非常事態宣言が出されることになる。権力を分割させられる？　対話に引っ張り出される？　ルカシェンコにそれはありえない。ルカシェンコの伝記作家のヴァレリー・カルバレーヴィチのことばを信じるなら、ルカシェンコは、間違いなくこう考えている。「権力放棄は自己消滅と同じ」

「私たちは、もしかしたらロマンチックすぎたのかもしれない。」ベラルーシの抗議運動についての、ノーベル文学賞受賞者スヴェトラーナ・アレクシエーヴィチのことばである。彼女はヘルタ・ミュラーと共に、ベルリンで討論会に現れたとき発言した。「今は冷めたリアリズムの時代が始動しているのかもしれない。」ベラルーシ人は暴力に訴えよ、と要求する声が今では存在する。そのような声を上げる人は、平和的手段は二〇二〇年の戦略であったが、二〇二一年にはそれはもう古い、と考えているのだ。けれどもスヴェトラーナ・チハノフスカヤは、依然として暴力を断固拒否している。たとえ抗議運動がどれほど重要であっても、それに加わるよう呼びかけることも行なわない。政治的な目的のために身を捧げよと求めるには、個々人の生命はあまりにも尊い、というのがチハノフスカヤの思いである。これはある意味失敗なのかもしれない。しかしそうであるとしても、深く人道主義に基づいているがゆえの失敗ではある。

「今は政党を作っているときではない」

二〇二一年の二月末に、スヴェトラーナ・チハノフスカヤは宣言した。皆が一つになるのが自分の目標であり、政治的な独走には反対する、と。「今は政党を作っているときではありません。そんなことをしていると、分裂が始まってしまいます。私たちは結束してこそ、大事を成し遂げられるのです。」かつて彼女は私に言っていた。「私たちの中で、自分は他の候補者より優れている、と見せつけ合うようなことを、今始めてはだめです。私たちは皆で共に前進していかなくてはなりません。その後に、自らの見解に従ってそれぞれの立場を表明すればよいのです。人により、さまざまな異なる意見があるのを理解すべきですが、今は分裂してはなりません。今はそのときではないのです。」

反ルカシェンコ諸勢力は互いに距離を置いている。ヴィクトル・ババリコの選挙参謀が、一番乗りで党を設立した。彼は二〇二〇年八月の選挙前にすでにこの計画を立てており、彼とマリア・コレスニコヴァが登場するビデオを録画していた。党名は「共同」。最初の数週間だけで数千人が入党を申し込み、法律で定められている個人情報さえ提出した。この党は二〇二一年末のベラルーシの地方選挙で始動するつもりであったので、それまでに名を広める予定であった――ただしすでに、ルカシェンコは地方選挙を二〇二三年に延期するつもりだった、といわれている〔二〇二四年二月に国会議員選挙と同時に行われることになっている〕。

すぐにそれに続いたのは、かつての文化大臣パヴェル・ラトゥシュコであるが、そもそも彼が政治家として初めて登場したのは、二〇二〇年八月の不正選挙よりも後である。ラトゥシュコは自分の政治的野心を隠さない。彼もゆくゆくは党を創るつもりだ。そして、政治家としての生命を「新生ベラルーシ」の中で共に築き上げ、ルカシェンコの引退後に生じるはずの「政治的空白」を自分が埋めることをもくろんでいるのである。これに対して、スヴェトラーナ・チハノフスカヤに党を創設するつもりはないが、「新生ベラルーシ」のための大衆運動を望んでいる。この運動では、反ルカシェンコ勢力のすべての原則と価値観をしっかり持っていて、全勢力が共に担えるマニフェストを掲げる。しかし野党陣営には、疑念を抱く者もいる。「いったい、政党と何が違うのか？」

○

すべてが冷えきってしまったこの状況下で、反政府運動に何の意味があるのか？　亡命生活にどれほど耐えられるのだろうか？　メディアや討論会や国際シンクタンクに姿を見せるだけで、政治的には何の成果も上げられないとすると、チハノフスカヤはいずれ永遠の亡命者となってしまうのではないか？　もしほんとうに取り返しのつかない間違いを起こしてしまったら？　夢、憧憬、絶望、希望……この繰り返し。「そんなことは最初から分かっていた、この戦いが長引くことは」とアントン・ロドネンコフとイヴァン・クラフツォフは言う。二人は今、国が受け容れざるをえないような新たな抵抗運動の方法を模索している。人びとはあきれて、「そんなことが、できるものか」

と疑う。「ルカシェンコは前回の大統領選で、スヴェトラーナ・チハノフスカヤに出馬を許可するという失敗を犯してしまいました。彼が今後犯すであろう同じような失敗を、私たちは利用するのです。その鍵穴に、ぴたりとはまる鍵を探しているところなのです。」

では、抵抗運動の失敗とはいったい何を意味するのか。それはどのようにでも解釈可能な、曖昧な概念である。

○

例えば、ウクライナの二〇一四年のマイダン革命。政権交代を起こしたにもかかわらず、これは失敗だったと言えないだろうか。なぜならウクライナでは汚職がはびこり続け、旧エリートたちの大部分は権力の座に残ったからである。あるいは二〇一八年のアルメニアのビロード革命はどうだろう。新首相が期待よりも権威主義的でポピュリストだとわかったから、無駄だったのであろうか。抗議の成功度を測る基準は何か。そして時間との関連性はどのように評価すべきか。

チェコスロヴァキアの芸術家で市民権運動家だったヴァツラフ・ハヴェルは、一九八〇年から三年間刑務所に入れられ、一九八九年に再び拘禁された。その後、事件が次々に起こり、ついに議会は彼を〈自由チェコスロヴァキア〉の大統領に選んだ。一九八〇年の八月には、ポーランド中でストライキが起き、ついに労働組合〈連帯〉が生まれるという魔法のようなことが起こったが、これを失敗の歴史として語ることも可能である。労働組合はやがて禁止され、皆が苦労して勝ち取った自由は取り上げられ、戦時法が布告された。しかしながら別の見方からは、その時代が必要とした、ひとつの成功の歴史としても語ることができる。九年後の一九八九年早春、ワルシャワで政府要人と野党勢力が円卓を囲み、ついには平和裡に権力移譲が成功したのだから。当時、こうした出来事のパワーがあちこちに伝播していき、一枚岩だったいわゆる東側ブロックが、地図上では、主権を有する民族国家のモザイク模様と化すまでになった。

今回のベラルーシでの抗議運動は失敗であったと切って捨てるのはじつに簡単であろう。抗議する者たちは力尽き、戦いに敗北したのであるから。しかし二〇二〇年夏、三人の女たちが力を合わせて燃え上がらせた動き、ベラルーシの社会が自分たちの力を発見し、変わっていったありさま。これらは終息したわけでもなければ、過ぎ去ってしまったわけでもない。変革の影響は後になって現われる。発展を遂げるのは、いつの日か分からない。半年後かもしれないし、あるいは五年後あるいは二〇年後かもしれない。「抗議運動の盛り上がりは過去のことであり、将来にはもう起こらないかもしれません」とチハノフスカヤの広報担当アンナ・クラスーリナは言う。「かといって今の状態のまま、長続きするとも思えません。ベラルーシは未来の見えない国なのです。」

そうこうするうちに政権はとんでもない失敗をしでかす。クラフツォフとロドネンコフに言わせれば、ルカシェンコはろくに考えずに判断を下すのだ。そんな時、何かが変わるかもしれない、という希望が突然広がる。ライアン・エアー旅客機のベラルーシ強制着陸事件である〔277頁参照〕。一二〇人が搭乗した旅客機がベラルーシ国家にハイジャックされたのだ。この事件は、二〇二一年五月にヨーロッパを覚醒させた。ルカシェンコみずからが爆発物の危険をでっち上げ、戦闘機を使って旅客機をミンスクに強制着陸させた。活動家ロマン・プロタセーヴィチに仕返しするためである。ヨーロッパ諸国は動揺した。ルカシェンコの存在はベラルーシの災厄であると思われていたが、実はヨーロッパ全体を脅かす存在であることが一挙に露呈したのである。それまでスヴェトラーナ・チハノフスカヤが何か月もかけてヨーロッパを回って説明してきた要求が、これでやっと真剣に取り上げられることになった。ベラルーシ国営航空はＥＵ域内で着陸禁止となり、ヨーロッパの航空機はベラルーシ上空を飛ばない。さらにルカシェンコに最も効果的な処罰手段となるであろう経済制裁が、ようやく真剣に論議されることになる。「ベラルーシ人がこの一年間体験してきたことを、国際社会は今、我が身に関わることとして感じたのです。」チハノフスカヤの参謀であるヴァレリー・コヴァレフスキーは言う。「ルカシェンコは今や、国際平和や安全保障の脅威となったのです。」ヴィリニュス、ワルシャワ、リガにいるルカシェンコの敵たちは、かすかではあるが手応えを感じた。のちに振り返れば、ルカシェンコに対する戦いの変わり目はこの強制着陸事件であった、と語ることになるかもしれない。

ルカシェンコが去って、ようやく戦いが始まる

ルカシェンコ本人はいつか退場するにしても、この戦いは終わりにならない。国家権力が国民に

与えたトラウマにどのように対処すべきなのか、それについて議論する必要がベラルーシ人に生じる。罰されるべきものは何か、報復してはならないものは何か。リトアニア検察はすでに今、ベラルーシでは法的責任を問われなかった被疑者に対する捜査をしている。ドイツでは、ベラルーシでの拷問の犠牲者たちが、上級地方検察庁でルカシェンコに対する告発を行なった。国連では国家的暴力に対する証拠収集と、犯人問責手続き簡略化の決議がなされた。新たな国際的な調査基盤が、拷問事件を記録し証明する助けになるはずだ。しかし行きすぎた報復になってしまわぬよう、正義と寛容のバランスが重要で、ベラルーシ人たちがそれを解決できるのは、しばらく時がたってからであろう。

スヴェトラーナ・チハノフスカヤ、彼女の顧問たち、ヴェロニカ・ツェプカロ、抗議運動をする人びと、皆が革命について語る。ルカシェンコの伝記作家である政治学者ヴァレリー・カルバレーヴィチのような人でさえ、二〇二一年一月に話したときにこう言った。「ルカシェンコが正当な大統領でないことを問題視している段階ではありません。別の政治体制を人びとは欲しているのです」。

権力者がいつか実際に権力を失うとすれば、そのときに暴力が支配しないように、旧体制は変革への新しい願望との和解をせまられるだろう。ルカシェンコ後の時代には、権力は新たに配分され、その均衡を取る必要もあるだろう。治安当局は将来どのような役割を果たすべきか、人びとに暴力を振るった実行犯はどこまで社会復帰できるか、そして、犠牲者はどの程度償われるべきか。これらについての合意が、来たるべき社会には必要である。そしてその後である。新しいベラルーシ社会ができるとして、その政治的な成り立ちに決定的な役割を果たした女たちには、どのような地位を与えるべきなのか、議論がなされなくてはならない。そうすれば、社会学者エレナ・ガーポヴァが二〇二〇年の抗議運動の夏に「根底から国全体の気分を変える再出発」と名付けた課題のうち、何がまだ未解決のまま残っているかが明らかになる。

ガーポヴァはさらなる問題にも取り組んでいる。新生ベラルーシが成立するとしよう。その新体制においては、独裁制による〈社会的安定〉あるいはリベラリズムによる〈自由〉という二者択一ではなくて、〈社会的安定〉と〈自由〉の両立が可能であろうか。もし両立が不可能であると、結局この革命は労働者たちを置き去りにするブルジョア革命になってしまうのではないか。革命ののちベラルーシの人びとは、自分のあるべき姿、そして自分の欲する生き方という問題に取り組むことになる。アレクサンドル・ルカシェンコがいなくなればそれでおしまいではない。いなくなってから、ようやく革命が本格的に始まるのである。

プランBは存在しない

この原稿が印刷に回るころでも、予期せぬ転換が起こらなければ、おそらく先に述べたような変革のシナリオが具体的な政策になることもなく、夢物語よりはましなままかもしれない。いまだ刑務所に収容されている政治犯は二〇二一年六月で四七〇人以上、日ごとにその数は増加する。拘留のための法規が厳格化され、罰則はより強化され、かろうじて存在していたわずかな自由もさらに制限される。ティーンエージャーが拘禁刑を言い渡され、抗議運動や裁判の報告記事を書いたジャーナリストが告訴される。ベラルーシは全体主義国家ではない。今のところは。しかし、政権は日ごとに全体主義的な傾向を強めている。恐怖に震え上がらせるには、政敵を全員投獄する必要もなく、考え方の異なる者全員を亡命に駆り立てる必要もない。オンラインメディアやニュースサイトをすべて監視する必要もなく、自由への抜け道をすべて塞ぐ必要もない。刑罰が十分に残酷で、罰を与える判断基準が不透明でありさえすればよいのだ。自由を手にするのが、いかに痛みを伴い、いかに高くつくのか、それをすべての人びとに分からせるためには、独裁者の行動が予測不能であることを国中に教え込めばよい。いつ自由の代償を支払わされるのか、そもそもなぜ支払うのか、それらは予測不能でなければならない。外国の航空機に乗っていたにもかかわらずそこから引きずり下ろされた。反政府活動家ロマン・プロタセーヴィチの恐怖体験がまさにそれだ。

　ひたすら過去に踏みとどまっている男をこれからもトップに戴くかぎり、ベラルーシの未来はおぼつかない。ルカシェンコがまだ長いこと権力を維持するとは、たしかに考えにくい。いずれにせよ、彼自身が強いというわけではない。しかし彼には強力な保護者がいる。ベラルーシの人びとは、自分たちの抗議運動にはいかなる地政学的考察もまったく意味がない、と声を大にして主張するかもしれない——しかし彼らの戦いの勝敗は、最終的にはモスクワで決せられるだろう。

ヴェロニカ・ツェプカロは、すでに二〇二〇年の夏にウラジーミル・プーチンに公に依頼した。もしロシア政府がルカシェンコを失脚させるなら、プーチンはベラルーシの国民的英雄として歴史に刻まれるであろう、と。スヴェトラーナ・チハノフスカヤのチームも、同様にロシア政府との対話を求めた。たしかに実際に仲介者を通じての接触はあったが、成果は上がらなかった。チハノフスカヤは抗議活動の初期にはひたすら信じていた――人はいかなる相手とでも話し合えるし、ベラルーシとロシアとの緊密な関係に抵触しない限り、ロシア政府はベラルーシの抗議運動者の邪魔をしないと。しかし、それは甘かったと、彼女自身が認めている。ロシアに援助を期待しても、ベラルーシ人の得るものは何もないだろう。だからといって、ロシアに経済制裁を課すのは間違っているのではないか、と彼女はあくまで主張する。ベラルーシ国内の抗争を地政学上の問題に発展させるのは絶対に避けるべき、と考えるからである。

この抗議運動は、ベラルーシ人だけにまかせきりであるかのように見える。すなわちロシア政府には、ルカシェンコを失っても〈信頼できる〉パートナーを無くしたことにはならないのだ。そもそもルカシェンコはパートナーなどではなく、プーチンとの個人的な軋轢も知られていた。ロシア政府にとって重要なのは、ベラルーシ社会の民主化を妨害することである。ルカシェンコが権力から離れられないのと同じく、ロシア政府は、同盟関係にある隣国での民主化への大衆蜂起が、なにしろ我慢ならないのだ。近隣諸国で起こることは、すぐさま自国でも繰り返されかねないからである。あるいは在モスクワ某国外交官の的確な表現を借りれば、ロシア政府はベラルーシの出来事を見ると、まるで鏡に映った自分の姿を見せられているように思えるのだ。

例の旅客機強制着陸事件まではベラルーシの国内問題として扱われていた事柄は、実は最初から国際的な危機だったのである。この拉致事件はモスクワの政治的な打算を暴露し、西側の弱点を露わにした。それまで西側は、ロシアの近隣諸国に対して、苦しまぎれのごまかしをしてきた。すなわち、一方ではロシアの影響が及ぶ領域を、十九世紀から現代まで保たれてきた権力政治の遺産の一つとみなし、旧弊でかつ受容しがたい、と考えている。ところがもう一方で西側の人びとはこの政治状況を、自分の無力さから許容してもいる。その結果、どうなったか。西側は旧ソビエト連邦の小主権国寄りの政策を取っているが、その政策は、ロシア政府の利益に抵触するギリギリのところまで来ている。

スヴェトラーナ・チハノフスカヤは、すべてはやがて終息していく、という信念を持たざるをえない。この信念を手放せば、囚われている自分の夫や、自分を信じてくれたおかげで不利益をこうむっている何百人もの人びとを、見捨てることになってしまう。チハノフスカヤの広報担当アンナ・クラスーリナは、ヴィリニュスにずっと滞在しているが、以前の自分の生活に戻ることを切望している。彼女は二〇二〇年八月にチハノフスカヤを支援するため、アレクサンドル・ドブロヴォリスキーと一緒にリトアニアにやって来た。わずか一、二週間ほどそこにいたのが、この長期滞在の発端だった。今日では、何とかベラルーシに戻る可能性がないものかといろいろ考えている。家や、家族や、夫や、二人の成人した子どもたちが懐かしいのだ。

アレクサンドル・ドブロヴォリスキーにプランBの準備があるかと尋ねてみれば、彼は嬉しそうにうなずき、スタッフが計画している次なる政策のステップを数え上げるだろう。しかし実際には、プランBは存在しない。人びとは皆、ベラルーシに家族やパートナーがいるからこそ、自分たちがやがては勝利するという信念を固く守り、このビルの八階でアイディアを出し、計画を練っているのだ。彼らは故郷に戻るつもりである。思い出が待っているわが家へと。突然の出発であったし、この戦いがどれほど長く続くことになるのか予想もしていなかったから、散らかしたまま出てきてしまった自分の住まいへと。

彼らの思いはただ一つ。「家に帰りたい。しかもできるだけ早く。」

参考文献

本書執筆の基本資料としたのは、二〇二〇年夏から二〇二一年四月にかけて実施した一〇〇回以上のインタビュー（聞き取り調査）と、ベラルーシの市民社会グループ（年金生活者、医師、フェミニスト団体、女性活動家、被拘禁者の親族、ジャーナリスト）が自らの組織を作るのに用いた通信アプリ〈テレグラム〉である。それに加えて、二〇二〇年夏以降開催された数回の学会や討論会の成果を用いた。しかし、文献資料も有用であり、そのいくつかにはドイツ語訳がある。ベラルーシにおけるフェミニズム運動を概観するには、『政治における女性たち』シリーズにロシア語またはベラルーシ語で定期的に掲載されている論文が有用である。

Ackermann, Felix: *Mein litauischer Führerschein. Ausflüge zum Ende der Europäischen Union*, Berlin 2017.

Akudowitsch, Valentin: *Der Abwesenheitscode. Versuch, Weißrussland zu verstehen*, Berlin 2012.

Alexijewitsch, Swetlana: *Der Krieg hat kein weibliches Gesicht*, Berlin 2004.（邦訳：スヴェトラーナ・アレクシエーヴィチ『戦争は女の顔をしていない』三浦みどり訳、群像社、二〇〇八年／岩波現代文庫、二〇一六年）

Alexijewitsch, Swetlana: *Die letzten Zeugen. Kinder im Zweiten Weltkrieg*, Berlin 2016.（邦訳：スヴェトラーナ・アレクシエーヴィチ『ボタン穴から見た戦争：白ロシアの子供たちの証言』三浦みどり訳、群像社、二〇〇〇年／岩波現代文庫、二〇一六年）

Alexijewitsch, Swetlana: *Secondhand-Zeit. Leben auf den Trümmern des Sozialismus*, Berlin 2013.（邦訳：スヴェトラーナ・アレクシエーヴィチ『セカンドハンドの時代：「赤い国」を生きた人々』松本妙子訳、岩波書店、二〇一六年）

Arendt, Hannah: *Macht und Gewalt*, München 1970.（邦訳：ハンナ・アーレント『暴力について』山田正行訳、みすずライブラリー、二〇〇〇年）

Baranskaja, Natalja: *Woche um Woche. Frauen in der Sowjetunion*, Berlin 1988.（邦訳：ナターリヤ・バランスカヤ『一週間は一週間として』高橋昌美訳、白馬書房、一九七三年）

Bohn, Thomas M., Shadurski, Victor (Hg.): *Ein weißer Fleck in Europa. Die Imagination der Belarus als Kontaktzone zwischen Ost und West*, Bielefeld 2011.

Cimafiejewa, Julia: *Zirkus. Gedichte*, Berlin 2019.

Edition Foto Tapeta: *Belarus! Das weibliche Gesicht der Revolution*, Berlin 2020.

Feduta, Alexander: *Lukaschenko. Polititscheskaja Biografia*, Vilnius 2005.

Filipenko, Sascha: *Der ehemalige Sohn*, München 2021.（邦訳：サーシャ・フィリペンコ『理不尽ゲーム』奈倉有里訳、集英社、二〇二一年）

Gapova, Elena: *Zhenschiny na kraju Ewropy*, Minsk 2003.

»Gewalt statt Macht. Belarus: Repression, Schikane, Terror«, *Osteuropa*, 70. Jahrgang, Heft 10–11, Berlin 2020.

Ghodsee, Kristen R.: *Warum Frauen im Sozialismus besseren Sex haben*, Berlin 2019.（邦訳：クリステン・R・ゴドシー『あなたのセックスが楽しくないのは資本主義のせいかもしれない』高橋璃子訳、河出書房新社、二〇二二年）

Hapeyeva, Volha: *Camel Travel*, Graz 2021.

Ivanowa, Ewgenija, Karatsch, Olga: *Zehnschiny w Politike. Nowyje Podchody k Polititscheskomu*, Band 1, Prag 2012.

Ivanova, Jewgenija, Karatsch, Olga: *Zehnschiny w Politike. Nowyje Podchody k Polititscheskomu*, Band 4, Prag 2014.
Karbalewitsch, Alexander: *Alexander Lukaschenko. Polititscheskij Portret*, Moskau 2010.
Klinau, Artur: *Minsk. Sonnenstadt der Träume*, Frankfurt am Main 2006.
Kollontai, Alexandra: *Autobiographie einer sexuell emanzipierten Kommunistin*, Berlin 1977.
Marples, David R: *Understanding Ukraine and Belarus. A Memoir*, Bristol 2020.
Myles, Bruce: *Night Witches. The Amazing Story of Russia's Women Pilots in World War II*, Chicago 1990.（邦訳：ブルース・マイルズ『出撃！魔女飛行隊』手島尚訳、航空戦史シリーズ35、朝日ソノラマ、一九八三年／学研M文庫、二〇〇九年）
Nussbaum, Martha C: *Politische Emotionen. Warum Liebe für Gerechtigkeit wichtig ist*, Berlin 2014.
Ousmanova, Almira: *Belarusian Format. Invisible Reality*, Vilnius 2008.
Penn, Shana: *Solidarity's Secret. The Women Who Defeated Communism in Poland*, Ann Arbor 2006.
Schroeder, Henriette (Hg.): *Ein Hauch von Lippenstift für die Würde. Weiblichkeit in Zeiten großer Not*, München 2014.
Wackwitz, Stephan: »Minsk. Widersprüche einer Utopie«, in: *Sinn und Form. Beiträge zur Literatur*, Heft 1, Berlin 2021.
Wein, Elizabeth: *A Thousand Sisters. The heroic airwomen of the Soviet Union in World War II*, New York 2019.
Wilson, Andrew: Belarus. *The Last European Dictatorship*, New Haven/London 2021.

解説

越野剛

東ヨーロッパの小さな国ベラルーシについて具体的なイメージを思い浮かべることのできる日本人は多くないだろう。ベラルーシと国境を接しているのはロシア、ポーランド、ウクライナ、それにバルト三国のうちのリトアニアとラトヴィアだ。これらの国々が、特産品や名所旧跡、歴史上の人物やエピソードなどによって、それぞれ個性豊かに特徴づけられているのに比べると、ベラルーシは印象が薄く、これといった特徴がない、つまり「キャラ立ち」していないように見える。

そんなベラルーシが二〇二〇年夏に突如としてニュース番組で連日のように取り上げられるようになった。それが本書でくわしく描き出される出来事、ルカシェンコ大統領の非民主的な政治や不正選挙に反対して幅広く展開された政治・社会的な運動である。その主人公となったのはスヴェトラーナ・チハノフスカヤ、マリア・コレスニコヴァ、ヴェロニカ・ツェプカロの三名を中心とする女性たちだった。

ベラルーシについて乏しい情報の中でこれまでどんなことが語られていたかといえば、たいていは戦争、原発事故、ルカシェンコという三つの話題にしぼられる。ベラルーシの三大厄災ともいえるかもしれない。第二次世界大戦でナチス・ドイツとソ連の戦争はきわめて多くの人命を奪ったことが知られている。ベラルーシはその主戦場のひとつとなった。ドイツ軍の占領下で多くの民間人（ユダヤ人、ベラルーシ人、ソ連軍捕虜など）が殺されており、戦争で人口の四分の一が失われたという。一九八六年のチェルノブイリ（チョルノビリ）原発事故が起きたのはウクライナ領内だが、風向きの加減で放射能汚染はベラルーシにも広範囲に広がった。チハノフスカヤが生まれた町ミカシェヴィチも汚染地域だったので、本書でも触れられているように、子供時代に富裕層ではなかった彼女が夏休みをアイルランドで過ごすことができたのは保養のプログラムのおかげである。戦争と単純に比較できるものではないが、ベラルーシの人口の五分の一が汚染地域に居住しているという言い方をされることがある。ちなみにベラルーシ、ウクライナ、ロシアでは、汚染濃度が高い居住禁止地域とは区別して、人々が居住の継続か移住を選択することのできる区域が設定されている。

　ここでベラルーシの歴史を簡単にまとめてみよう。十世紀ごろには、ロシア、ウクライナ、ベラルーシの東スラヴの三民族はまだ明確な区分けができておらず、キエフ（キーウ）を中心にゆるやかな連合体のようなキエフ・ルーシという国家を形成していた。その中で現在のベラルーシの地に存在していたポーロック公国については、たいていのベラルーシの歴史書が最初のページで取りあげている。しかしこの小さな国はキエフ大公のウラジーミル一世によってあっという間に滅ぼされてしまう。キエフ大公によって無理やり妃にされたポーロック公の娘ログネダの悲劇はベラルーシのバレエや文学の題材になった。建国神話にあたるべき歴史の序章が亡国の物語になっているところが特徴的だ。ちなみにウラジーミル一世はキリスト教を受容したキエフ・ルーシの名君とされており、ウクライナでもロシアでも歴史上の偉人として重視されている（ウクライナ語ではヴォロディーミル）。他方でベラルーシでは右のような理由からこの人物に対してそれほどの思い入れはないようだ。

その後、十三世紀にベラルーシは新勢力のリトアニア大公国の領域に入った。その支配層はもともとバルト系の民族だが、言語や宗教は住民の多数を占めたスラヴ系が優勢だったので、リトアニア大公国とは実質的にベラルーシ人の国家だったのではないかという議論もある。そのリトアニアはポーランド王国と同君連合国家となり、ベラルーシ（およびウクライナ）は次第にポーランド文化の影響が強まっていく。これらの地域ではギリシア正教会の信仰が優勢でありながら、現在でもカトリック教会が共存しているのはポーランド時代の名残である。同じ時期に現在のロシアはモンゴル帝国の支配下にあったので、この時期に三つの東スラヴ民族の間の言語文化的な差異が生まれたと考えることができる。ポーランド語もスラヴ語派のひとつではあるが、東スラヴではなく西スラヴ語群に分類される。したがってベラルーシ語やウクライナ語とはもともと言語的な距離があったが、主に語彙の面で大きな影響を残している。十八世紀になると今度はロシア帝国の力が強まり、エカテリーナ二世の時代にいわゆる「ポーランド分割」によって、ベラルーシ（およびウクライナの主要部分）はロシア帝国に併合されてしまう。

　一九一七年にロシア革命が起きてから、ドイツの庇護下で一九一八年にベラルーシ人民共和国が成立するが短命に終わる。その一方で一九一九年にロシアのレーニン政権の後押しでベラルーシ（白ロシア）社会主義ソヴィエト共和国が作られ、一九二二年にはベラルーシを構成国のひとつとするソヴィエト連邦が成立した。それまではポーロック公国やリトアニア大公国のような例はあったが、ベラルーシとして明瞭に同定できる国家が存在していたわけではなかった。ベラルーシ人が形式的とはいえ自前の「国民国家」を持ったのはこの時期が初めてだったといえる。一九九一年のソ連解体によってようやく名実ともに独立したベラルーシ共和国が誕生する。しかしそれも束の間にすぎず、ルカシェンコ体制下で「連合国家」という枠組みで再びロシアとの結びつきが強まっているのが現状である。

このように、ベラルーシ人自らが主体として登場できないような歴史がこれまで描かれてきた。戦争にしろ原発事故にしろその主たる要因は外側からもたらされ、その土地に住む人々は受動的に巻き込まれるかたちで歴史に参加することになった。ロシア革命もソ連解体もどこかあずかり知らない場所でシナリオが決定され、ベラルーシ人はそれを後から受け入れたような感がある。ベラルーシに近いところでは、ウクライナやバルト三国も同じような歴史をたどってきたはずだが、これらの国ではナショナリスト的な歴史観が根付いており、自国寄りの偏りは見られるものの、時代の節目ごとに民族固有の英雄が活躍する歴史の物語が創り出されている。ベラルーシにも民族派の知識人は存在しているが、その発言力は弱く、ロシアやソ連との関係に距離をおくようなベラルーシ中心の歴史は国民の間に浸透していない。リトアニア大公国や一九一八年のベラルーシ人民共和国に由来する白赤白の国旗やパホーニャの国章はベラルーシ人の国民国家の基盤になることができず、むしろ反体制派のシンボルになってしまっている。

ルカシェンコの独裁者的なふるまいも、ある意味でベラルーシ人の受動的な性質を背景にして生まれてきたものだと考えられる。一九九一年にソ連の解体が決まった年、ベラルーシが独立宣言を行ったのはロシアやカザフスタンと同じく十二月になってからで、他の共和国に比べて遅れをとった。それでもベラルーシの民族主義的なシンボルが復活し、ベラルーシ語を唯一の国家語とするといった政策がとられたが、国民の大多数はそのような急速な変化を望んでいないことが次第に明らかになった。九〇年代前半の社会的・経済的な混乱の中で、独立した民族の将来への期待よりも、工業化の進展や安定した生活をもたらしたソ連時代へのノスタルジーのほうが優勢になる。ペレストロイカの時期にベラルーシの国会議員になったルカシェンコは大衆の意識をよく理解して、ロシアとの再統合や解体したソ連の枠組みの復活を説くようになる。

ソ連から独立した民族共和国の多くでは、共産党時代のエリートが引き続き政権を担う例が多かった。地方のソフホーズの指導者でしかなかったルカシェンコはその点では特異な存在だった。若い野心的な政治家として登場した彼は、権力を握る旧体制の政治家を厳しく批判し、汚職政治との闘いをアピールした。社会主義の制度や理念への回帰を主張する一方で、ソ連的な支配層（ノーメンクラトゥーラ）は容赦なく叩くのがルカシェンコ流であった。結果として大衆的な人気を得たルカシェンコは、一九九四年のベラルーシ独立後最初の大統領選挙で圧倒的な勝利を収めることになる。

その後、二〇〇一年、二〇〇六年、二〇一〇年、二〇一五年の大統領選挙でいずれも他の候補に大差をつけて勝利している。そのたびに不正な票の操作が疑われるが、世論調査によれば圧倒的というほどではなくても常に国民の多数派の支持は得ていたようだ。メディアの統制、政敵の排除、野党の弾圧といったあからさまに権威主義的な姿勢と表裏一体の関係にあるのが、無料の医療・教育や手厚い社会保障といったソ連的な政策の実施だ。マッチョで好戦的、家父長的な指導者のイメージは、バチカ（親父）というルカシェンコのあだ名にふさわしい。二〇二〇年の選挙は古い父権的なルカシェンコ体制に対して、女性たちが新しいベラルーシの展望を示すという、ジェンダー的な観点からも明確な対比の構図が示されたことになる。

ものいわぬ受動的なベラルーシ人は国家や民族という大文字の歴史の主人公にはなれなかったかもしれないが、個々の人生が語るべき豊かな物語を持たなかったわけではもちろんない。ベラルーシの作家スヴェトラーナ・アレクシエーヴィチは戦争や原発事故、ソ連の終焉を体験した「小さな人々」

の証言を集め、大きな歴史の物語から抜け落ちていた記憶の風景を提示してみせた。実はベラルーシ人の歴史を考えるということは、これまでに書かれた人類の歴史の中でやはり主体的な役割の多くを奪われ、沈黙させられてきた女性の歴史を再構築する試みに似ている。

　第二次世界大戦の最中でナチス・ドイツの電撃戦によって始まった独ソ戦争では、百万人近いソ連の女性が志願兵として従軍したとされる。それはソ連の社会主義体制が少なくとも形式的には認めた男女平等の理念がかたちとなったものといえる。しかしロシアやベラルーシの伝統的なジェンダー秩序までもが、社会主義革命によって急に変化したわけではなかった。戦争という例外的な状況において女性兵士はあくまでも男性の代役であり、戦争が終わればもといた場所に戻るしかない。ソ連の女性は労働者として、医療従事者として、教師として、社会の多くの領域で役割を果たすことを期待されたが、同時に私生活でも子育てや家事などの再生産的な労働を担わなければならなかった。一方で戦争に関する文学や映画ほたとえその中に女性兵士が登場したとしても、ほとんどの場合は男性の目線で描かれたものだった。アレクシエーヴィチの『戦争は女の顔をしていない』は女性たちの記憶している戦争が全く異なる光景を提示していることを明らかにした。チハノフスカヤとその仲間の女性たちの多くもまた、逮捕や暴力によって表に出られなくなった男性の代役として政治の場面に登場したという点では、アレクシエーヴィチが取材した女性志願兵と似ている。しかし代役というのはあくまでもきっかけにすぎなかった。これまでの（主として男性の）政治家たちはルカシェンコの対立候補として一時的な注目を集めることはあっても、選挙が終わればその役割を終えてしまい、持続的な抵抗運動の核となることができなかった。しかしチハノフスカヤとその仲間たちはベラルーシのオルタナティブな政治代表者としての活動を現在まで継続している。彼女たちが政治参加についての既存の概念を更新するような可能性を提示しているというのが、本書の重要なメッセージのひとつなのである。そしてそれはベラルーシだけに限られる問題ではないだろう。

　社会主義時代には「階級」こそが人々の価値や運命を決定づける第一の属性であり、ジェンダーとネーション（国民・民族）は二義的な位置づけだった。それに対してソ連解体後の中東欧ではフェミニズムとナショナリズムがにわかに活性化するが、両者は常に利害が一致するとはかぎらなかった。本書の第5章で大統領選後の民主化運動をフェミニストの見地から批判するソロマーティナの説得力のある見解が紹介されている。公正な選挙を要求する政治活動は強権体制に縛られているベラルーシ国民を解放する試みだといえるが、そこにはジェンダーの不平等を是正しようとする視点は抜け落ちている。ルカシェンコ政権はもちろんだが、野党の政治家たちもそれに劣らず男性的な文化に立脚している。伝統的な家庭の主婦像を体現するチハノフスカヤのような存在は、男性的なジェンダー秩序を補完しているにすぎないというのだ。ドイツのフェミニスト団体がベラルーシの事件に冷淡な態度をとっているというのも示唆的だ。しかしそれでも著者ボータが慎重な物言いで反論を試みているように、どんなかたちであれ多くの女性が積極的に政治参加するようになったという事実も重要だ。ウエディングドレスを着た女性が治安部隊の兵士に抱きつく行為がフェミニズムと何の関係があるのかという批判は正当だが、そうした違和感や「奇妙さ」にこそ新しい関係性を生み出す潜在力を見るのもまたジェンダー研究のひとつの役割ではないだろうか。

　政治的なプロテストの新しい様相はその環境や舞台装置によく表れている。例えば、地方都市ボブルイスクの女性リュドミーラが通っていたアンチカフェ「１３８７」だ。二〇一〇年代にロシアや旧ソ連圏で広まったアンチカフェは飲食ではなく、時間に応じて料金を支払うのが特徴だ。顧客はそこでリモートワーク、会話、ゲームなどをして自由に過ごすことができる。ライブ、講演、上映会、外国語やヨガの講習会などが企画されることもある。アンチカフェは、人々が出会い、交流し、ゆるやかなコミュニティをつくる場を提供したのだ。非公式なコミュニケーションの場が制限されていたソ連期にも、音楽やスポーツなどの趣味を共有する若者のつきあいの場（トゥソフカ）があった。それがアンチカフェという新たな形態に発展したものとも考えられる。首都ミンスクでマリア・コレスニコヴァが活躍したアートスペース「ＯＫ１６」は同じような機能を担った場の中ではもっとも規模が大きかったとはいえ、必ずしも首都から地方に上意下達にメッセージが伝わるような構造があったわけではないようだ。コロナのパンデミックによる危機がきっかけとなり、それまで政治や社会問題に積極的な関心を持たなかった人々（とりわけ女性）の意識に変化をもたらした。それはいわば同時多発的に発生した動きだったといえる。

　町内（ドゥヴォール）チャットとよばれる都市の街区（ブロック）を単位に形成されたＳＮＳもまた新しいコミュニケーションの場をもたらした。ミンスクや主要都市の中心部は中庭（ドゥヴォール）を集合住宅が囲むかたちで一つの街区を構成しており、もともと中庭は住民の私的生活と公共のスペースが接する重要な空間だった。その役割がインターネット上に再現されたのが町内チャットだといえる。抵抗運動を象徴する場となったミンスクの「変革広場」（第９章参照）を支えたのは対面とオンラインで二重に交流の場となった中庭（ドゥヴォール）だったのである。

　ベラルーシには国の言語としてベラルーシ語が存在しているが、日常生活で話されることはあまり多くない。ルカシェンコ政権がロシア語を対等の国家語として位置付けたこともあり、国民の大多数はロシア語を使用している。同じような問題はロシア語話者の多いウクライナやカザフスタンでも見受けられるが、ロシア語の浸透の度合いが最も高いのはベラルーシである。民族語話者の少なさもベラルーシ人のナショナル・アイデンティティの弱さとしばしば結びつけられるが、近年ではその傾向に小さな変化が見られる。ベラルーシでは十年ごとに国勢調査が行われるが、最新の二〇一九年の調査によるとベラルーシ語を日常的に話す人々は二六パーセントしかいなかった（他のほとんどはロシア語）。ところが首都のミンスクでは、前回二〇〇九年の調査では六パーセント弱しかいなかったベラルーシ語話者が、十年後の調査では三四パーセントに激増しているのだ。公的な言語政策に変化があったわけではなく、人々の言語能力がこれほど急に変化するというのも考えにくい。おそらく、もともと二言語を習得している人たちの中で、ベラルーシ語を第一の言語だと考えるような方向に意識が切り替わったと考えたほうがよい。実は二〇一〇年代中頃から気軽にベラルーシ語を学べるような場が首都のミンスクを中心に設けられるようになり、そこに集まることが若者たちの一種のモードになっていた。モーヴァ・ナノーヴァ（言葉をもう一度）やモーヴァ・チ・カーヴァ（言葉かコーヒー）*という名称の講習会は、学校のような公的な教育制度とは無関係に組織されたものであり、上述したアンチカフェの人の集まりと似ている。

　ソ連解体後の一九九〇年代にベラルーシでも民族主義が一時的に盛り上がったとき、熱心な独立派の中には習得しているはずのロシア語を嫌ってかたくなに使わない人たちがいて、ロシアとの連合国家を志向するルカシェンコに対する抵抗勢力のひとつの核となった。一方でベラルーシ国民の多くは

＊いずれもベラルーシ語。同じ発音でもモーヴァ・チカーヴァと区切ると「言葉は面白い」という意味になる。

ロシアに親近感を持っており、ロシア語を使うことに抵抗はない。反ルカシェンコの立場を共有する人々の間でも言語使用をめぐる溝があった。ところが国勢調査の結果が示すように、最近の都市部ではロシア語とベラルーシ語を自由に切り替えて話すようなベラルーシ人が増加しているようだ。若い世代になればそれだけでなく、英語やその他の外国語にも堪能で、ロシアにもヨーロッパにも行き来しながら生活するようなケースも見られる。ベラルーシ語（あるいはベラルーシという場所）はベラルーシ人にとって重要ではあるが、複数あるアイデンティティの内のひとつであり、その場に応じて使い分けられるものになりつつあるのだろう。チハノフスカヤも英語を流暢に話し、コレスニコヴァはドイツとベラルーシの両方に生活の場を持ち（現在は刑務所の中だが）、ツェプカロは外資企業マイクロソフトで働いている。

　ルカシェンコの最も強力な支持層は地方・農村の住民（とりわけ女性）だといわれる。実は国勢調査によれば農村部はベラルーシ語の話者が多い（二〇一九年の調査では四二パーセント）。しかしそこで使われるベラルーシ語は方言であったり、ロシア語との混合語であったりして、標準的な言語とは差異がある。二つの言語を自由に切り替えて話すことも都市部の住民と比べると難しいだろう。しかも農村部のベラルーシ語話者は割合としては大きいが年ごとにその数を急速に減らしていく傾向にある。ロシア語とベラルーシ語の混じり合った言語を話す農村部の住民と両言語をスイッチしながら使う新世代の都市民との比率の変化は、二〇二〇年の選挙でルカシェンコがこれほどの危機に陥ったひとつの要因だと考えられるのだ。

本書の著者アリス・ボータ（一九七九年生まれ）はドイツで活躍するジャーナリストだが、出身はポーランドだ。一九八八年、八歳のときに両親に連れられて旧西ドイツに移住した。この時期のポーランドは社会主義体制末期の民主化運動で混乱しており、国外に向かう大量の移民が発生したことが知られている。冷戦時代の政治的な亡命ではなく、経済的理由による移民が多数を占めたのも特徴だ。移民第一世代であるボータの両親はドイツへの同化を望み、娘のポーランド語の名前アリツィアも西欧風のアリスに改名するほどだった。ボータ自身はアイデンティティの確立に最も苦労するとされる第二世代（あるいは一・五世代）に属する。両親とはちがって彼女は生まれた地域への関心を失わず、大学ではドイツとポーランドを行き来しながら学んだ。週刊新聞ツァイト紙のジャーナリストになってから、ロシア、ウクライナ、ジョージアといった旧ソ連地域を主なフィールドとしている。二〇一二年には、それぞれベトナムとトルコに出自を持つツァイト紙の同僚二名と共に『私たち新ドイツ人』という本を出して話題になった。移民受入に反対する政治家ティロ・ザラツィンの『ドイツ消滅』（二〇一〇年）がベストセラーになった直後でもあり、出身地域と受入地域の異なるアイデンティティを持つ自分たちの立ち位置を含有する「新ドイツ人」という枠組みの提示は十分に挑戦的なものだったにちがいない。言語文化やジェンダーの複数の境界線を跨ぎながら新しい意味でのドイツ人になろうとするボータの試みは、本書の主人公であるチハノフスカヤたちが提示する新しいベラルーシ人のビジョンとも重なっているはずだ。

　なお、原書はベラルーシの地名や人名を基本的にはロシア語の表記に基づいてドイツ語にしており、日本語訳でもそれにならっている。例えばスヴェトラーナ・チハノフスカヤはベラルーシ語ならばシヴャトラーナ・ツィハノウスカヤ、モギリョフ市はマヒリョウとなるところだが、ロシア語表記の方を優先した。現在のベラルーシではまだベラルーシ語を日常的に使用する人が多くはなく、本書の登場人物の多くがロシア語話者であることも考慮している。ただし、いくつかの重要なキーワードについてはベラルーシ語の表記を使っている。反体制派がベラルーシの国章として好んでいる騎馬像「パホーニャ」はその一例である（ロシア語ではパゴーニャ）。

訳者あとがき ——「お目目を開けて」

二〇二〇年八月に行なわれたベラルーシ大統領選挙には、従来とは際立って異なる特徴があった。かつてベラルーシがその構成国の一つであったソ連の崩壊後、この国では三〇年近くルカシェンコ大統領が「ヨーロッパ最後の独裁者」としてその地位を独占してきた。独裁政権下の「選挙」においては投票によって政権が揺らぐことはなく、選挙が本来の意味をなさない行為であると国民に納得させるための退屈な儀式に過ぎない。結果は常に独裁者の圧勝である。ところがこの二〇二〇年の大統領選挙では、候補者選びの段階から選挙結果に疑問を持った人びとの抗議運動に至るまで、女性が大きな存在感を示した。ドイツ人女性ジャーナリスト、アリス・ボータはこの選挙をめぐる一連の動きを報告し（『ツァイト』紙連載記事）、後にそれをまとめたのが本書である。

　現代の通信技術により、抗議運動の盛り上がりはインターネット上でいつでも確認可能である。〈belarusian protests〉などのキーワードで検索すれば、記事も画像もただちに入手できるのだ。それにもかかわらず、どのような理由と目的でボータは本書を著わしたのか。本書の「はしがき」にもあるとおり、この大統領選挙における女性の活躍が、エンパワーメントに関心を持ち、自分および自分の周囲を変えていこうとする全世界の女性に向けたメッセージになりうるからである。しかしそればかりではあるまい。訳者なりに想像をめぐらせば、対象を女性に限定しなくてもよい。何らかの制約やさまざまな理由により自分の力を発揮しきれていない境遇にある人びとへの励ましも、ボータの声には含まれているのであろう。

ボータはノーベル文学賞受賞者スヴェトラーナ・アレクシエーヴィチにならい、現場に出て、独裁に反対する女たちの声を地道に集めたと思われる（もろもろの事情によりそれが不可能な場合もあったが）。夫のため、子どものため、家族のために社会を変えようとする女もいれば、抗議の形を新しい発想で具体化する女もいる。政治に積極的に関わった女も、政治に関わろうとしなかった女も、独裁に対しては疑問を呈し、選挙結果に憤慨し、おのおのの特性や技能を生かして抗議運動に参加する。さらにまた、男たちのように競争心や野心を露わにせず、協力や調和で苦境を乗り越える女たちの姿をボータは細部にわたって紹介する。ネット上の情報ですべてが分かってしまう、あるいは分かった気になってしまう現代に、まさにこの具体性のある筆致こそボータの強みではないだろうか。

抗議運動弾圧に出動してくる独裁者の手下たちは黒ずくめの重装備、対する女たちは軽やかな白い服。そこで聞こえてくるのが、ベラルーシ人なら誰もが知る子守歌。歌詞は一部を変更し「お目目を閉じて」が、「お目目を開けて」になっている（124頁）。これはもちろん比喩的な「心の目」を指している。独裁のもたらす害悪に限らず、この世には見て見ぬふりをしてはならない事柄が多数存在する（思わず目を覆いたくなる惨事も少なくはないが）。さらにボータは、独裁者の圧政と犠牲者の苦しみに目を向けようとしない西側の国ドイツの人びとへのいらだちを隠さない。ベラルーシ（ウクライナも）は、かつてあなたたちの祖父世代がドイツ兵として侵攻し、甚大な被害を与えた場所ではないか。それにもかかわらず、その地の住民の窮状に今なぜ無関心でいられるのか。埋もれた現実を告発し、事実を直視させるボータは、本書においてジャーナリストとしての役目を十分に果たしているといえよう。ベラルーシ人の生の声から生まれたボータのメッセージを本書から読み取っていただければ、訳者としてこれ以上の喜びはない。

本書には、ベラルーシの司法制度に基づく事柄が、ボータというドイツ人の目を通して語られる箇所がいくつかあり、訳者の理解の及ばぬ部分もあった。誤りは多々あろうが、ご海容いただければ幸甚である。

また、春秋社の中川航氏には、とくに校正時に大変ご尽力いただいた。そしてベラルーシ情勢に昏い訳者の蒙を啓き、解説文を寄せ、監修の労を執っていただいた慶應義塾大学准教授越野剛氏に、末筆ではあるが心より感謝したい。

岩井智子
岩井方男

著者

アリス・ボータ　*Alice Bota*

1979年ポーランドのクラプコヴィッェに生まれる。1988年北ドイツに移住、大学で政治学と近代ドイツ文学を専攻、またミュンヘンのドイツ・ジャーナリスト学校で専門教育を受ける。2007年より『ツァイト *Zeit*』紙の編集部員として国際部に所属。2015年から同紙モスクワ支局長として旧ソ連地域を担当、ウクライナ・南コーカサス・ベラルーシで取材を続ける。これまでにアクセル・シュプリンガー賞、ドイツ・ジャーナリスト賞などを受賞。著書に『私たち新ドイツ人』（クエ・ファン、エズレム・トプチュとの共著、2012年）。

訳者

岩井智子（いわい・ともこ）

聖マリアンナ医科大学非常勤講師（ドイツ語）。

岩井方男（いわい・まさお）

早稲田大学名誉教授。

監修・解説

越野剛（こしの・ごう）

慶應義塾大学（ロシア文学）。共編著に『ベラルーシを知るための50章』（2017年、明石書店）、『現代ロシア文学入門』（2022年、東洋書店新社）がある。

Alice Bota,
DIE FRAUEN VON BELARUS –
Von Revolution, Mut und dem Drang nach Freiheit

Published by arrangement
through Meike Marx Literary Agency

女たちのベラルーシ

革命、勇気、自由の希求

2023年12月10日　第1刷発行

著　　者――――アリス・ボータ
訳　　者――――岩井智子、岩井方男
監修・解説――――越野　剛
発 行 者――――小林公二
発 行 所――――株式会社 **春秋社**
〒101-0021東京都千代田区外神田2-18-6
電話03-3255-9611
振替00180-6-24861
https://www.shunjusha.co.jp/
印　　刷――――株式会社 太平印刷社
製　　本――――ナショナル製本 協同組合
装　　幀――――芦澤泰偉（題字：明石すみれ）

Printed in Japan, Shunjusha.
ISBN 978-4-393-33390-7　C0036
定価はカバー等に表示してあります。